Passie

Van dezelfde auteur:

De aasgieren
De geheimen
De onverzadigbaren
De verleiding

Harold Robbins

Passie

2004 – De Boekerij – Amsterdam

Oorspronkelijke titel: Heat of Passion (Tom Doherty Associates, LLC)
Vertaling: Parma van Loon
Omslagontwerp/artwork: Hesseling Design, Ede

ISBN 90-225-3908-3

Harold Robbins heeft een groot aantal ideeën voor romans nagelaten toen hij in 1997 overleed. De erfgenamen en zijn redacteur hebben samengewerkt met een gerenommeerde schrijver om, geïnspireerd door de briljante vertelkunst van Harold Robbins, deze ideeën te bewerken tot romans zoals Harold Robbins ze zelf zou hebben geschreven.

'Kijk!' herhaalde hij hees, en hield de lamp boven de open kist. We keken en konden even niets onderscheiden, omdat een zilverige glinstering ons verblindde. Toen onze ogen eraan gewend raakten, zagen we dat de kist driekwart vol lag met ruwe, voornamelijk grote diamanten. Ik bukte me en raapte er een paar op. Ja, het viel niet te ontkennen, ze voelden onmiskenbaar zeepachtig aan.

'We zijn de rijkste mannen in de hele wereld,' zei ik.

'Hi! Hi! Hi!' krijste de oude Gagool achter ons, terwijl ze rondfladderde als een vampiervleermuis. 'Daar zijn de stralende stenen die jullie begeren, blanken, zoveel jullie maar willen; neem ze, laat ze door je vingers glijden, eet ze, hi! hi hi! Drink ze…'

– De mijnen van Koning Salomon

DEEL 1

HART VAN DE WERELD

1

❖

Win Liberte, Beverly Hills, 1997

De telefoon bij het bed ging over en Jonny bewoog zich naast me, haar blote been over mijn dij geslagen, haar warme knie tegen mijn lies gedrukt. Ik had het Hart van de Wereld in mijn hand en had geen haast om de telefoon op te nemen. Ik wist wie het was: de receptie beneden, om me mee te delen dat er bezoek voor me was.

Ik had de diamant ter grootte van een walnoot tussen mijn duim en wijsvinger en hield hem in de straal ochtendlicht die door het raam naar binnen viel. Stukjes sterren – dat zijn diamanten, de hardste substantie op aarde, waarin een vuur van een miljard jaar gevangenzit. En geen diamant ter wereld had meer vuur dan de steen die ik in mijn hand hield: een eenenveertigkaraats bloeddiamant. Niet het 'bloed' van conflictdiamanten die Afrikaanse burgeroorlogen deden ontbranden, maar een zeldzame vuurrode diamant. Het was een steen met een geschiedenis. Moord, wellust, hebzucht – de ergste doodzonden – prijkten in zijn stamboom.

Geen diamant ter wereld was hiermee te vergelijken.

IJdelheid en hebzucht, daarop is de diamantindustrie gebaseerd, zegt men. En je kon op het menselijk ras vertrouwen voor een eindeloze voortzetting daarvan. De steen die ik in mijn hand hield was in staat voor een explosief peil van beide verdorvenheden te zorgen.

Mijn bezoekster wilde de diamant. Ze maakte deel uit van de geschiedenis. Niet het deel waar koningen die hem bezaten hun troon verloren, maar oorlog, moord, wellust waren de bijdragen die ze leverde aan de bloedige geschiedenis van de diamant.

De telefoon ging weer en Jonny duwde haar knie harder tegen mijn lies, wat een golf van begeerte door me heen deed gaan.

'Neem op,' zei ze.

'Het is je moeder.'

'Ze kan wippen.'

Ik wist het, dat had ik met haar gedaan.

'Laat haar bovenkomen,' zei ik tegen de beller.

Jonny rolde op haar andere zij. Haar naam in Portugal was Juana, maar op de Sacred Heart Academy in Beverly Hills stond ze bekend

9

als Jonny. Ze was achttien, had een strak lichaam en een gladde, goudbruine huid, gekust door de zon van Lissabon. Haar borsten waren klein en stevig, honingmeloenen met roze tepels die altijd opgezwollen leken. Jong, mooi, wild. Ze deed me denken aan een klein leeuwinnetje dat ik eens in Afrika had gezien, groot genoeg om te kunnen verscheuren met tanden en klauwen, maar met de behoefte aan een warme buik om 's nachts lekker tegenaan te schurken.

Ik wilde opstaan, maar Jonny greep mijn pik en trok me weer omlaag.

'Neuk me voordat ze bovenkomt. Ik wil dat ze mijn kut aan je ruikt.'

Ik duwde haar weg. 'Jonny, daar kan ik niet tegenop, ik moet een volwassen vrouw hebben die niet het uiteinde van mijn piemel verslijt.'

Ik had medelijden met kinderen van haar leeftijd, kinderen die lichtjaren verwijderd zijn van hun ouders en ieder ander boven de dertig. Oudere mensen hebben een nostalgisch verlangen naar de goeie ouwe tijd, maar er is geen goeie ouwe tijd voor mensen die zijn grootgebracht in een cultuur van seks en drugs. Waarover praten ze als ze oude vrienden ontmoeten? De keren dat ze samen high waren? Van bil gingen? De eerste houseparty die ze bijwoonden? Jonny was opgegroeid in een tijd waarin de plastic seks van *Baywatch* werd verward met sensualiteit. Ze behoorde tot een generatie waarin een afscheidszoen vaak ermee begon dat de jongen zijn broek openritste, een generatie die niet in de kerstman geloofde en digitale dromen had.

Ze kwam gisteravond bij me, vol hartzeer over het feit dat ze jong was. Ik liet haar op de bank slapen. Midden in de nacht sloop ze mijn kamer binnen en kroop bij me in bed omdat ze een warme buik nodig had om tegenaan te schurken. Op een gegeven moment glipte ze 's nachts onder de dekens en schoof omlaag tussen mijn benen, liefkoosde mijn penis, stopte hem in haar mond terwijl hij nog sliep, liet hem wakker en stijf worden toen ze erop zoog.

Ik hulde me in een badjas, ging naar de zitkamer van de suite en trok de deur naar de gang een paar centimeter open. Ik had de gordijnen al opengedaan en belde roomservice voor koffie toen Simone de deur opendeed.

Ze bleef even in de deuropening staan terwijl we elkaar aankeken. Ze was niets veranderd in de drie jaar sinds ik haar voor het laatst had gezien. Ik ook niet. Ze bracht mijn hoofd nog steeds op hol.

In tegenstelling tot Jonny's slanke, strakke lichaam was dat van Simone vlezig, gevuld, zodat een man iets tussen zijn tanden kon krijgen. Ze wond me oneindig meer op dan haar dochter. Simones lijf was een mooie wijn, om urenlang van te proeven en te genieten. Ze wekte geile gedachten bij me, geiler dan Jonny deed. Als Jonny's strakke lijf zich met haar kut om mijn lid klemde, was het of ik in een bankschroef zat. Ze was opwindend, maar seks met haar moeder was provocerend en uniek – tenminste als je het voorspel overleefde.

Als Juana een wild katje was, dan was haar moeder zonder meer een volgroeide leeuwin, in staat om zelfstandig te jagen en te doden. Ze was een paar jaar ouder dan ik, achter in de dertig, een tijd in het leven van een vrouw waarin ze het meest sexy en begeerlijk is, als ze de broze lichtheid van de jeugd heeft vervangen door een weelderige sensualiteit.

Haar Latijnse-Amerikaanse bloed was heet genoeg om auto's van brandstof te voorzien op de Indy 500.

Ze was gevaarlijk, maar niet op een krankzinnige manier. Haar misdaden waren altijd beraamd en weloverwogen. Als ze iets wilde, dan pakte ze het. En als je het in je hand had terwijl ze het pakte moest je vervolgens je vingers natellen, want die zou ze ook nog grijpen.

'Je ziet er goed uit,' zei ze toen ze binnenkwam en de deur achter zich dichtdeed. 'Rijk, succesvol, helemaal niet meer de jongen die ik ooit eens verleid heb.'

'Het leven is goed voor me geweest. Ik heb geld, gezondheid, afgunst – allesbehalve een goede vrouw. Goede vrouwen die mij dulden zijn zeldzaam.'

'Waarschijnlijk zoek je op de verkeerde plaatsen. De roddelbladen noemen je een Hollywoodplayboy.'

Ik lachte. 'Ik denk dat je een filmster moet zijn of op zijn minst een studio moet kopen om dat etiket te laten beklijven.'

'Je was vergeten om afscheid te nemen,' zei ze terwijl ze langs me heen liep in de richting van de open deuren naar het balkon.

'Ik had het te druk met weglopen voor de Portugese maffia.'

Ze liep het balkon op. Mijn suite in het Bel Air keek uit op een weelderige tropische tuin met beschaduwde donkergroene varens en zonminnende paarse bougainville, planten die het goed deden in het Zuid-Californische woestijnklimaat. Het zonlicht scheen door haar witte jurk, tekende haar lichaam af.

'Wit is een misleidende kleur voor jou,' zei ik.

'Ik kan mijn jurk uittrekken als je dat liever hebt.' Ze kende me. Dat is het probleem als je een man bent – vrouwen weten dat we meer met ons testosteron dan met onze hersensappen denken.

'De laatste keer dat we dat probeerden trok je alles uit behalve een pistool.'

Ze kwam dichterbij, dicht genoeg om haar lichaamswarmte te kunnen voelen, de seks in haar parfum te ruiken. Vrouwen deden geen parfum op om lekker te ruiken, maar om de seksdrang van een man te stimuleren. Werd een man die Odysseus heette niet door een zoetgeurende vrouw gevangengehouden? Hij was niet de eerste of de laatste man die zich liet verleiden door de geur van een vrouw.

Ik wist dat deze vrouw moeilijkheden betekende – ze had een keer geprobeerd me te doden – maar ik denk dat het was als de fascinatie die sommige mensen hebben voor het spelen met giftige slangen – het gevaar maakt het alleen maar opwindender.

'Ik heb je gemist, Win,' zei ze.

'Je wist waar ik was. Jij bleef in Lissabon.'

'Je begrijpt niets van trouw,' zei ze. 'Je was enig kind en daarna een weeskind; je hebt nooit iemand gehad die je trouw moest zijn. João haalde me van de straat af, zodat ik mijn lichaam niet meer voor voedsel en drugs hoefde te verkopen toen ik jonger was dan Jonny.'

'Hij is oud genoeg om je grootvader te zijn. En je hebt seks gehad met iedereen om hem heen, van zijn advocaat tot zijn chauffeur en vrienden.'

'Ik heb de behoeften van een vrouw, maar ik was er altijd voor hem. Als hij sterft, zal ik huilen aan zijn graf. Dat weet hij.'

'Dat maakt een echte Moeder Theresa van je. Gefeliciteerd – wat wil je nu?'

'Heb je hem? Ik wil hem graag zien, met eigen ogen zien waar al die drukte over gaat.'

Ik aarzelde. Ik verwachtte dit, had eraan gedacht sinds ik het telefoontje kreeg. Ik was niet bang dat ze hem zou grijpen en hard weghollen. Simone was niet dom of amateuristisch – ze zou eerder een pistool uit haar beha halen en me tussen de ogen schieten. Iets anders hinderde me – de simpele waarheid dat ik het moeilijk vond de steen te delen, het gevolg van pure, ouderwetse hebzucht. Misschien had de diamant een hebberigheidsvirus en infecteerde hij iedereen die hem aanraakte. Wat het ook was, de vuurdiamant had op iedereen die uitwerking. Zoals de steen van een tovenaar, werd iedereen gebiologeerd door de geheimzinnige magie ervan.

Vraag het maar aan de mensen die ervoor hadden gemoord – of eraan waren gestorven.

Ik haalde het Hart van de Wereld uit de zak van mijn badjas en gaf hem aan haar.

Ze hield hem tegen het licht. 'Mijn god, het is een brok vuur.'

'Vuur van de goden, vanaf een ster naar beneden gegooid. Hij is bijna zo oud als de aarde zelf. Er was een miljard jaar voor nodig om hem te maken en nog eens een miljard om hem te vinden.'

'Ik heb nog nooit een robijnrode diamant gezien,' zei ze.

'Ze zijn zeldzaam. De Hope Diamant in het Smithsonian is kleiner en niet zo helder als het Hart. Er is geen tweede diamant zoals deze.'

'Ik heb gehoord dat de computermiljardair die een Hawaïaans eiland kocht je er een vermogen voor heeft geboden. Ga je hem verkopen?'

Ze hulde zich in onschuld, alsof we niet allebei wisten dat ze naar Los Angeles was gekomen voor de steen. Als zij in de stad was, was João er ook. En hij zou het nooit opgeven tot hij de vuurdiamant in zijn bezit had – of een van ons dood was.

'Ik weet het niet.'

Maar ik wist het wel degelijk. Ik kon hem niet verkopen, evenmin als ik een arm of been kon afhakken en op de markt brengen. Hij betekende meer voor me dan geld; geld was er om uit te geven; ik had zonder geld geleefd en zou dat wéér kunnen. Diamanten zijn als seks: goede seks vergeet je nooit en je blijft het altijd betreuren als je die opgeeft. En deze diamant was als de *Mona Lisa*. Met niets te vergelijken.

'João beschouwde je als een zoon; je hebt hem veel verdriet gedaan.'

'Het spijt me; het moeten de langs mijn oren vliegende kogels van dat tuig om hem heen zijn geweest die me ondankbaar hebben gemaakt.'

'Je begrijpt het niet; je hebt het nooit begrepen. João wilde je beschermen. Hij wil nog steeds iets voor je doen.'

'Dat kan hij. Hij kan gauw doodgaan. Dat zou ons allebei goed van pas komen. Ja toch?'

Ik pakte de diamant uit haar hand en ze kwam dichterbij. Ze trok mijn badjas open en klemde haar koude vingers om mijn pik. Mijn hart bonsde. Haar lippen beroerden de mijne. Mijn bloed begon te koken en ik voelde mijn penis stijf worden. Ik wilde haar wegduwen, maar ik was zwak.

'Ik heb je gemist,' fluisterde ze.

'Hallo, moeder.'

Jonny stond in de deuropening van de slaapkamer, naakt.

Simone keek weer naar mij.

Ik haalde mijn schouders op.

'Uit school op weg naar huis kwam ze langs voor wat koekjes en melk.'

Simone en Jonny gingen weg, kibbelend en zeurend tegen elkaar over tijden en plaatsen en dingen die me niets zeiden. En zonder de diamant. Maar het spel was nu pas begonnen – alweer. Simone zou terugkomen. Ze wist hoe ze een man moest behagen, zijn lid moest strelen alsof het haar beste vriend was. Tot ze kreeg wat ze wilde. Dan beet ze het eraf.

De koffie kwam. Ik stond op het balkon en dronk het gloeiend hete vocht, denkend aan het verleden. New York. Lissabon. Afrika.

Die tijden en plaatsen hadden iets vreemds voor me, zoals de 'voorbije levens' waar de boeddhisten over spraken, en mijn herinneringen hadden een surrealistisch aspect.

Jezus, als dat voorbije-leven-gedoe waar was, moest ik in een vorig leven een bijlmoordenaar zijn geweest om te verdienen wat me in dit leven te beurt viel.

Een vrouw in een tennisoutfit kwam voorbij en keek me veelbetekenend aan. Maar ik was vandaag niet in de stemming voor vrouwen in het wit.

'Het leven is klote en dan ga je dood', luidde een of andere bumperspreuk vroeger. Ik had het leven nooit beschouwd als een strijd, zelfs niet als het menens werd en mijn geluk het raam uit vloog. Meestal was ik bang geweest. Misschien was dat de reden waarom ik met alles wat ik deed op goud joeg – Win was niet alleen mijn naam, het was mijn manier van leven.

Ik had mijn hele leven geleefd alsof er geen morgen bestond.

Misschien bestond er ook helemaal geen morgen.

DEEL **2**

NEW
YORK

2

❖

Win Liberte, Long Island, 1971

In mijn kindertijd was er dat vreemde verschijnsel rond de aanslag op JFK. De mensen wisten altijd precies waar ze geweest waren toen ze het nieuws hoorden dat Kennedy vermoord was. Mijn vader vertelde me dat hij met een loep een diamant stond te bestuderen in zijn kantoor op West Forty-seventh en Fifth Avenue in Manhattan, toen een van zijn medewerkers kwam binnengehold en hem vertelde dat Kennedy was neergeschoten. Oom Bernie beweerde dat hij op de plee het goede nieuws van de wedrennen in de krant zat te lezen – Last Chance was in de derde race in Belmont in de prijzen gevallen – toen zijn secretaresse de deur opengooide en gilde dat de president dood was.

Ik had de gemakkelijkste herinnering van allemaal. Op 22 november 1963 werd ik in een taxi op Broadway geboren. Mijn moeder had de taxi genomen vanaf het appartement naar de Lower East Side, om mijn vader te vertellen dat het tijd was om haar naar het ziekenhuis te brengen. Ik had het slecht getimed door te laat te komen, een eigenschap die ik mijn leven lang behouden heb.

De dood van Kennedy bleef me mijn hele kindertijd bij. Geen enkele president scheen hem te kunnen evenaren, zoveel vertrouwen te kunnen wekken bij mensen als hij. Ik heb mijn vader tijdens de regering van Johnson en van Nixon zeker wel honderd keer horen zeggen: 'Als Kennedy nog geleefd had…'

Ik heb nooit belangstelling gehad voor politiek, dus ik weet niet of Kennedy een groot president was of de Ultieme Hoop voor de mensen. Maar net als voor de mensen van wie de dromen van een groot Amerika samen met hem stierven, stierven ook mijn dromen een moeilijke dood.

Toen ik acht was, nam mijn vader me mee van de drukke zitkamer – we waren inmiddels verhuisd naar Long Island – naar het kleine kantoor dat hij thuis had ingericht. Hij was diamantair. Zo noemden mensen in de industrie een diamanthandelaar, die internationale groep ingewijden die diamanten kopen en verkopen op de ongeveer zes diamantbeurzen in de wereld.

De meeste diamanten die mijn vader verhandelde waren ruwe diamanten – ongeslepen stenen uit de mijnen met het vuil er letterlijk nog op. Het was een harde business, een van de meest onbarmhartige ter wereld, een ijzingwekkende handel waarin een verkeerd bod op een grote steen je op de richel van je kantoorgebouw kon doen belanden, tien verdiepingen hoog, omlaagkijkend naar de straat, je afvragend wat je zou voelen als je met honderdvijftig kilometer per uur op het plaveisel smakte.

Mijn vader ging goed met zijn handel om, kalm en daadkrachtig. Hij was er niet het type naar om zich op te winden of kwaad te maken tijdens onderhandelingen – hij was rationeler dan de meeste handelaars die ik in actie heb gezien. Je kon de raderen in zijn hoofd bijna zien bewegen als hij een handel inschatte. Hij vertelde me dat zijn vader hem had geleerd op de ogen van een koper te letten, dat de pupillen zich een beetje verwijdden als ze iets zagen dat hen echt beviel. Dat verklaart zo ongeveer het karakter van mijn vader, een scherpzinnige man die een belangrijk besluit kon nemen op basis van een bijna onmerkbare verandering in een oog.

Toen ik mijn vader door de zitkamer volgde, waren de gesprekken om ons heen gedempt, niet het gebruikelijke gelach en luide gepraat als mijn ouders bezoek hadden. Mijn moeder was een Portugese, terwijl mijn vader, Victoir, zichzelf een zigeuner noemde, omdat hij woonde in Amerika, geboren was in Warschau, opgevoed in Marseille en getrouwd in Lissabon. De naam Liberté had mijn grootvader, toen hij het getto in Warschau achter zich had gelaten, in Frankrijk aangenomen omdat zijn joods-Poolse naam een halve meter lang was. Mijn eigen vader liet het accent op de 'e' achterwege toen hij in Amerika kwam. Zich aanpassen, heette dat. Maar hij sprak de naam nog steeds uit als 'Libertay'.

Mijn moeder was mooi, met fijn rood haar, warme bruine ogen en een ivoorkleurige huid. Ik erfde haar ogen en een rode tint in mijn eigen lichtbruine haar. Ik herinner me haar als kalm en tactvol. Ze verhief nooit haar stem, maar leidde het huishouden met een in fluweel gestoken ijzeren hand. Mijn vader sprak haar nooit tegen, althans niet in mijn aanwezigheid, en ik heb hem nooit zijn stem tegen haar horen verheffen.

Kinderen begrijpen de liefde van hun ouders voor elkaar niet echt. Pas toen ik volwassen werd en zelf een vrouw beminde, begreep ik hoeveel mijn moeder voor mijn vader betekende. In die tijd begreep ik eigenlijk alleen maar hoeveel ze voor míj betekende.

Mijn vader behandelde mijn moeder altijd met ouderwetse zachtzinnigheid en respect, bijna alsof ze iets heel kostbaars was. Misschien gedroeg hij zich anders tegen haar omdat hij een stuk ouder was dan zij. In veel opzichten behandelde hij haar als een tere bloem die slechts korte tijd bloeit. Ze wisten niet dat ze een hartkwaal had tot ze zwanger werd van mij en van haar dokter te horen kreeg dat ze nooit meer zwanger mocht worden. Maar ze had altijd een zwakke gezondheid gehad. Ik geloof dat hij op zijn kalme, analytische wijze intuïtief wist dat hij haar op een dag zou verliezen.

In zijn kantoor thuis maakte mijn vader een oude kluis open, op de deur waarvan ACME SAFE COMPANY stond, en pakte er een sigarendoos uit. Daaruit haalde hij een vel wit papier dat zeven keer gevouwen was om een zakje te vormen voor een edelsteen. Hij knipte de bureaulamp aan en liet me op zijn knie zitten terwijl hij het papier openvouwde en een tweekaraatsdiamant liet zien. Hij glinsterde en fonkelde, achtenvijftig facetten die 'wit' licht veranderden in een schitterende briljantheid. Diamanten hadden het vermogen om briljante kleuren te bundelen, te richten en uit te stralen. Een goed geslepen, heldere diamant straalt zoveel licht en kleur uit dat hij een laaiend vuur lijkt. Ik denk dat diamanten daarom de 'vlam van de liefde' worden genoemd. En ja, als je tot het cynische type behoort, noemen ze hem misschien zo omdat veel mannen verwachten iets ervoor terug te krijgen als ze een vrouw een diamant schenken.

'Ik heb je moeder in 1957 in Lissabon leren kennen,' zei mijn vader. 'Ze zat op een terras aan de Rossio, de hoofdstraat in het hart van de stad. Ik was sinds het einde van de oorlog niet meer in de stad teruggeweest. Tijdens de oorlog was het een opwindende stad, een tijd waarin Portugal neutraal was en er duizenden vluchtelingen zoals ik waren, mannen en vrouwen die de nazi's waren ontvlucht, geland waren in plaatsen als Lissabon, Istanbul en Tanger, in de hoop valse papieren te kunnen kopen die hun toegang zouden verschaffen tot Amerika.

'Op een dag zal ik je een oude film laten zien, *Casablanca*. Dat zal je een idee geven hoe het in Lissabon was tijdens de oorlog, hoe wanhopig de mensen waren die in oorlogstijd zonder geld of reisdocumenten in Europa waren. We verwachtten elk moment dat Salazar, de sterke man van het land, de kant van de nazi's zou kiezen en ons zou overleveren aan Himmlers in paradepas marcherende bende.

'Ik wist eindelijk het land uit te komen, met vervalste papieren naar Engeland te reizen en vervolgens naar de Verenigde Staten. Daarna ben ik nog maar één keer in Lissabon geweest, voor de begrafenis van een oude vriend, een man die me tijdens de oorlog had geholpen toen ik arm en hongerig was, een juwelier die me edelstenen gaf, zodat ik als vluchteling met gaten in mijn zakken mijn eerste zaken kon doen in Lissabon. Zakventers noemden ze ons, edelsteenverkopers zonder kantoor of winkel, die onze koopwaar in onze zak droegen en transacties afsloten in een bar, café of op een straathoek.

'Na zijn begrafenis zwierf ik rond in de stad, op zoek naar oude herinneringen, toen ik haar zag.'

Hij betastte zijn loep terwijl hij sprak. Die had hij altijd bij zich, waar hij ook naartoe ging. Hij was als een arts met zijn dokterstas – hij wist nooit wanneer iemand hem zou vragen om een opinie over een diamant. Diamantairs handelden op bar mitswa's, bruiloften, begrafenissen, en op zinkende schepen.

'Je moeder was naar een recital geweest, ze was muziekstudente, studeerde viool, en had net een optreden achter de rug met andere studenten.' Hij gaf me de loep en een pincet. 'Bekijk deze diamant eens en vertel me wat je ziet.'

Ik klemde de diamant vast met mijn pincet en gebruikte de loep om hem te bekijken tegen de achtergrond van het witte papier. Ik had het al eerder gedaan. Sommige kinderen groeiden op met een honkbalhandschoen, ik met de loep van een juwelier.

'Hij is gaaf,' zei ik.

'Ja, hij is gaaf. Geen barstjes, geen zwakke plekjes, niets om de schoonheid ervan te verminderen. Het is of je in een ster kijkt. Dit was wat ik zag toen ik je moeder voor het eerst ontmoette. Ik liep op straat toen Eléna opkeek, glimlachend om iets wat haar vriendin had gezegd. Ik keek in haar ogen en zag haar hart en wist dat zij de vrouw was die ik de rest van mijn leven zou liefhebben.

'Win, wij joden geven onze vrouwen een gave diamant als we trouwen opdat ons huwelijk perfect zal zijn. Maar mijn huwelijk was perfect omdat de vrouw met wie ik trouwde een juweel was zonder weerga.' Zijn ogen werden vochtig en hij sloeg ze neer.

Ik liet mijn vader gebogen over de tafel achter, starend naar de diamant, terugblikkend op die avond in Lissabon toen hij mijn moeder voor het eerst had gezien. Stilletjes deed ik de deur open en liep de zitkamer in. Ik bleef dicht bij de muur, wilde niet omhelsd of geknuffeld worden door familieleden. Een priester praatte met de Portugese verwanten van mijn moeder en een rabbi met de vrienden van mijn vader. Ik zag twee van zijn zakenrelaties in een hoek een diamant onderzoeken. Dat werd net zomin onbeleefd gevonden als praten over honkbal. Wij beschouwden het gewoon als zakelijk, het was een levenswijze.

Ik glipte de salon binnen waar mijn moeder lag. Toen ze thuiskwam uit het ziekenhuis had mijn vader haar bed in de salon laten zetten omdat ze meer hield van het uitzicht op de straat dan dat in haar slaapkamer aan de achterkant van het huis. Ze had geweigerd in het ziekenhuis te blijven toen haar hart het begon op te geven.

Ik stond naast het bed.

Ze zag wit, bleker dan ik haar ooit gezien had, zo wit dat haar rode haar in brand leek te staan. Ik pakte haar hand en staarde naar de diamant aan haar vinger, de ring die mijn vader haar had gegeven toen ze trouwden.

Ik huilde toen ik haar koude hand aanraakte.

3

❖

Manhattan, 1974

'Hoeveel weeg je, Win?' vroeg oom Bernie.

Bernie was een achterneef van mijn vader, maar omdat hij zoveel ouder was dan ik, sprak ik altijd over hem als mijn oom. Hij was een goeie kerel, een tikje luidruchtig, met een tamelijk dikke kont – hij beweerde dat dat door de zwaartekracht kwam omdat hij de hele dag zat, en niet door wat hij at.

We zaten in het kantoor van mijn vader in West Forty-Seventh Street, het diamantdistrict van New York. Het Huis Liberte en een paar duizend andere handelaren hadden hun kantoren in één blok van Forty-seventh Street tussen Fifth Avenue en de Avenue of the Americas. Zo werkte de diamantindustrie, allemaal op een kluitje, er werden zaken gedaan in de gangen, buiten op straat, op weg naar de metro, of kauwend op een sandwich.

Er was in de hele wereld geen handel zoals deze – gebaseerd op absoluut vertrouwen. De waarborg van een handelaar was zijn woord. Diamanten die een klein vermogen waard waren gingen van hand tot hand onder handelaren die elkaar nauwelijks kenden – en het enige wat de verkoper kreeg was de belofte dat hij betaald zou worden. Maar er was ook een wereld van caveat emptor – je kocht op eigen risico, ongeacht of het ging tussen handelaar en handelaar of via de detailhandel. Je kon een diamant kopen in West Forty-seventh Street voor de helft van de prijs in de chique zaken op Fifth Avenue – Tiffany's, Bulgari, Harry Winston, Cartier. Ja, en je kreeg waarvoor je betaalde – je moest je vingers tellen als je een handdruk had gegeven op het sluiten van een deal. Er waren genoeg handelaren die de waarde van een diamant wat opschroefden of 'diamantcertificaten' hadden die even geloofwaardig waren als die predikantsvergunningen die ze in de jaren zestig verkochten voor het ontduiken van de belasting.

Het was ook de minst pretentieuze handel op de hele planeet. Handelaren kleedden zich eenvoudig, kantoren waren sober ingericht – soms vroeg ik me wel eens af of er niet een wedstrijd gaande was wie zich het armst kon voordoen. Misschien had het iets te maken met beroofd en vermoord worden. Mannen in zwarte pakken en gleufhoeden of keppeltjes liepen van gebouw naar gebouw met zwarte aktekoffertjes, vaak leeg op hun lunch na, maar met een miljoen dollar aan diamanten in hun jaszak.

De gebouwen waren al even weinig pretentieus als de mensen. Het kantoor van mijn vader was niet luxueus; integendeel, het zag er zo saai en eenvoudig uit dat het op het bureau van een boekhouder leek – behalve dat de voordeur van staal was en de kluis bijna twee meter hoog. Hoewel er een enkele keer een verkoop plaatsvond aan een belangrijke detailhandelaar was de handel over het algemeen een groothandelsbedrijf. Diamanten uit de hele wereld werden binnengevoerd en verhandeld aan andere tussenhandelaren die ze steeds weer doorverkochten, tot ze uiteindelijk de hand van een vrouw in Palm Beach of Palm Springs bereikten. De ruwe diamanten werden uit de mijnen gehaald in plaatsen als Afrika en Brazilië en verkocht en geslepen in Antwerpen, Tel Aviv, Bombay, en in mindere mate in New York. De diamanten gingen vaak door een aantal handen voor ze over de toonbank van een detailzaak aan de ringvinger van een vrouw belandden.

Het was een harde business. Bernie beweerde dat je, om in dit vak te slagen, moest kunnen praten als Brugman.

We waren terugverhuisd naar de stad na de dood van mijn moeder. De meeste dagen ging ik uit school langs het kantoor en kreeg dan vaak onderricht in de diamanthandel door mijn vader of Bernie. Mijn vader zei dat hij me niet wilde opvoeden in een vissenkom omdat ik op een goede dag onder de haaien zou moeten zwemmen, dus stuurde hij me naar een multiraciale, multiculturele openbare school, waar je de andere kinderen niet vertelde dat je vader diamanthandelaar was, omdat ze dan een manier zouden vinden om je te tillen.

'Ik weet niet, misschien honderd pond, misschien wat meer.'

'Fout! Je weegt tweehonderdvijfentwintigduizend karaten. Vergeet dat niet, jongen, geen pond – karaten.'

'De mensen zouden het maar raar vinden als ik hun mijn gewicht in diamanten vertelde.'

'Jajaja. Je zou niet de eerste zijn, weet je. Er was een Indiase prins die elk jaar zijn gewicht in diamanten kreeg… of was het goud?'

Ik liet Bernie met de vraag goud versus diamanten alleen, me afvragend of de prins zich volgegeten zou hebben voordat hij werd gewogen, en begaf me naar het kantoor van mijn vader. Na de dood van mijn moeder was zijn haar vroegtijdig grijs geworden, hij kreeg een mager en afgetobd gezicht toen hij afviel waardoor hij er ouder uitzag dan zijn vierenvijftig jaar. Hij was achter in de dertig geweest toen hij met mijn moeder trouwde. Hij beweerde dat hij zo lang had gewacht met trouwen omdat hij op zoek was naar perfectie. Die had hij gevonden en weer verloren. Nu leek hij snel te veranderen in een oude man.

Twee jaar nadat mijn moeder gestorven was hertrouwde hij, niet uit liefde, maar uit een gevoel van verantwoordelijkheid. Hij moest een zoon opvoeden, had het druk met zijn zaak, en vond dat ik een moeder nodig had. Mijn stiefmoeder, Rebecca, had ook een zoon, die vijf jaar ouder was dan ik en lichtjaren van mij verschilde. Ik ging naar het Diamantdistrict als mijn vader me dat opdroeg, maar ik prefereerde meisjes en mijn windsurfer boven koude stenen. Leo's passies waren diamanten en goud. Sommige kinderen wilden brandweerman of dokter worden, Leo wilde tot de 'happy few' behoren. Een van de eigenaardigheden van de diamantindustrie was dat 'het Syndicaat', het Afrikaanse De Beers diamantkartel, er zoveel in te zeggen had, wereldwijd vraag en aanbod beheerste om de prijzen op peil te houden. En ze verkochten alleen diamanten aan een klein, selectief aantal mensen – nog geen tweehonderd diamantairs ter wereld genoten het voorrecht een uitnodiging te ontvangen om diamanten te kopen van het kartel. De verkoopbesprekingen werden gehouden in Londen en niet in de Verenigde Staten omdat het Amerikaanse ministerie van Justitie De Beers beschouwde als een monopolie. De rest van het plebs van diamanthandelaren kocht en verkocht de restanten.

Mijn vader haalde een ruwe diamant uit de verpakking en legde hem op zijn bureau. 'Vertel me wat je ervan vindt.'

De meeste ouders willen dat hun kinderen het ABC leren. Van mijn vader moest ik ook de vier eigenschappen van een diamant leren: helderheid, kleur, slijpsel en karaatgewicht, voor het kunnen taxeren van een volledig bewerkte diamant. Die vier dingen waren ook van toepassing als je in de handel in ruwe diamanten probeerde de geslepen diamant-in-de-ruwe-steen te zien. En mijn vader handelde in ruwe diamanten. Hij kocht ze, liet ze slijpen en verkocht ze weer aan de detailhandel. De beste manier om een diamant te beoordelen was onder goed licht en tegen een witte achtergrond. Als het om een geslepen diamant ging, moest hij uit de zetting worden genomen als je hem onderzocht, want een gouden of zilveren zetting bemoeilijkte een taxatie.

Ik begon met de helderheid, om vast te stellen hoe 'zuiver' de steen was als ik hem controleerde met het blote oog, en wilde zien of hij vrij was van onvolkomenheden aan de oppervlakte en zwakke plekken in het binnenste van de steen. 'Gaaf' was een magisch woord in de handel, en dat was de maatstaf. Daarna ging het omlaag, van zwakke plekjes die te klein waren om door een ongeoefend oog te worden waargenomen, tot gebreken die je kon zien zonder de tien keer vergrotende juweliersloep.

Er waren krasjes en onzuiverheden die ik met mijn blote oog kon waarnemen. Er kwamen er nog meer te voorschijn toen ik hem onder de loep bekeek. Ongeacht hoe de steen was geslepen, want er zouden zoveel gebreken zijn dat de taxatie heel laag zou uitvallen, met gebreken die bij een nauwkeurig onderzoek voor het blote oog zichtbaar waren.

Vervolgens bekeek ik de kleur, liet het licht erdoor vallen op het witte papier. Sommige handelaren pakten een wit visitekaartje uit hun zak, vouwden het dubbel en legden de diamant in de vouw om de kleur te controleren.

Voor de meeste edelstenen – robijnen, saffieren, smaragden – geldt: hoe meer kleur hoe beter. Voor diamanten geldt precies het tegenovergestelde. De zeldzame en duurdere diamanten zijn kleurloos, wat betekent dat ze meer zullen schitteren omdat het binnenvallende licht door niets geblokkeerd wordt. De schaal begint met kleurloos en gaat dan omlaag tot diverse tinten geel door het nitrogeengehalte en uiteindelijk tot industriële diamanten. Naarmate het geel toeneemt, vermindert de waarde van de steen.

Een volledig kleurloze steen kreeg de taxatie 'd', geen 'a', 'b' of 'c'. Omlaag langs de graadmeter kon een éénkaraats 'd' (kleurloos) vier- of vijfmaal zoveel waard zijn als een éénkaraats 'm' (lichtgeel) – maar diamanten waren zo duur dat een éénkaraats 'm' je toch nog duizenden dollars kon kosten!

De diamant die ik onderzocht was onder aan de kleurenschaal, groezelig geel en troebel.

'Vertel me eens wat meer over kleuren,' zei mijn vader.

'Kleur heeft iets merkwaardigs – een klein beetje geel vermindert de waarde, maar veel ervan doet de waarde stijgen.'

Als de steen werkelijk doortrokken was van kleur ging de waarde pijlsnel omhoog. Echt kanariegele, groene, blauwe en roze diamanten werden 'fancy'-diamanten genoemd, antwoordde ik. Ze waren zeldzaam en waardevol. Grote fancy-diamanten konden door Christie's en Sotheby's voor miljoenen worden verkocht, net als schilderijen van grote meesters.

'En een rode diamant, is die waardevol?' vroeg mijn vader.

'Ik heb nog nooit een rode diamant gezien.'

'De meeste mensen niet. Ze zeggen dat er geen echte robijnrode zijn, alleen maar roodbruine en donkerroze. Maar ik heb eens een robijnrode gehad, de meest felrode diamant die ooit is gevonden. Het was of je een brok vuur, een ster, in je hand hield. Maar dat is lang geleden, voordat jij geboren werd, voordat ik je moeder leerde kennen.'

'Wat is ermee gebeurd?'

'Hij is in Lissabon gestolen. Maar ik zal het nooit vergeten. Net als je moeder was hij onvergelijkbaar. Maar wat is je taxatie van de diamant die je onderzoekt?'

'Waardeloos,' zei ik. 'Slechte kleur, de zwakke plekken zijn zo duidelijk dat ik ze zonder loep kan zien.'

'Nee, niet waardeloos. Alle diamanten hebben waarde; deze is alleen minder waard dan sommige andere. Zelfs diamanten die geen edelsteenkwalificatie hebben zijn waardevol voor industriële doeleinden. Je moet niet denken dat alle diamanten de helderheid en gaafheid van een "d" moeten hebben. We verhandelen diverse gradaties voor diverse smaken en portemonnees. Een hoop juweliers beweren dat een man geacht wordt twee maanden salaris te besteden aan een verlovingsring. Kun je je voorstellen hoe klein de meeste ringen zouden zijn als het allemaal volmaakte "d's" waren?'

'Maar het zouden goede investeringen zijn. Je hebt me verteld dat de meeste diamanten die in dit land verkocht worden te veel geel hebben om in waarde toe te nemen.'

'Dat is zo, maar Amerikanen houden van grote diamanten, zelfs al zijn ze van mindere kwaliteit, terwijl de Japanners liever diamanten van uitstekende kwaliteit hebben, ook al zijn ze minder groot. Misschien hebben we daarom wel zo'n groot aantal echtscheidingen. Vertel eens wat meer over die diamant. Hoe zwaar is hij?'

Ik legde een diamant op een weegschaal. Diamanten werden verkocht naar gewicht, niet naar afmetingen. En een ander unicum van diamanten is dat ze hun eigen gewichtssysteem hebben. Het woord 'karaat' kwam van 'carob', het substituut voor chocolade. In India en het Middellandse-Zeegebied werden diamanten oorspronkelijk gewogen door aan de ene kant van de weegschaal carobzaadjes te leggen en aan de andere kant diamanten. Ik weet niet waarom er carobzaad voor werd gekozen; misschien waren ze uniformer van gewicht. Maar in de moderne tijd was het geen praktische methode, en de diamantindustrie standaardiseerde uiteindelijk een 'karaat' op 200 milligram. Bernie kon mijn gewicht gemakkelijk weergeven in karaten omdat één Amerikaanse pond 2240 karaten bedroeg.

In de handel werden karaten verder verdeeld in 'punten', waarbij één karaat gelijk was aan honderd punten. De vijftigpunts diamant was een halve karaat, een vijfenzeventigpunts driekwart, enzovoort.

'Honderdtwaalf punten, iets meer dan een karaat,' zei ik.

'Goed, maar dat is het gewicht van de onbewerkte diamant. We moeten weten hoeveel hij weegt als hij geslepen is. Hoe zou je hem slijpen?'

Dat was een geniepige vraag. Wat weet een elfjarig kind van het slijpen van diamanten?

Ik nam de steen mee naar een bureau aan de zijkant en begon hem onder sterk licht te bestuderen. Ik kende de routine, de steen met de loep bekijken, naar de korrel, de klooflijnen zoeken, precies de juiste hoek zien te vinden waar hij moet worden gekloofd. Als je een geslepen diamant ziet, kun je je moeilijk voorstellen dat ze gemaakt zijn van een misvormde steen zoals ik die in mijn hand had.

Het belangrijkste van het kloven was je in te denken hoe het uiteindelijke product eruit zou zien. Mijn vader leerde me dat de mensen die besluiten waar ze moeten kloven, zagen en slijpen tot ze geschikt zijn om in de vitrine te worden getoond, zich de diamant binnen in de diamant voorstellen voordat ze beginnen.

'Stel je voor dat je een lichtstraal bent,' zei mijn vader toen hij me eens een ruwe diamant overhandigde die moest worden gekloofd. Daar ging het allemaal om, de manier waarop het licht zich bewoog. Als je je precies kon voorstellen hoe licht zou reageren in de diamant zou je weten hoe je de diamant moest kloven en slijpen om de schittering ervan duidelijk te doen uitkomen.

Het eerste wat je moest weten was dat al die glitter, de schittering die we diamantvuur noemen, die lichtflitsen, niet van het licht kwamen dat op de diamant weerkaatste, maar van het licht dat er binnenviel en verwerkt werd in de diamant. Het kloven en slijpen was even belangrijk als de kleur en helderheid. Die vier werkten samen om een verblindend juweel te scheppen.

Een diamant wordt verdeeld in drie delen – het brede deel in het midden waar hij bevestigd wordt aan de ring wordt de zetting genoemd. Het deel daarboven heet de kroon, en het gebied eronder het paviljoen. Je moet je indenken dat een lichtstraal naar binnen valt door de tafel en facetten van de kroon en verwerkt wordt door de facetten van het paviljoen, waardoor het licht in verschillende kleuren wordt gesplitst alsof het door een prisma valt. Het licht dat gebroken wordt door de facetten van het paviljoen is de felle schittering die je ziet.

Je kon er niet gewoon stukjes afhakken tot je de vertrouwde vorm van een diamant had. Zelfs al werden de meeste stenen geslepen tot achtenvijftig facetten, drieëndertig in de kroon en vijfentwintig in het paviljoen, was elke steen uniek, en het vormen van een edelsteen uit een ruwe steen vereiste een nauwkeurig onderzoek. En het ging niet altijd volgens het plan van de slijper. Daarom zijn sommige diamanten niet het koopje dat ze op papier lijken. Twee stenen met exact dezelfde kwalificatie ten aanzien van gewicht, helderheid en kleur kunnen enorm verschillen in briljantheid door de manier waarop de edelsteen uit de ruwe steen is gevormd. Als vuistregel begon je ongeveer met een driekaraatssteen om een éénkaraatsdiamant te krijgen. Je zou misschien een éénkaraats kunnen krijgen van een kleinere steen, bijvoorbeeld een tweekaraats, maar dan krijg je wellicht niet dezelfde schittering, ondanks het feit dat hij dezelfde kwalificaties heeft. Vaak werden de vorm en grootte van de steen ook bepaald door het werken met en rond gebreken.

Ik zou niet in mijn onderhoud voorzien door het slijpen van stenen, maar als ik in de voetsporen van mijn vader trad en diamanthandelaar werd, moest ik elke keer dat ik een ruwe steen bestudeerde om te zien of ik hem wilde kopen, het belangrijkste van alles in gedachten houden – de prijs. Ik moest de edelsteen exact in de ruwe steen kunnen zien om te bepalen hoeveel ik ervoor moest betalen – en hoeveel degene aan wie ik hem verkocht ervoor zou betalen.

Dus zo werd ik opgeleid, om altijd te beginnen met de diamant verborgen te zien in de ruwe steen, me in te denken dat ik een lichtstraal was die in de steen drong, en te zien hoe de facetten het licht zouden verspreiden, om te peilen hoe hij zou moeten worden gekloofd.

Na te hebben bepaald waar hij moest worden gekloofd, werd de steen gemarkeerd met inkt om aan te geven waar het kloven, zagen en slijpen moest gebeuren. Met behulp van een hamertje en een klein beiteltje moest de steen precies op de juiste plaats worden gekloofd om goed te splijten. Een haarbreed ernaast en de steen zou worden beschadigd of zelfs verbrijzeld. Dat was eigenlijk de paradox van diamanten – ze waren hard maar niet taai. Ze waren de hardste substantie op aarde – we wisten allemaal dat je een diamant alleen met een diamant kon snijden. Je kon een diamant op een aambeeld leggen en er met een moker op slaan en de diamant zou ongebroken in het ijzeren aambeeld worden gehamerd – maar je zou hem net zogoed in gruzelementen kunnen slaan omdat een diamant verbrijzelt als je hem langs een van de klooflijnen raakt.

'De diamantslijperij is ontstaan in India,' vertelde oom Bernie me tijdens een eerdere les. 'Ze wisten dat diamanten hard waren, hard genoeg om in een aambeeld te worden gebed als je erop slaat, maar ze ontdekten ook dat er manieren waren om diamanten stuk te slaan – als je erop blijft hameren zul je bij toeval op de klooflijn slaan en dan breekt hij. Ze verpakten de stenen in platen lood en braken ze door er hard op de slaan. Ze zetten de scherpe stukken van de gebroken stenen vast in de snede van zwaarden als de lemmeten bijna heet genoeg waren om te smelten. Dat schiep zwaarden waarmee je staal kon doorklieven.

Ik nam de steen mee naar de andere kamer en bestudeerde hem een uur lang, met het blote oog en onder de loep. Toen ik had uitgekiend hoe hij gekloofd zou moeten worden, markeerde ik de lijnen met inkt. Daarop bracht ik rapport uit aan mijn vader.

'Ik zou kiezen voor een veertigpunts ovale kloof. Dat zou een verlies betekenen van bijna tweederde van de steen, met iets ervan terug in de vorm van gruis.' Gruis doelde op kleine diamantjes, meestal onder tienpunts. Alles onder een honderdpunts, een karaat, werd een kleintje genoemd. 'Daar is een gletz.' Een klein scheurtje. 'Ik zou het eraf kloven, ongeveer een kwart van de steen weghalen. Als het erin blijft zitten, zou de steen waarschijnlijk splijten tijdens het zagen en slijpen dat nodig is om de facetten te creëren.'

Het afsplijten van het scheurtje zou gebeuren tijdens het kloven.

Het was een procedure waarbij een klein hamertje en beiteltje werden gebruikt om een deel van een diamant af te scheiden, en die de meeste mensen identificeerden met het kloven van een diamant. Kloven is de manier waarop het in films wordt gedaan, maar in werkelijkheid werd het meeste van de vormgeving tot stand gebracht door urenlang eentonig te zagen en te slijpen. Kloven was riskant omdat de steen kon vergruizen.

De rest van de middag en de avond na het eten en alle vrije uurtjes tussen school en slaap de week daarop was ik bezig de diamant te bestuderen en te prepareren voor het kloven en slijpen. Ik praatte over de diamant met mijn vader, Bernie en Emile, een slijper die voor mijn vader werkte. Ik legde hem op een apparaat dat een dop werd genoemd en gebruikte een andere diamant om er een groef in te maken. Omdat een diamant alleen kon worden gegroefd met een andere diamant werd een puntige diamant gebruikt voor de groef die ik nodig had om het kloofmes juist te plaatsen. Ik had al een aantal industriële diamanten gekloofd, om me te oefenen voor de grote dag als ik iets waardevollers moest bewerken.

Toen het moment kwam voor het feitelijke kloven terwijl mijn vader toekeek, begon ik aan de diamant die gegroefd op de dop was geplaatst, met een houten hamertje in de ene hand en het kloofmes in de andere. Voor ik sloeg, keek ik naar mijn vader.

'En als hij vergruist?' vroeg ik.

'Je zult nooit weten wat falen is als je het niet probeert. En je zult nooit weten wat succes is als je niet weet wat falen is.'

'Dus het doet er niet toe als ik hem vergruis?'

'Natuurlijk doet het ertoe. Die diamant is een jaar zakgeld waard. Als je hem vergruist, zul je een jaar lang elke dag na school hier moeten komen om je zakgeld te verdienen.'

'Dat is niet eerlijk.'

'Zo gaat het in het leven. Je zult iets leren terwijl je opgroeit. De enige rechtvaardigheid die je in deze wereld krijgt is waar je voor vecht.'

'Waarom moet ik leren hoe je een diamant moet kloven?' Ik kende het antwoord, maar als kind blijf je de stemming peilen, blijf je zoeken naar het antwoord dat je verlangt. 'Ik wil geen diamanten kloven als ik groot ben.'

'Je moet de business kennen. Elk detail ervan. Anders profiteren de mensen van je, stellen je teleur omdat ze incompetent zijn.'

Elk detail kennen was iets wat hij er bij me instampte. Zoals die keer toen ik een fietswedstrijd won. Voor ik aan de wedstrijd mee mocht doen, liet hij me de fiets uit elkaar halen en weer in elkaar zetten tot ik het blindelings kon doen. 'Zo trainen ze soldaten,' zei hij. 'Ze leven dag en nacht met hun geweer zodat ze het in het donker kunnen demonteren en weer in elkaar zetten.'

Ik legde het hamertje neer en veegde mijn handen af. Ze waren nat van het zweet.

'Kun je je voorstellen hoe een diamantslijper zich vroeger voelde als hij een steen moest kloven die een fortuin waard was? Ze bestudeerden de steen vaak een jaar of nog langer en hadden een dokter bij de hand voor het geval de steen verbrijzelde.'

'Moest de dokter de gebroken steen repareren?'

'Nee. De dokter was aanwezig om de verbrijzelde diamantslijper te behandelen.'

Hij vertelde me het verhaal van Joseph Asscher, de Amsterdamse diamantslijper die in 1907 de Cullinan Diamant, de grootste diamant ter wereld, kloofde voor Edward VII. De diamant was 3106 karaats, zwaarder dan een pond, en bijna zo groot als de vuist van een man. De koninklijke familie wilde hem in kleinere stenen laten slijpen, waarvan sommige bestemd waren voor de kroon en de scepter. Asscher had een dokter en een verpleegster klaarstaan toen hij zijn hamertje ophief en neer liet komen om de diamant te kloven. Het kloven ging perfect, en hij viel prompt flauw.

Het deel van het verhaal dat me het meest aansprak was hoe de diamant verscheept werd naar Engeland. Toen de Cullinan gevonden werd in Zuid-Afrika en besloten werd hem naar Londen te sturen om voor de koning te worden geslepen, zetten de mijneigenaren een uitgebreide schertsvertoning op touw door de diamant in een ijzeren doos onder zware bewaking te verschepen – in werkelijkheid stuurden ze hem per pakketpost met een postzegel van drie shilling. Diamanthandelaren haalden nog steeds dezelfde soort trucjes uit om hun stenen naar andere delen van de wereld te verzenden.

Ik hief het hamertje op en liet het neerkomen.

De diamant verbrijzelde. Met angst in het hart staarde ik naar de gruzelementen. Het gezicht van mijn vader was uitdrukkingsloos toen ik naar hem opkeek.

'Ik wil er nog een,' zei ik. 'Ik wil een andere diamant om te slijpen.'

Zijn lippen vormden een flauwe glimlach. 'Oké, maar je zult barrevoets moeten gaan als je hem breekt.'

4

❖

Long Island Sound, 1991

Sommige vrouwen zijn dol op snelheid. Ze raken erdoor bezeten en worden er geiler van dan door de aanraking van een man. De vrouw van de investeringsbankier was zo'n vrouw. Ze zat tegenover me in de cockpit van de zeilboot en kwam bijna klaar toen de wind en de zee over ons heen sloegen. Zeilboten gaan feitelijk niet veel sneller dan een slakkengangetje, maar als ze bijna kapseizen in een flinke windvlaag en je je aan alles vast moet klampen om niet overboord te vallen, is er weinig verschil met de sensatie van een stuntvliegtuig dat zich naar de aarde stort.

'Ik ben zo opgewonden!' gilde ze tegen me.

Ja, dat kon ik zien. Ze spreidde haar benen steeds verder bij elke paar centimeter die ik de boot platter legde. Haar roze slipje en een streep schaamhaar waren duidelijk te zien in het kruis van haar zeer korte broekje. Haar mond hing uitnodigend open. Ze wilde iets, ik wist alleen niet zeker waar ze het het eerst wilde.

Een afschuwelijk gekreun steeg vanuit het trapgat van de cockpit op uit de hut onder ons. Vervolgens een gehijg en gegorgel toen haar man moest kotsen.

Ze zeggen dat er maar twee soorten zeelieden zijn – die zeeziek zijn geweest en die het zullen worden. Maar haar man, Barney, zorgde voor een derde soort – hij werd al misselijk nog voordat we waren uitgevaren. Toen hij scheel ging kijken na het voortdurend omkeren van zijn maag legde ik hem beneden op een kooi en snoerde hem vast met zwaarweerriemen om hem op zijn plaats te houden. De laatste keer dat ik naar hem ging kijken was hij van het bed gevallen en wentelde zich in het braaksel.

'Sneller,' gilde ze, 'ze halen ons in.'

'Ze' was de *Hedge Fund*, een vijftien meter lange kotter waarmee we een wedstrijd hielden. Ik had de klok van mijn twaalfmeter moeten schoonmaken. Als wind en stroom gelijk zijn, wordt de snelheid van een zeilboot bepaald door de lengte van zijn romp. Maar dat is hetzelfde of je zegt dat de prestatie van een golfclub bepaald wordt door de kwaliteit van zijn fabrikant. Twee zeelieden van ongelijke bekwaamheid halen niet hetzelfde uit een boot, net zomin als twee golfers een bal met dezelfde club even ver slaan. De schipper van de *Hedge Fund*, Nolan Richards, had niet het lef of het instinct om me te verslaan. Een halfuur geleden volgde hij het standaardprotocol door in zijn vaarroute te blijven en te wachten tot de wind onregelmatig werd en het bij tijden af liet weten. Dat is de conventionele wijsheid, hou vast aan die ouwe bries, want als je doorsteekt naar de andere kant, op zoek naar een betere wind, verlies je tijd en afstand. Maar goede zeilers weten ook dat elke wind een eigen persoonlijkheid heeft. Net als vrouwen laten sommigen zich pakken en zijn anderen drooggeilers. Wat mij betreft win je geen wedstrijd door je aan de regels te houden – je moet je aanpassen aan de omstandigheden. Mijn ervaring op de Sound is dat een oostenwind naar het zuidwesten draait als het volgens de tijdschema's van de stroming vloed gaat worden. Dus draaide ik bij om die wind op te pikken. De *Hedge Fund* kreeg hem eindelijk ook te pakken, maar te laat om op ons in te lopen.

'Wat krijg ik als ik win?' schreeuwde ik terug.

Ze knikte en likte langs haar lippen. Haar gezicht was warm en blozend, haar lippen vol en rood gezwollen als de lippen van een hete kut.

Ik snapte het. En zette alle zeilen bij. Toen ik aan het roer draaide zweefde Barneys gekreun en gesteun langs de cockpittrap omhoog. Ik had medelijden met de arme donder. Iemand die nog nooit zeeziek is geweest heeft geen idee wat een ellende dat is. Niet dat ik veel sympathie had voor de man. De boottocht was strikt zakelijk. Katarina, mijn vriendin, had me gevraagd Barney en zijn vrouw mee te nemen op mijn zeilboot voor een leuk uitstapje. Ze had er ook bij moeten zijn, maar een fotosessie voor *Vogue* was uitgelopen en ze haalde het niet.

Katarina is een supermodel met de vurige wens filmster te worden. Barney is een dikbuikige vice-president van een investeringsbank die films financiert. Een ideale partner in Katarina's ogen. Ik vond Barney een saaie hufter, die me te veel deed denken aan mijn stiefbroer Leo. Toen mijn vader en stiefmoeder vijftien jaar geleden bij een ongeluk om het leven kwamen, erfde ik een diamantzaak, maar ik voelde er niets voor die te beheren. Dat liet ik over aan Leo en oom Bernie. Ze grapten dat ik dacht eigenaar te zijn van de Citibank, want dat was de naam op de cheques van de trustrekening, die elke maand binnenkwamen en me voorzagen van snelle auto's, een zeilboot en een appartement in het Dakota aan de Upper West Side.

Iets duisters kroop in mijn lijf toen ik mijn vader verloor, een paar jaar na de dood van mijn moeder: een worm die fatalisme heet. Je wist nooit wanneer die duistere gezusters, de schikgodinnen, je bij je enkels zouden grijpen en je twee meter onder de oppervlakte sleuren, zodat je maar beter van elk sappig hapje kon genieten dat het leven je te bieden had. Waar het op neerkwam was dat het me allemaal geen donder kon schelen en ik alleen maar een prettige tijd wilde hebben. Nee, een geweldige tijd – pret was voor kleine kinderen.

Soms, als ik heet en bezweet was thuisgekomen na een party, werd ik in de kleine uurtjes wakker en vroeg me af wat mijn vader van mijn levensstijl zou hebben gevonden. Geen van mijn ouders had lang genoeg geleefd om alles uit het leven te halen wat erin zat. Maar dan zette ik alle schuldbesef van me af – ik wilde me op mijn sterfbed niet het hoofd breken over een verlanglijstje van dingen die ik nooit had gedaan.

De vrouw van de investeringsbankier gebaarde met haar duim naar de trap en lachte. Ze hadden ook een ideaal huwelijk. Hij was rijk en vervelend – zij had een dure smaak en verveelde zich. Zij was een mollige blondine, rijp en hitsig, met een geile kut – hij zou waarschijnlijk een hartaanval krijgen als hij ooit eens goed neukte. 'Ze zorgt voor zijn gezondheid,' was Katarina's theorie, 'door met andere mannen naar bed te gaan en hem niet uit te putten.'

Door het bijzetten van de zeilen verdween de lijzijde van de boot dieper in het water. Toen de boeg de golven uiteen deed spatten, kwam het sproeiwater op ons af en het blondje giechelde als een jammergeest na een dosis ecstasy. Ze spreidde haar benen aan de hoge kant van de cockpit om zich schrap te zetten toen de boot nog meer overhelde. Ze hield zich met één hand vast aan de reddingslijnen, terwijl haar andere hand onder het kruis van haar slipje gleed en haar clitoris bewerkte of het de versnellingsknop van mijn Bugatti was.

Ze liet de reddingslijnen los en liet zich boven op me vallen. Ik zat achter het grote stuurrad. Ze belandde met haar knieën op de grond van de cockpit en met haar borsten op mijn schoot. Ze duwde zich omhoog en ritste mijn short los. Haar hand zocht in mijn short en vond mijn gezwollen lid. Ze verloste het uit zijn omhulsel en mijn lange, rode, kloppende penis schoot omhoog.

Ze nam hem in één keer in haar mond, die heet en vochtig was. Ik kwam overeind en duwde hem diep in haar keel.

'O, god, ik ga dood.'

Haar gifgroene echtgenoot was langs de trap omhooggekomen naar de cockpit. Hij staarde naar ons, duizelig en scheel. Zijn ogen traanden en hij vertrok hijgend zijn gezicht toen zijn ingewanden in opstand kwamen en het braaksel uit zijn mond kwam.

5

❖

Katarina stond op de steiger op ons te wachten. Ze droeg de tas van het echtpaar terwijl ik de mollige blondine hielp de bankier op de achterbank van hun auto te sjorren. Katarina betuttelde de man overdreven tot zijn vrouw de motor had gestart. Toen het blondje wegschoot wierp ze me een zinnelijke blik toe.

'Wat heb je verdomme uitgespookt? Gewipt met zijn vrouw en geprobeerd hem te vermoorden?' vroeg Katarina.

Sommige vrouwen kunnen dwars door een man heen kijken. Misschien komt het omdat Katarina rood haar heeft. Bruce Springsteen had het bij het rechte eind toen hij over roodharige vrouwen zei: zij hebben smeerpijperij altijd door. Oom Bernie beweert dat ik me aangetrokken voel tot roodharigen omdat ik mijn mooie roodharige moeder op jonge leeftijd heb verloren. Ik ben meer de opvatting van Toulouse-Lautrec toegedaan. Hij geloofde dat roodharige vrouwen een duidelijke geur hadden die zijn scabreuze verlangens meer prikkelden dan blondines en brunettes. Dat hij korte benen had wilde nog niet zeggen dat hij overal in zijn groei belemmerd was – zijn penis was zo groot dat de prostituees met wie hij seks had hem de 'Koffiepot' noemden.

Dat kleine beetje kunstgeschiedenis was alles wat ik opstak van mijn eerste colleges voordat ik van de universiteit werd gestuurd. En dat gebeurde omdat ik de professor van de Sorbonne had genaaid, een rossige merrie die op bezoek was.

'Ik heb jouw aantrekkelijke kontje niet gezien toen ik bezig was jouw gasten te entertainen,' zei ik tegen Katarina.

'De sessie liep uit. Maar, wacht, ik heb fantastisch nieuws. Ik ga naar Hollywood voor een screentest. Geweldig, hè?'

'Indrukwekkend.' Ik omhelsde haar zo enthousiast dat ze van de grond werd getild, en zoende haar hartstochtelijk.

'Je mond smaakt naar kloten,' zei ze. 'Jouw kloten. Een beetje bezinksel van die blonde snol?'

Ik likte langs mijn lippen. Ze smaakten naar de kersenlipgloss van het blondje. Ze stelde me op de proef, probeerde me met een list een schuldbekentenis af te dwingen. 'Hou me niet voor de gek. Ik heb een kersensnoepje gegeten.'

'Ja, en ik weet in welke wikkel je dat vond.'

'Kom, je kunt met me mee terugrijden.'

'Ik ben met de auto…'

'Die laat ik terugslepen naar de stad.'

De paar honderd dollar die het kostte om de auto terug te laten brengen naar de stad betekenden niets voor me. Wat ik belangrijk vond was dat ik met het geld een paar extra momenten genot kon kopen. Ik had geen dag in mijn leven gewerkt en was daar trots op. Mijn cheques van het House of Liberte kwamen elke maand stipt op tijd binnen. Bernie was geen genie in het geld verdienen, al was hij goed en betrouwbaar, maar hij had Leo achter zich. Altijd aan het werk, een energieke geldman – Leo was alles wat ik nooit wilde zijn.

Bla, bla, bla, Katarina zeurde door over haar screentest terwijl we naar mijn auto liepen. Nou ja, ik nam het haar niet kwalijk. Haar gezicht had op de omslag van elk vooraanstaand tijdschrift in het land gestaan, om nog maar te zwijgen van haar kutje op de centerfold van sommige tijdschriften die verkocht worden in bruinpapieren zakken. Ze was uit Praag naar Amerika gekomen, steeg boven de Oost-Europese armoede uit op de gemakkelijkste manier die een mooie vrouw kon verzinnen. Ze werkte hard, vatte haar carrière serieus op en deed alles wat ze moest doen om te slagen. Ze had minachting voor mijn arbeidsethiek. Maar verrek, zo gek was ik daar zelf ook niet op.

'Ik weet niet of ik talent heb; andere modellen hebben het geprobeerd, maar schijnen geen chemie met de camera te hebben. Een filmcamera leeft, het is heel iets anders dan geposeerde opnamen. Het is een dier dat je verslindt als het niet van je houdt.'

'Je komt er wel, je hebt talent.'

'Jij zou naar Hollywood moeten gaan; jij zou ook in films kunnen spelen,' zei ze. 'Je bent niet knap, maar je hebt slaapkamerogen, net als die acteur op de spaghettipotten.'

Het duurde even voor ik besefte dat de man van de spaghettipot Paul Newman was. Ik bofte als ik op welk niveau dan ook met Newman werd vergeleken, al is me verteld dat ik stand-in had kunnen zijn van een acteur van nog langer geleden, iemand van wie niemand tegenwoordig meer gehoord heeft, John Garfield. Behalve dat ik een litteken heb over het midden van mijn kin waar ik op mijn eerste motorfiets met mijn gezicht tegen een boom ben gebotst. We zouden vierenhalfduizend kilometer van elkaar verwijderd zijn als ze naar Hollywood ging, maar Katarina was meer een goed bedvriendinnetje van me dan een soulmate. Bovendien zou het me een excuus geven om vaker naar de Westkust te gaan en te zien wat daar te beleven viel. Misschien zou ik een huis kopen op Malibu Beach.

Mijn Bugatti had 553 pk. We gingen in 3,7 seconden van nul naar negentig. Katarina werd door de acceleratie tegen de rugleuning van haar stoel gedrukt. Toen haar lichaam zich had aangepast aan de auto, boog ze zich naar me toe en wreef over mijn kruis. 'Laten we een nummertje maken als we bij jou zijn,' zei ze. 'Ik moet ongesteld worden en ik ben geil.'

Wat zei ik over snelheid?

Toen we bij de Long Island Expressway waren, belde ik mijn antwoordapparaat. 'Wel verdomme!' zei ik, toen ik mijn enige bericht had afgeluisterd.

'Wat is er?'

'Dat was Big Bertha, Bernies secretaresse. Ze klonk hysterisch en zei dat ik direct terug moest bellen.'

Ik belde Bertha en ze gooide het nieuws er direct uit.

'Hij is dood, zelfmoord.'

Het drong niet meteen tot me door. Bernie dood? Zelfmoord?

'Heeft ze ook gezegd waarom?' vroeg Katarina toen ik had opgehangen.

'Nee, ze was veel te hysterisch.'

Ik probeerde Leo, mijn stiefbroer, te bellen, om te zien of hij iets wist, maar hij was er niet. Het nieuws over Bernie was hard aangekomen. Hij was een goeie kerel, niet iemand met wie ik een warme familierelatie had, maar meer de oudere oom die ik tijdens vakanties zag. Toen mijn vader was gestorven, mat Bernie zich een arrogante houding aan als hoofd van de diamantzaak die mijn vader had opgebouwd. Ik ergerde me niet over zijn aanstellerij, zolang het geld bleef binnenkomen, maar we dreven uiteen, met de cheque van de geldtrust en een paar extra uitkeringen als onze enige connectie.

'Had Bernie vrouwenproblemen?' vroeg Katarina.

'Nee, hij was gescheiden. Hij had een vriendin die op Staten Island woont, maar niets serieus. Ze gaan al eeuwen met elkaar.'

'Kanker?'

'Voorzover ik weet niet, nee. Hij schepte op dat hij zo gezond was als een vis.'

'O shit.'

'O shit wat?'

'Heb je me niet verteld dat Bernie je trust beheert?'

'Dat is geen probleem, dat doet iemand anders wel, Leo waarschijnlijk. Hij mag me niet, maar Bernie kreeg een dik salaris voor het beheren van het geld, en Leo zou geen dollar aan zijn neus voorbij laten gaan al was hij om de piemel van een krokodil gedraaid.'

'Daar maak ik me geen zorgen over. Liefde, geld en de grote K.'

'Zeg het nog eens?'

'Liefde, geld en kanker. Dat zijn de enige redenen waarom iemand er een eind aan maakt. En als hij geldproblemen had en jouw financiën beheerde... Win, je zou wel eens geldproblemen kunnen krijgen.'

Geldproblemen? Wat wist ik daarvan, verdomme? Het enige probleem dat ik met geld had was een briefopener vinden om de maandelijkse envelop met het retouradres van een Citibank open te maken.

'Tjee, Win, je ziet lijkbleek.'

Ik drong mijn tranen terug. 'Verdomme, er zijn al te veel sterfgevallen geweest in mijn leven. Ik ga niet rouwen om Bernie. Ik zal nooit meer om iemand rouwen.'

Ik zette Katarina af en belde Bertha. Ze gaf me de naam en het telefoonnummer van een agent die de dood onderzocht, een rechercheur, Leonard genaamd. Ik belde hem toen ik naar huis reed. Na de inleidende vragen wie ik was en hoe goed ik Bernie kende, vroeg ik hoe Bernie was gestorven.

'Uit het raam van zijn appartement gesprongen,' zei hij. 'Van de vijfde verdieping.'

'Uit het raam. Er is geen balkon voor zijn raam.'

'Nog geen richel om op te staan. Hij kroop gewoon naar buiten en liet zich vallen. Met het hoofd omlaag.'

Jezus. Met het hoofd omlaag. Hoe snel ga je als je vijf verdiepingen naar beneden valt? Honderdvijftig kilometer per uur? Driehonderd?

'Weet u zeker dat het zelfmoord is? Kan het geen ongeluk zijn geweest?'

'Uw neef, oom, wat dan ook, was niet klein. En zijn ramen waren niet groot. Je moet ze omhoogduwen, niet opzij openschuiven. Hij moet door het raam zijn gekropen en zich toen hebben laten vallen. Hij kon niet naar iets gereikt hebben, zijn uitgegleden en "oeps" uit het raam zijn gevallen.'

Hij had gelijk. Bernie had vetophopingen naast zijn buik zo groot als hammen. En de ramen van zijn flat waren oud en klein. Verdraaid, ik dacht niet dat hij ze ooit opendeed. Hij was niet zo dol op frisse lucht.

'Ik weet het. Zelfmoord is voor iedereen moeilijk te bevatten. Maar deze mensen staan met hun rug tegen de muur, ze kunnen door de bomen het bos niet meer zien. Ze zien alleen nog maar het probleem waarmee ze geconfronteerd worden. Zelfmoord is in onze ogen gewelddadig en afschuwelijk. Voor hen is het een verlossing.'

'Nee, dat is niet wat ik niet snap. Bernie was niet het soort man om door een raam te kruipen.'

'Jongen, je weet het nooit voor je het zelf hebt meegemaakt.'

'Ik heb het niet over zijn geestestoestand, ik heb het over zijn methode. Hij is meer het type om in een vol bad te springen met een elektrisch kacheltje in zijn hand, of beter nog om pillen in te nemen. Op het moment waarop hij dat raam opende en omlaagkeek naar de straat zou hij te laf zijn geweest en waarschijnlijk hebben gekotst.'

Ik zweeg even, liet de gedachte in mijn eigen hoofd bezinken voor ik zei: 'Ziet u: Bernie had hoogtevrees.'

Er stond een bericht op mijn antwoordapparaat toen ik thuiskwam. Het was mijn advocaat, die vroeg of ik morgen langs wilde komen. Zijn bericht luidde dat hij slecht nieuws had. Ik denk dat hij mij het nieuws van Bernies dood moest brengen.

6

❖

'Je bent failliet.'

Ik staarde mijn advocaat aan alsof hij zojuist uit een horrorverhaal van John Farris was gestapt. Met een bloederig mes in zijn hand. We zaten in zijn kantoor op de veertiende verdieping van het Flatiron Building, een gebouw op Fifth Avenue dat de vorm heeft van een taartpunt.

'Failliet? Ik ben miljonair.'

'Was miljonair.' De advocaat smakte met zijn lippen. Hij deed me denken aan de begrafenisondernemer die mijn vader had begraven. Een kind nog dat probeerde meelevend te kijken, maar zich heimelijk verkneukelde over de ondergang van een ander.

'Hoe kan dat?'

'Je hebt het volledige beheer van de trust overgedragen aan Bernard. Hij heeft onverstandig geïnvesteerd.'

'Ik heb niks overgedragen. Mijn vader heeft hem tot trustee benoemd.'

'Dat eindigde toen je eenentwintig werd. Toen had je het recht hem als trustee te schrappen en zelf het beheer over je vermogen in handen te nemen. Je liet het over aan Bernard.'

Hij had gelijk. Ik wilde het geld niet beheren. Dan zou ik minder tijd hebben gehad voor de discoscene waar ik toen verzot op was. Bovendien kon ik Bernie vertrouwen. Hij was familie.

'Hoe krijg ik het…'

'Terug?' Hij tuitte zijn lippen en schudde zijn hoofd. Ik kon zien dat hij ervan genoot. 'Ik ben bang dat Bernard niks nalaat. Bovendien heeft hij alles wat je had verkocht of alles wat hij had bezwaard. Je kunt niet plukken van een kale kip.'

Ik durf te wedden dat hij dat allemaal zelf verzon.

'Hoeveel krijg ik als ik de zaak verkoop?'

'Welke zaak?'

'House of Liberte. Je weet wel, die jarenlang deze firma een grote hap van je salaris heeft betaald.'

38

'Win, je luistert niet naar me. Ik zei dat je failliet bent. Het House of Liberte is verleden jaar verkocht.'

'Hè? Wat bedoel je? Hoe kan die verdomme nou verkocht zijn?'

'Je broer Leo heeft de zaak gekocht.'

'Ten eerste is Leo mijn stiefbroer. Ten tweede heeft hij er het recht niet toe; hij heeft een diamantzaak geërfd van zijn eigen vader.'

'Hij heeft er alle recht toe. Feitelijk heb ik zelf de transactie uitgevoerd. Bernard had geld nodig door de slechte investering en Leo gaf het hem, in ruil voor de activa van de zaak. De firma heet nu House of Schwartz.'

'Dit is krankzinnig. Wil je me vertellen dat Bernie mijn hele erfenis erdoor heeft gejaagd en Leo ermee is gaan schuiven? Shit, ik ken Leo, waarschijnlijk heeft hij Bernie zelf naar de ondergang geholpen. Vertel eens precies wat ik nog over heb?'

'Je bedoelt behalve het kleingeld in je zak?'

Hij zag dat ik paars aanliep en kroop bijna onder zijn bureau, ongetwijfeld denkend aan de laatste keer dat hij me vertegenwoordigd had, toen ik een fles champagne kapot had geslagen in het gezicht van een uitsmijter van een disco. De rechter was zo onder de indruk van het feit dat ik daarvoor een fles Perrier-Jouet van duizend dollar had gebruikt – en betaald – dat hij de zaak niet ontvankelijk verklaarde.

Hij schraapte zijn keel en rommelde in de papieren op zijn bureau. 'Voorzover ik kan nagaan heb je de Bugatti en de mijn. Op je flat, boot, stuntvliegtuig, Corvette, Harley en al het geld, behalve wat op je persoonlijke rekening staat, is beslag gelegd en alles gaat naar de schuldeisers.'

'Welke mijn?'

'De mijn in Angola.'

'Waar ligt Angola in godsnaam?'

'Volgens mij nog steeds aan de westkust van Afrika. Het is een voormalige Portugese kolonie, rijk aan diamanten en olie. En aan communisten. Ik geloof dat Castro daar zelfs Cubaanse troepen heeft.'

'Ik weet niets van een mijn.'

'Hoeveel weet je van de manier waarop Bernard de zaak runde?'

Goeie vraag, en we wisten allebei het antwoord, maar ik was niet in de stemming om het me nog eens onder de neus te laten wrijven. 'Hoe zit dat met die mijn? Is die wat waard?'

'Ik geloof dat niemand het zeker weet. Toen Bernards investeringen begonnen te mislukken, was die diamantmijn het eerste wat hij probeerde te verkopen of te belenen. Niemand wilde hem er een cent voor geven. Angola is oorlogsgebied en niemand wilde het risico lopen. Te oordelen naar wat je op het nieuws ziet, heerst er een constante chaos in Angola, met oorlog en revolutie. Uit mijn schriftelijke communicatie met de manager van de mijn heb ik vernomen dat de mijn over een paar maanden zal worden gesloten als er geen geld komt om de exploitatie voort te zetten.'

'Ik dacht dat een diamantmijn geld moest opbrengen. Niet opmaken.'

'Ik heb begrepen dat de diamanten die er worden gedolven niet van de beste kwaliteit zijn.'

'Hoe zijn we in godsnaam aan die shit van een mijn gekomen?'

'Bernard heeft hem voor vijf miljoen dollar gekocht. Met jouw geld.'

'Vijf miljoen dollar! Hij gebruikte mijn erfenis om een diamantmijn in een oorlogsgebied te kopen? Was hij verdomme helemaal gek geworden?

Hij schudde zijn hoofd en smakte weer met zijn lippen. Ik kreeg de neiging over het bureau heen te reiken en zijn nek om te draaien.

'Win, als iemand die het grootste deel van mijn professionele leven te maken heeft gehad met mensen uit de diamantbusiness kan ik je wel zeggen dat er een heel smalle grens loopt tussen de grote successen en de grote mislukkingen in elke business, maar speciaal in die van de diamanten. Als een handelaar een grote ruwe diamant koopt en die laat kloven, weet hij nooit of hij zal eindigen met waardevolle diamanten of een handvol stof en splinters. Bernard nam een gok met de aankoop van een mijn. Als zijn gok gelukt was, zou je extreem rijk zijn geweest.'

'Bernard speculeerde met mijn geld, niet met dat van hemzelf. Ik veronderstel dat hij het zijne er al lang geleden door had gejaagd. Dus vertel eens: kan ik die mijn verkopen?'

'Als je een koper kunt vinden. Niemand die bij zijn volle verstand is zal veel geld neertellen voor een mijn in Angola, tenzij hij het lef heeft die mijn zelf te exploiteren. En weet hoe hij een diamantmijn moet ontginnen. Ik stel me voor dat het handenarbeid is – als je handen niet worden afgehakt in een land als Angola.'

'Wat heeft Bernie er in vredesnaam toe gebracht die verdomde mijn te kopen?'

'Ze dachten dat hij de De Beers met hun heerschappij over de diamantindustrie te slim af zou kunnen zijn. Het House of Liberte is nooit een sightholder geweest, die kleine groep diamanthandelaren die het grootste deel van de internationale diamantmarkt beheerst onder de duim van De Beers. Je vader had een goede diamantbron in een oude vriend in Lissabon, en Bernie erfde het contract. Die bron is blijkbaar opgedroogd, en ze kwamen op het idee dat ze een eigen bron zouden hebben als ze een diamantmijn kochten. Ik denk dat ze zichzelf beschouwden als een soort Cecil Rhodes, de stichter van het rijk van de De Beers.'

'Een diamantmijn in Afrika.' Ik schudde mijn hoofd. Voorzover ik wist was Bernie nauwelijks buiten zijn eigen staat geweest. Zijn reislust beperkte zich tot een tripje naar de Catskills voor een weekend vissen en een etentje. Die mijn had zich wat hem betreft ook op Mars kunnen bevinden.

40

'Ik moet eraan toevoegen dat er een uiterst positief resultaat van een geologisch onderzoek over de mijn is uitgebracht. Ik weet niet of de mijn nooit aan zijn potentieel heeft beantwoord of dat de oorlogvoerende groeperingen de ontwikkeling ervan hebben belet. Maar wat de redenen ook waren, ze hebben oorspronkelijk in de mijn geïnvesteerd, en toen de zaken uit de hand begonnen te lopen, bleef Bernard zijn gok dekken met jouw trustfonds.'

De eigendom van een diamantmijn leek me wel iets voor Bernie. Het zou een ego-ding zijn geweest om rond de Diamond Club te dansen en te pronken met diamanten uit zijn eigen mijn. Hij had een groot ego, een lichtgewichtmentaliteit die klaarkomt als hij mensen te slim af was die zich nauwelijks van zijn bestaan bewust waren.

'Je blijft zeggen "ze". Wie deed er met Bernie mee?'

'Je broe… eh, stiefbroer, Leo, was oorspronkelijk mede-eigenaar van de mijn, maar een tijdje geleden heeft hij zijn belang aan Bernie verkocht.'

'Leo deed mee aan de transactie, trok zich terug toen het er slecht uitzag en is uiteindelijk in het bezit gekomen van mijn firma. Is dat wat je wilt zeggen?'

Hij schoof onrustig heen en weer. 'Leo sloot een deal met Bernard…'

'En jij hanteerde de inkt voor het contract, veronderstel ik.'

'Win, ik denk…'

'Leo is een lul die de kut van zijn moeder nog zou verhuren aan een leger bavianen als hij er iets aan kon verdienen. Laten we recapituleren. Ik heb een diamantmijn in een oorlogszone die geld vreet in plaats van diamanten uitschijt, de Bugatti – misschien honderdduizend waard in de groothandel – en wat zakgeld. Dat is het?'

'Onder ons gezegd, Win, het spijt me heel erg, maar dat is het. En je kunt beter zorgen dat je die Bugatti snel kwijtraakt, anders komen de schuldeisers er uiteindelijk achter.'

Ik stond op om weg te gaan.

'Bernard had geen bloedverwanten behalve jou. Wat voor soort begrafenisregeling had je in gedachten?'

'Hebben ze nog graven voor de armen?'

Ik stond bij de deur toen hij zei: 'Win, je bent je er kennelijk niet van bewust, maar Bernard heeft de juridische kosten hoog laten oplopen. Mijn seniorpartner heeft me erop aangesproken. Ik heb hem verzekerd dat je een man van eer was en ervoor zou zorgen dat Bernards schuld voldaan wordt.'

Ik lachte de hele weg naar de liften. Er bestond nog enige rechtvaardigheid in deze wereld.

7

❖

Ik vond Leo in het café van de Diamond Club in het gebouw aan West Forty-seventh en Fifth Avenue. Hij bracht de dag door met de kantoren af te lopen van groothandelaren in diamanten, sprak met één kant van zijn mond, terwijl hij aan de andere kant van zijn mond een tweede gesprek hield met zijn mobiel. De enige keer dat hij ging zitten was om te eten, telefoon in de ene hand, vork in de andere. Als hij niet at, piste of sliep, was hij aan het onderhandelen.

Leo was gebouwd als een stapel rubberbanden, met de kleine maten boven- en onderop – kort en breed, met een groot, rond basketbalvormig hoofd, dikke lippen en de persoonlijkheid van een mug in een vuilnisbak. Barney de Kotser, Katarina's potentiële filmfinancier, had in vergelijking met hem de charme van een salonheld. Leo's afkeer van mij dateerde van lang geleden. Toen ik vijftien was nam Leo een meisje mee naar huis om aan moeder, mijn stiefmoeder, voor te stellen. Ik nodigde het meisje, een mollige roodharige, in de garage uit om mijn nieuwe motor te zien. Ik had de motor beklommen en zij had mij beklommen, toen Leo binnenkwam.

Achteraf gezien had ik hem een grote dienst bewezen. Mollige vrouwen zijn geweldig om te neuken, maar de Leo's en Barneys van deze wereld die noch de tijd noch de wens hebben om in de behoeften van een vrouw te voorzien, horen vrouwen te hebben die meer interesse hebben voor hun nagels dan voor hun echtgenoot. Dan raken de vrouwen niet verveeld en gaan ze niet op avontuur uit.

Maar ondanks mijn goede daad werd Leo's haat tegen mij nog groter. Ik heb nooit de echte reden geweten. Ik kan alleen maar aannemen dat de basis van zijn afkeer is dat ik graag plezier maak. Leo heeft een hekel aan plezier. Hij houdt van werk. En van geld. Hij kan niet begrijpen waarom niet iedereen van werk en geld houdt. Ik heb daar geen probleem mee, verschillende dromen voor verschillende mensen, ieder z'n meug; wat de een kostbaar vindt, vindt de ander rommel, en al dat geouwehoer. Maar Leo ging nog een stap verder.

Hij verfoeit iedereen die gelukkig is, en is tegelijkertijd vastbesloten een kleinigheid als een aangenaam leven niet in de weg te laten staan van het verdienen van geld dat hij nooit uitgeeft.

Een handelaar met wie hij had zitten ruziën stond op om te vertrekken toen ik plaatsnam aan de tafel. Leo's assistente, Karen, was er ook. Leo keek nauwelijks naar me voor hij een nummer intoetste op zijn telefoon. Ik was niet belangrijk genoeg om een knikje waard te zijn. Ik pakte de telefoon weg van zijn oor.

'Wat doe je?'

'Ik ga je kontneuken.'

'Wa-wat?'

Ik gebaarde met mijn hoofd naar Karen. 'Ga weg. Dit is familieshit.' Ze ging weg. Met spoed.

Leo's gezicht werd vuurrood. 'Je hebt het recht niet...'

'Je hebt me verneukt, broer, en nou ga ik jou kontneuken. Je weet toch wat dat is, hè? Jongens onder aan de totempaal worden in hun kont geneukt. Je hoeft niet eens een douche te nemen om geneukt te worden.'

'Je bent gek.'

'Nee, ik ben failliet. Je weet wel, op de manier van geen geld. Je hebt Bernie naar de kloten geholpen, je hebt die lul opgelicht, hem in een mijntransactie gelokt en kaalgeplukt. Ik geloof dat Bernie je geen donder kon schelen, je had het op mij voorzien. Dat mooie trustfonds en ik maar plezier hebben, dat was je te machtig, hè, Leo? Je kunt het gewoon niet uitstaan dat iemand gelukkig is. En je zult ook moeten boeten voor Bernie. Ik was niet overmatig dol op Bernie, maar hij verdiende meer dan een duik uit het raam.'

'Verrek jij maar. Je had het te druk met je pik te stoppen in alles wat op twee benen rondloopt om enige aandacht te besteden aan de zaak. Wat ik van Bernie heb gekregen kreeg ik op rechtmatige wijze, en je kunt er niets aan doen.'

'Je hebt een grote fout gemaakt, makker. Als het een vreemde was geweest die me tot op het hemd had uitgekleed, zou ik mijn schouders hebben opgehaald en gezegd dat ik het verdiende omdat ik me niet om de zaak bekommerd had, maar jij bent familie.'

'Ik ben geen familie van je, verdomme. Je ouwe heer...'

'Wat is er met mijn vader?' Ik werd razend.

'We zijn geen bloedverwanten,' stotterde hij.

'Je hebt gelijk, je bent niet echt familie van me. Maar luister goed.' Ik boog me dichter naar hem toe en fluisterde: 'Ik zal op je wachten. Ik weet hoe ik je moet beschadigen en dat ga ik doen ook. Niet vandaag, misschien ook niet morgen, maar ik zal er zijn, klootzak, en ik zal je te pakken krijgen op een moment dat je het het minst verwacht.'

Toen ik weg was, zei ik kaddisj voor Leo. Joden zeggen kaddisj voor de doden. Van nu af aan zou ik alleen maar in de verleden tijd aan Leo denken.

8

❖

'Waar ligt Angola in godsnaam?' vroeg Katarina.

'Tsss.' Ik klakte met mijn tong. 'Wat een onwetendheid, Katarina. Angola is een land aan de westkust van Afrika. Dat weet iedereen.' Ik was een beetje dronken en had haar afgehaald na een fotosessie en haar meegenomen naar Verdi's op Seventy-fifth. Ik zat achter mijn vijfde of zesde wodka martini – of misschien mijn tiende, ik was de tel kwijt.

Ze kneep in mijn dij. 'Ik ben erg blij dat het geen geldprobleem was met Bernie. God, ik deed geen oog dicht bij de gedachte dat je misschien blut was.'

Ik kon het niet over mijn hart verkrijgen – of had het lef niet – haar te vertellen dat mijn enige bezit bestond uit een Bugatti en een mijn die meer geld opslokte dan uitbraakte. Ik deed het voorkomen of Bernie een financieel genie was en hij er een eind aan had gemaakt omdat hij plotseling ontdekt had dat hij terminale kanker had. Ze trapte er volledig in. Bovendien was ze met haar gedachten bij Hollywood.

'Ik zal je missen.' Ze gaf me een vochtige zoen, bewoog wild in mijn mond met haar tong.

'Maak je geen zorgen, ik ga aan twee kusten leven.'

'Ga je dat huis in Malibu kopen waar we het over hadden?' vroeg ze.

'Verrek, ja, en een keten van bioscopen waar ze alleen jouw films draaien.'

Ze giechelde en zoende me weer.

'Weet je wat ik zo goed vind van jou?' zei ze. 'Je bent de enige rijke man die ik ken die tegelijk leuk en reëel is. Ik bedoel, rijke mannen in deze stad zijn er dertien in een dozijn en ze willen allemaal gezien worden met een model, maar het zijn stuk voor stuk eikels. Ze praten geen van allen over iets anders dan al het geld dat ze verdienen of welke handicap ze hebben met golf. Maar jij bent anders. Jij weet hoe je met een vrouw om moet gaan.'

Ze bewoog haar hand naar mijn slappe penis en kneep erin,

waardoor hij wild begon te pompen. Iemand had me eens verteld dat een man op een gegeven moment slechts voldoende bloed had voor zijn piemel of voor zijn hersens, en hij geen twee dingen tegelijk kon doen, neuken én denken. Dat was mijn probleem, ik had nooit genoeg bloed om een vrouw aan te kunnen en een eenvoudig sommetje uit te rekenen – bijvoorbeeld hoeveel geld ik hoorde uit te geven.

'Mijn agent in Hollywood raakte helemaal opgewonden toen hij hoorde dat mijn vriend een flat had in het Dakota-gebouw. Hij wilde weten of het de flat was waarin *Rosemary's Baby* was verfilmd. Ik vertelde hem dat Lauren Bacall en Yoko Ono je buren waren.'

'Zeg maar dat hij een keer langs moet komen, dan zal ik hem voorstellen aan John Lennons geest.'

Ja, ik ben een hippe vogel in deze stad. Het Dakota aan Seventy-second en Central Park West was het beste adres in de stad. Trump Tower was daarbij vergeleken een bouwproject in een getto. Ik vertelde haar niet dat er een uitzettingsbevel op mijn deur hing toen ik terugkwam van de advocaat. Het personeel van het gebouw ontweek me alsof ik rinkelend met een leprabel binnenkwam. Erger dan uitgestoten te worden was de slachtofferachtige uitdrukking op hun gezicht – ik was in de kersttijd de royaalste huurder in het gebouw.

'Hollywood is een harde stad, harder dan New York,' zei ze, 'omdat je de schijn op moet houden. De mensen hier zijn realistisch, niemand interesseert het in wat voor auto je rijdt of waar je woont. Weinig mensen hebben trouwens een auto, en we leven allemaal als mieren in hetzelfde hol. Maar aan de westkust draait alles om de façade, om wat je hebt – mensen rijden in een duurdere auto dan ze zich kunnen permitteren, hebben een flat met een uitzicht dat ze zich niet kunnen permitteren, designerkleding.'

Ik gooide de sleutels van mijn Bugatti op haar schoot.

'Wat doe je nou?'

'Daarmee krijg je een flat aan het strand, mooie kleren, een kersenrode cabriolet, alles wat je nodig hebt om de schijn op te houden in L.A. De registratie van de auto zal ik op jouw naam overschrijven. Morgen ga je met de Bugatti naar de exotische autohandelaar waar ik hem gekocht heb, en ze zullen een cheque voor je uitschrijven van honderdduizend dollar.'

'God, ik maakte me zo ongerust of ik daar wel de juiste indruk kon wekken. Wat doe jij, koop je een nieuwe?'

'Natuurlijk, zeg maar tegen de jongens in de showroom dat ik langskom.'

'Jeetje, Win, je bent zo goed voor me. Hoe kan ik je dat ooit vergoeden?'

'Door me suf te neuken als we thuis zijn. Bij wijze van afscheidscadeautje.'

'Waarom zouden we zo lang wachten?'

Ze liet zich onder de tafel glijden. Ik spreidde mijn benen toen ze tussen mijn knieën kwam. Ze stootte haar hoofd tegen de onderkant van de tafel en zei 'au' en giechelde. Ik keek snel het vertrek rond. Verdi's had die typische donkere sfeer, die zo ontworpen was dat je de rekening niet kon lezen of gemakkelijk herkend kon worden als je met iemand anders was dan je wettelijke echtgenote, maar het was geen duisternis. Katarina droeg een rode glimjurk die letterlijk gloeide in het donker, maar ik nam aan dat iemand zich toch zou moeten bukken om haar onder de tafel te zien – dus ontspande ik me om te kunnen genieten.

Haar handen frutselden aan mijn ritssluiting en ik ging wat rechterop zitten om haar een handje te helpen. Zodra de rits omlaagging, ging haar hand naar binnen, zoekend naar de opening van mijn slip. Ze vond de uitgang en mijn pik schoot naar buiten.

'Hmmm,' klonk het onder de tafel, 'ik heb een ruwe diamant gevonden.'

Ze streelde hem alsof het een nieuwe nertsstola was. Haar tong ging als een slang over mijn eikel. Katarina had de tong van een kat, niet redelijk glad zoals de rest van ons; in plaats van op en neer te gaan alsof ze aan een ijsje likte, klemde haar tong zich vast aan mijn huid en trok eraan. Met elke lik ging er een scheut van genot door me heen.

'Hallo, Win,' zei een zangerige vrouwenstem.

Ik deed het bijna in mijn broek. Mevrouw Greenberg, de moeder van een man met wie ik op school had gezeten, kwam op mijn tafeltje af. Ze sprák niet, maar had de irriterende gewoonte om de woorden te zingen, alsof ze een vogel was. Ze was met twee andere mensen.

'Hi,' stotterde ik terwijl die kattentong een grote lik nam.

'Ik wil je aan een paar vrienden van me voorstellen. Dit is predikant Paul Davis en zijn vrouw, predikante Mary Davis. Ze zijn in de stad om geld in te zamelen voor hun zendingsschool in Indonesië.'

Ik mompelde een vage reactie. Het man-vrouw-zendelingsteam leek op een preutse Katherine Hepburn en haar zendelingsbroer in *African Queen*.

De kattentong gaf weer een grote lik, een die begon aan de bovenkant van mijn penis en langzaam omlaagging over de richel die de eikel scheidt van de schacht. Ik vloog bijna van mijn stoel omhoog toen ze ophield met likken en haar warme mond mijn piemel inslikte.

'Ik organiseer een feest om fondsen te werven voor de school,' zei mevrouw Greenberg, 'en we zouden het erg op prijs stellen als je kon komen.'

Ik zou liever in een heet bad zitten en mijn polsen doorsnijden dan drie minuten met die vrouw in dezelfde kamer doorbrengen.

'Druk,' bracht ik eruit met een zwakke glimlach. Katarina kauwde op mijn pik, pompte met haar mond. Ik kon geen woord uitbrengen, kon alleen maar blijven zitten met een bevroren glimlach op mijn gezicht. Ik kon elk moment exploderen. Of anders zou ik spontaan in brand vliegen en zouden er deeltjes van me op de muren gesmeerd worden.

'Je moet tijd maken,' zei mevrouw Greenberg. 'Het is zo'n goed doel, zulke noodlijdende kinderen...'

Een gekreun ontglipte me terwijl Katarina zoog en likte.

'Gaat het goed met je, Win? Je ziet eruit of je koorts hebt.'

Ik schudde mijn hoofd, niet in staat iets te zeggen. Haar mond was heet en vochtig en kneedde zich rond mijn penis als een handschoen vol nachtcrème. Het tafelblad begon te trillen toen Katarina's hoofd ertegen stootte. De drie mensen staarden naar de tafel alsof ze de duivel wilden uitbannen.

Er viel een lepel van de tafel en kwam voor de voeten van predikant Davis terecht.

'Oeps,' zei hij. Hij bukte zich om de lepel op te rapen en verstarde toen hij onder de tafel keek. De pupillen van zijn ogen verwijdden zich en zijn mond viel open.

Ik ben bereid op een stapel bijbels te zweren dat ik de weerspiegeling van Katarina's rode glimjurk in zijn ogen kon zien.

9

❖

Ik werd wakker in mijn appartement in het Dakota toen Katarina uit bed stapte.

'Ik heb een vroege fotosessie,' zei Katarina.

Ze ging op het bed zitten en zoende me. Ik deed haar niet dichtgeknoopte blouse open en zoende haar op aardbeien lijkende tepels. Ze duwde me weg. 'Hou op, zo kom ik nog te laat. Meende je het echt van de auto?'

'Ik heb het registratiebewijs op jouw naam laten overschrijven. Je kunt hem meenemen.'

Ik kwam naakt mijn bed uit en ging naar de badkamer om te plassen.

Katarina verscheen plotseling in de deuropening van de badkamer. 'Er zijn mensen in je zitkamer, een of andere vrouw met vlammend rood haar die beweert dat ze Scarlet O'Hara is.'

'Ga naar je fotosessie. Ik handel het wel af.'

Ik wist wie de vrouw met een hoofd als vuur en een beroemde naam was. Scarlet O'Hara had een kunstgalerie en zorgde voor mijn kunstbezit. Ik wist net zoveel van kunst als Henry Ford. Ik liet het aan Scarlet over om doeken aan de muren te hangen.

Wat ze in godsnaam in mijn appartement deed en hoe ze daar binnen was gekomen was me een raadsel.

'Wat is er aan de hand, verdomme?'

Scarlet draaide zich geschrokken om. Ze staarde me aan. Ik had niet de moeite genomen om iets aan te trekken. Het rode haar waar Katarina het over had was Scarlets handelsmerk. Het kwam uit een flesje.

'Win – ik – ik – we komen je kunstwerken terughalen. De cheque die je trustee heeft uitgeschreven is ongedekt. Ik heb gehoord dat je eh…'

'Failliet bent. Hoe ben je binnengekomen?'

'Ik heb haar binnengelaten.' De spreker was een agent in uniform.

48

Hij had aan de andere kant van de kamer gestaan toen ik binnenkwam en ik had hem niet gezien. 'Ik heb een gerechtelijk bevel voor de inbeslagname.' Hij staarde me aan. 'U bent naakt.'

'Je bent een verdomde kernwetenschapper. En donder nu op uit mijn huis.'

Toen ze weg waren ging ik op bed liggen en staarde naar het plafond. Die kunstwerken konden me geen bliksem schelen, anders had ik ze zelf wel gekozen in plaats van het over te laten aan Scarlet. Ik had ze alleen gekocht omdat er nu eenmaal iets hoorde te hangen op de muren. Ik had meer binding met de auto omdat ik die zelf had uitgezocht, maar de wagen aan Katarina geven was geen daad van dronkenschap – het hield verband met mijn dwaasheid, een herinnering aan het feit dat ik zo stom was geweest om Bernie volledige zeggenschap te geven over mijn geld. De waarheid was dat ik nooit een zier om geld had gegeven – het was gewoon iets waarmee ik me kon verschaffen wat ik op een bepaald moment wilde hebben. Geld was een wispelturige tante die ook geen donder om mij gaf, want het vluchtte zodra het de kans kreeg.

Wat wil je worden als je groot bent? zeurde het door mijn hoofd.

Ik herinnerde me die vraag: het was de enige vraag voor een opstel in de klas dat we moesten schrijven toen ik in groep acht zat. Mijn vader was een paar maanden daarvoor gestorven en ik schreef één korte zin op het vel papier en mikte het op het bureau van mijn docent voor ik het klaslokaal uitliep: 'Dat zal nooit gebeuren.'

Tja, ik was er beslist in geslaagd mijn ambitie te verwezenlijken. Ik had geen flauw idee wat ik zou gaan doen. Ik had geen opleiding, geen beroep, geen talent. Ik zou niet eens een goede partner zijn voor een rijke vrouw omdat ik niet knap en niet onderdanig genoeg was.

Er was nóg iets verbijsterends dat ik over mezelf ontdekte. Ik had geen echte vrienden. Geen studievrienden, geen zakenvrienden. Het was nooit eerder bij me opgekomen dat ik een eenling was. Er waren een hoop vrouwen in mijn leven geweest, maar nooit blijvend. Ik had Katarina, maar zij leefde op een andere planeet dan ik. Wat ik had was een stel kennissen, jongens van de jachtclub met wie ik wedstrijden hield, de monteur die voor mijn vliegtuig zorgde, de verkoper die me van snelle auto's voorzag, de barkeepers en gerants. Maar geen echte vrienden. Geen vaste kameraad. Niemand om me bij te staan als ik van voren en van achteren in de problemen kwam. En op het ogenblik kwamen de problemen als een lawine op me af. Bernie had zelfs voorschotten opgenomen op al mijn creditcards, oplopend tot een paar honderdduizend dollar.

Wat wil je worden als je groot bent?

Ik vroeg me af hoe het zou zijn als ik naar een dealer ging en een auto oppikte en met een paar honderd kilometer per uur tegen de afscheiding van een snelweg reed. Zou ik pijn voelen als de auto met mij erin als een accordeon in elkaar werd geperst tot de omvang van een schoenendoos? Was dat de enige uitweg voor iemand die erin geslaagd was zijn leven volledig te verknallen zonder er veel moeite voor te doen? Wat kon ik verdomme anders doen? Pompbediende worden?

Verrek maar.

Ik zou banken beroven voor ik er een eind aan zou maken alleen omdat ik platzak was. En eerst zou ik die kleine smeerlap van een Leo om zeep helpen.

Ik zag eigenlijk maar één uitweg. En hoe langer ik erover nadacht, hoe beter het me beviel. Ik had er nooit op gerekend dat ik lang zou leven. Mijn plan zou het proces slechts bespoedigen.

De telefoon ging. Katarina heeft de auto in puin gereden was mijn eerste gedachte. Verdomme, ik kan me niet eens herinneren of ze wel kon rijden. Ze kon een heel blok in elkaar rammen als ze het gaspedaal ver genoeg intrapte.

'Ja.'

'Win?'

Een mannenstem. Met een buitenlands accent. Niet Oost-Europees zoals Katarina, maar iets warmers, Frans misschien, of Spaans of Portugees.

'Met wie spreek ik?' Ik begon me te ergeren. Nu al een schuldeiser die betaald wilde worden?

'Met João. Weet je wie ik ben?'

Ik dacht even na. 'Zeker, jij bezorgde me mijn eerste crossmotor, een Honda, perfect, toen ik dertien was.'

Ik kreeg hem nadat mijn vader gestorven was. João Carmona was een diamanthandelaar in Lissabon. Hij was een zakenpartner van mijn vader geweest, een man die mijn vader in de Tweede Wereldoorlog had leren kennen toen hij in Portugal was. Ik herinner me dat Bernie zijn naam ook had genoemd, dus waarschijnlijk had hij de relatie instandgehouden.

Hij grinnikte. 'Ik dacht niet dat begrafeniskransen een kind veel zouden zeggen, maar de motorfiets zou je misschien wat af kunnen leiden.'

'Ik heb er maar één keer op gereden. Tegen een boom aan. Maar ja, het was een verrekt goeie nagedachtenis.' Ik wreef over het litteken op mijn kin. 'Heb ik je er ooit voor bedankt?'

'Dat kun je nu doen. Kom bij me langs als je op weg bent naar Angola.'

Ik verstarde met de telefoon tegen mijn oor. Ik had het besluit om naar Afrika te gaan net dertig seconden eerder genomen.

'Je moet paranormaal begaafd zijn,' zei ik.

'Misschien.'

'Of je weet meer over me dan je hoort te weten.'

Hij grinnikte. Het klonk niet geamuseerd maar meer als een reactie van iemand wiens gevoel voor humor naar het macabere neigde.

'Het was tijdens het grootste deel van je vaders leven zijn voornaamste bron van diamanten, en ook van Bernie, tot hij als was werd in Leo's handen. Weet je, Leo moedigde Bernie aan om die mijntransactie te sluiten, en toen dat fout ging, trok hij zich ervan terug en liet Bernie met de gebakken peren zitten, zoals jullie zeggen.'

Ja, dat had ik inmiddels ook uitgedokterd. Maar wat ik niet wist was wat voor spelletje João speelde. Hij was geen oude vriend van de familie die me belde om me uit de nesten te helpen. Behalve die rampzalige motorfiets had ik niets meer van hem gehoord sinds mijn vader bijna twintig jaar geleden was gestorven. Ik herinner me dat mijn vader altijd over João sprak als een *ladráo*, een dief, een *crime organizado*, de Portugese versie van de maffia. Maar ik weet zeker dat veel ervan overdreven was, want hij bleef zaken met hem doen. Andere diamanthandelaren dieven te noemen was een gewoonte op kantoor. Het hoorde bij een business die concurrerend, winstgevend en ultrageheim was.

Mijn indruk was dat mijn vader en João kameraden waren, tot op zekere hoogte – geen van beiden zou de ander de rug toekeren. Mijn vader was geen engel geweest, dat stond vast, niemand die in diamanten handelt is dat. Maar behoedzaam over João spreken was een duidelijk teken dat de man niet alleen hebzuchtig was maar ook gevaarlijk.

'Dus je weet dat ik failliet ben en dat het Angola is of platzak rondlopen. Ben je er wel eens geweest?'

'O, vaak. Stap in Lissabon uit als je onderweg bent, en ik zal je een paar tips geven hoe je moet overleven. Met mijn hulp kun je misschien zelfs lang genoeg blijven leven om je eigen vermogen te vergaren. De beste verbinding met Angola is trouwens toch via Lissabon. Er zijn niet veel luchtvaartmaatschappijen die rechtstreeks naar Angola vliegen. Omdat het een voormalige Portugese kolonie is en de officiële taal Portugees, bestaat er nog steeds een hechte relatie met Portugal. Ik heb contacten die je uitzonderlijk nuttig zult vinden als je in dat Afrikaanse land komt.'

Hij zei dat hij me van de luchthaven zou laten afhalen als ik hem de vluchtinformatie gaf. We hingen op nadat hij me een nummer had gegeven waarop ik hem terug kon bellen als ik een vlucht geboekt had. De vragen en scenario's tolden door mijn hoofd. João wist wel erg veel voor iemand die op duizenden kilometers afstand woonde. Hij kende ook mijn geheime telefoonnummer.

João. Leo. Bernie. Een diamantmijn in Angola. 'O, vaak', had João gezegd, over bezoeken aan Angola.

Ik begon te vermoeden hoe Bernie aan die mijn was gekomen.

João wist dat ik blut was. Dus waarom liet hij een worst voor mijn neus bungelen om naar Angola te gaan? Wat had ik dat hij wilde hebben? Beslist geen mijn die geld opslokte in een oorlogszone.

Ik vroeg me af wat mijn vader me over João zou hebben verteld als hij nog geleefd had.

DEEL **3**

LISSABON

10

❖

Victoir Liberte, Lissabon, 1946

Victoir zat in zijn eentje op het terras van een café tegenover het casino in Estoril. Hij dronk van zijn garoto, espresso met melk, en negeerde een schaal zoete pastelaria's die de ober op de tafel had gezet in de hoop dat ze gegeten en derhalve in rekening gebracht zouden worden. Hij deed net of hij een krant las, maar had meer belangstelling voor een man aan een tafel aan de andere kant van het café.

De man aan de andere kant zat nerveus met zijn vingers tegen het koffiekopje te tikken. Zijn gekreukte witlinnen pak had vuile manchetten, zijn panamahoed had een vette rand van het zweet rond de kruin. Zijn huid had de bloedeloze grijze kleur van de buik van een vis. Zijn ongelukkige gelaatstrekken, een kleine stompe neus, weke kin en waterige bruine ogen werden ontsierd door uitslag aan de rechterkant van zijn hals, en zijn nerveuze vingers lieten steeds weer het koffiekopje met rust om te krabben.

Victoir rook een nazi. Niet een van de in paradepas marcherende horde die Europa terroriseerde en miljoenen vermoordde met zijn Blitzkrieg en vernietigingskampen, maar de bange, geslagen-ratvariatie, die kruipend dekking zocht toen de geallieerden hun een schop voor hun kont hadden gegeven. De oorlog was nog geen jaar voorbij, maar de ratten waren al eerder begonnen het zinkende nazi-schip te verlaten. Ze probeerden nog steeds een gevoel van superioriteit over te brengen, alsof hun krankzinnige leider iets anders had gepresteerd dan de dood van onschuldigen en zijn eigen laffe zelfmoord om de strop van de beul te vermijden.

Lissabon, gedurende de oorlog een neutrale haven voor alle partijen, was nu niet alleen het gastland voor de helft van de vorstenhuizen in Europa die hun troon hadden verloren, maar ook voor ex-nazi's die naar de haven kwamen als een springplank voor Argentinië en andere Zuid-Amerikaanse landen waar de nazi-hallucinatie niet onder Eisenhowers laars was vertrapt.

Victoir zuchtte en probeerde zich te concentreren op de krant die

55

hij al had gelezen. Een ogenblik later kwam João Carmona tegenover hem zitten.

Victoir bestelde nog een espresso voor hemzelf en een vinho verde voor João.

Het was nog ochtend, maar João had de gewoonte van de boeren om aan het ontbijt brood in groene wijn te dopen. João was klein, mager en pezig, met een donkere olijfkleurige huid, spijkerharde ogen, wijde neusgaten en kort, glad zwart haar. Geen zuivere Portugees: een mulat van de Kaapverdische Eilanden bij de westkust van Afrika. Klein maar gevaarlijk, dacht Victoir. Hard en snel: João droeg altijd twee messen – een onder zijn jas, het andere in zijn laars. Keurig gekleed: hij droeg gewoonlijk witte hemden met een hoge kraag, een met de hand beschilderde zijden das, en een opvallend grijs maatpak van een glanzende stof die sharkskin werd genoemd. Hij rookte dunne, zwarte, stinkende havannasigaren.

Hij zag João als een vechthaan en zichzelf als een voorzichtige hond. Hoewel Victoir tien centimeter groter en dertig pond zwaarder was, was hij niet zo sterk en snel als João. Het goede leven in Lissabon had zijn taille omvangrijker gemaakt. Hij was intelligent met een goed gevoel voor zaken, behoedzaam maar bereid om risico's te nemen na de situatie goed te hebben overdacht, in tegenstelling tot João die vertrouwde op zijn gokkersinstinct – en een snelle steek met zijn mes als woorden faalden.

João had ook een goed zakelijk instinct, maar het was een ander soort intelligentie – het soort dat je op straat leerde. Het overlevingsinstinct van dieven en zigeuners. Hij was bereid risico's te nemen zonder ze altijd goed te overwegen. En klaar om te vechten als hij in een hoek werd gedreven.

Hij had een man als João nodig in zijn diamanthandel. João was een paar jaar jonger dan de zesentwintigjarige Victoir, maar oud volgens de normen van de straat. Grootgebracht in de Alfama-wijk door een moeder die zowel een fadozangeres als een hoer was, leefde João van het overvallen van mensen in donkere stegen en zakkenrollen op het Rossioplein. Hij belandde in de juwelenbusiness toen hij twaalf was op de ouderwetse manier – het beroven van dronken mannen van hun horloges, ringen en *dinheiro*.

Victoir was in de edelstenen terechtgekomen door bloed. Na de Eerste Wereldoorlog emigreerden zijn ouders uit een Pools gebied in de Oekraïne naar Frankrijk, vluchtend voor de communistische overname en de pogroms in de regio. Zijn moeder overleed toen hij vijf was en hij bracht zijn kindertijd en puberteit door met werken in de juwelierszaken van zijn vader. Hij nam in 1939 dienst in het Franse leger, loog over zijn joodse achtergrond, en bevond zich in de Vichy-sector na de nederlaag van Frankrijk, terwijl zijn vader in Parijs was. Zijn vader pleegde zelfmoord om niet gevangen te worden genomen tijdens een razzia op joden. In 1942, toen de geallieerden in Noord-Afrika waren geland en de Duitsers het gebied van Vichy bezetten en joden begonnen op te halen om hen naar de kampen te sturen, ontsnapte Victoir op een Portugese vissersboot die hem afzette in Faro aan de zuidkust van Portugal.

Valse identiteitspapieren brachten hem veilig naar Lissabon, waar hij overleefde met zijn kennis van edelstenen; in het begin nog net niet met gebruik van een mes zoals João had gedaan. Hij vroeg nooit waar de juwelen vandaan kwamen. Een van zijn eerste aankopen van twijfelachtige koopwaar was toen een straatbandiet naar hem toe kwam terwijl hij op zijn gebruikelijke terras aan de Avenida da Liberdade zat. De verkoper was João.

Victoir met zijn instinct voor edelstenen, en João met zijn straatinstinct, waren voor elkaar geschapen. Het duurde niet lang of ze werkten vrijwel permanent samen. Het helen van gestolen goederen was niet bepaald wat Victoir wilde, en hij richtte zijn energie op het kopen en verkopen van wettige goederen. Of tenminste edelstenen die de schijn van legitimiteit hadden. Nu en dan bestond er enige twijfel over het voorgaande eigendom van juwelen, maar diamanten en andere edelstenen waren een internationale vorm van geld voor de horden vluchtelingen die naar Lissabon ontsnapten – onder wie degenen die alle reden hadden om aan het eind van de oorlog nog steeds op de vlucht te zijn.

Hij leerde João hoe hij edelstenen moest taxeren en de Portugees werd er goed in. Victoir werkte met edelstenen omdat hij geen ander beroep kende. João hield van de edelstenen zelf, vooral van diamanten. Hij droeg een grote diamanten ring en een diamanten dasspeld. Hij was een vrouwenliefhebber, dat was een feit, maar Victoir vermoedde dat João's grootste passie uitging naar diamanten.

'Wat vind je van onze Zwitserse vriend daar?' vroeg João.

Victoir keek vanuit zijn ooghoek naar de nazi. 'Het enige Zwitserse aan hem is zijn horloge, en natuurlijk zijn paspoort. Allebei waarschijnlijk gestolen. Wat verkoopt hij?'

'Een grote diamant, dat is het enige wat ik weet. Meer dan veertigkaraats, beweert hij.'

'Veertigkaraats. Dat zou ongeveer zo groot zijn als een walnoot. Tenzij hij veel zwakke plekken heeft, is hij een klein vermogen waard. Klinkt alsof hij meer fantasie heeft dan ik van een nazi zou verwachten!'

'Pedro gelooft hem. Hij heeft hem niet gezien, maar te oordelen naar de beschrijving denkt hij dat het iets heel bijzonders is.'

Pedro was een juwelier met wie ze zaken deden. Een oude man in een rolstoel, die Victoir tegen een percentage handel stuurde. Hij was niet dom en had een goed instinct voor edelstenen, wat Victoir aan het denken zette. Hij keek weer naar de nazi.

'Hoeveel wil hij hebben voor die diamant?' De vraag was bijna irrelevant. Ze wisten nog niet eens wat voor diamant het was, maar het was in ieder geval een uitgangspunt om te zien of Victoir zelfs maar enige interesse zou hebben.

'Hij wil Amerikaanse dollars. Honderdduizend.'

'*Vá para o inferno!* Voor dat bedrag zou hij kroonjuwelen moeten hebben.'

João haalde zijn schouders op. 'In deze wereld heeft hij die misschien wel. We hebben verschillende verbannen ex-koningen en twee keer zoveel groothertogen hier in Lissabon. Ik wed dat onze ober vóór de laatste wereldoorlog een Russische graaf was. De vraag is, nu je hem hebt gezien, wil je zaken doen? Soms doe je nogal pietluttig over het handelen met Duitsers.'

'Maar jij niet. Jij hebt de moraal van een schapendodende hond, João.'

Hij grinnikte. Zijn perfecte tanden glinsterden. 'De afgelopen zes jaar hebben we in een wereld geleefd waarin miljoenen mensen miljoenen andere mensen doodden, zonder dat iemand me één goede reden daarvoor kan geven. Waarin een niet al te intelligente Oostenrijkse korporaal de kans kreeg het grootste deel van Europa te bezetten en naar willekeur te moorden voordat hij zelfmoord pleegde. Vertel me eens, *amigo*, welk aspect van wat er met deze wereld gebeurd is, is moreel?'

'Nodig hem uit om bij ons te komen zitten,' zei Victoir.

'Pedro zegt dat hij niets wil zeggen in het openbaar. Als je met je krant tegen je been slaat als je het café verlaat, zal hij ons volgen. We rijden ergens naartoe waar we rustig kunnen praten.'

'Spreekt die vent Portugees? Mijn Duits is vreselijk.'

'Hij spreekt een beetje Frans.'

Victoir tikte met zijn krant tegen zijn been toen hij wegging en de man volgde hen naar het parkeerterrein waar João's vooroorlogse zwarte Hispano Suiza met linnen kap uit 1934 geparkeerd stond. De in Barcelona, Spanje, gefabriceerde auto was zijn meest kostbare bezit. Hij beweerde dat die meer vrouwen lokte dan zijn dertig centimeter lange penis. Victoir geloofde zijn verhaal over de auto. Nu de wereldproductie van auto's sinds 1939 stillag, was alles wat op vier wielen rondreed vorstelijk. Victoir had geen behoefte aan een auto. Hij had nooit zijn rijbewijs gehaald en vond taxi's gemakkelijker dan de verplichtingen die het bezit van een auto met zich meebracht.

Ze wachtten tot de man met het bleke gezicht hen op het parkeerterrein had ingehaald.

'We gaan ergens naartoe waar we een vertrouwelijk gesprek kunnen voeren,' zei Victoir in het Frans.

'Ik heb niets bij me, zelfs geen geld of paspoort. Het heeft geen zin om me te beroven.'

'Mijn naam is Victoir, dit is João.'

'Ik ben Varte.'

'Het was geen Duitse naam en van dichtbij gezien begon Victoir eraan te twijfelen of de man een Duitser was. Maar dat wilde niet zeggen dat hij geen nazi was.

Hij wenkte de man om voorin te gaan zitten en wilde zelf achterin stappen, maar Varte schudde zijn hoofd en klom op de achterbank. Victoir grinnikte bij zichzelf en ging voorin zitten. Slimme man. Het was gemakkelijk om voorover te leunen en de man vóór je te wurgen. Je kon het hem niet kwalijk nemen dat hij paranoïde was. Het superieure ras was nu loslopend wild.

'Ik heb de diamant niet bij me.'

'Natuurlijk niet,' zei Victoir. 'Maar we moeten hem zien voor we zaken kunnen doen.'

'Eerst praten we. U moet me ervan verzekeren dat u het geld ervoor hebt. En dat u geen dief bent.'

'*Woher sind Sie?*' vroeg Victoir in het Duits, hem vragend waar hij vandaan kwam.'

'*Nein sprechen Deutsch,*' zei Varte.

Victoir geloofde hem. Het Duits van de man was slechter dan dat van hemzelf. 'Roemenië?' vroeg Victoir op goed geluk.

De man keek hem verbaasd aan. 'Nee,' zei hij in het Frans. Hij had een Balkanaccent. 'Ik ben Fins.'

Fins, je kan me wat, dacht Victoir. Hij kwam wel degelijk uit Roemenië. Was waarschijnlijk lid geweest van de IJzeren Garde, de Roemeense imitatie van de nazi's en de SS. Koning Carol, de verbannen Roemeense koning, woonde niet ver van het casino. Het was zeker dat de koning niets te maken had met de diamant of met dit nietige menselijke creatuur dat beweerde hem te hebben. Als de diamant van de koning was en hij wilde die verkopen, dan zou hij dat doen in Londen, Parijs of Antwerpen, en de volle prijs ervoor krijgen, in plaats van hem te verhandelen onder dieven.

João reed hen naar de kust en over de kustweg naar de Boca do Inferno, de mond van de hel, in Cascaís. Ze lieten de auto achter op het parkeerterrein en liepen over de hoge kliffen die uitkeken op de natuurlijke fenomenen. Het grote gat en de grotten die waren uitgehold door de verpletterende golven van de zee hadden Victoir altijd gefascineerd.

Varte, op zijn hoede voor het smalle pad over de rotsen, keek naar Victoir en João, alsof hij verwachtte dat ze hem er elk moment af konden duwen.

'Mijn lievelingsplek,' zei João, glimlachend naar de nerveuze man. 'Mooi en dramatisch, no? Als een vrouw die het ene moment de liefde met je bedrijft en je het volgende moment gillend de ogen uitkrabt.' João's Frans was erger dan dat van Varte; hij mengde wat Portugees door zijn verklaring.

'Ik heb een diamant,' vertelde Varte hun, 'een heel speciale, een heel unieke, een diamant van minstens veertig karaat, misschien zelfs nog groter.'

'Er zijn veertigkaraats diamanten die nog geen kop koffie waard zijn,' zei João.

'Deze is meer waard dan een koffieplantage.'

'Wat maakt hem zo waardevol?'

'Het is een rode diamant.'

'Zeldzaam, dat is waar,' zei Victoir, 'maar alweer, met een rode diamant die veel barsten en ongerechtigheden vertoont, kun je nog geen koffie kopen.'

'Dit is een gave robijnrode diamant.'

'Onzin,' zei Victoir. 'Je liegt of je weet niet waarover je praat. Zo'n diamant bestaat niet. Anders zou hij bekend zijn – en zich onder de kroonjuwelen van een of andere koning bevinden.'

'Bekend bij wie? Europeanen? Honderden jaren geleden sierde hij de Pauwentroon van Perzië. In de laatste eeuw was hij verwerkt in de scepter van de khedive van Egypte. En vandaar kwam hij terecht tussen de schatten van de sultan van Turkije. Toen de sultan zijn troon in '22 verloor, werd de scepter gekocht door de Roemeense koning. Het probleem met Europeanen is dat ze vergeten dat ze niet de hele wereld zijn.'

'Zit de steen nog in de scepter?'

'Nee.'

'Heb je nog andere diamanten?'

'Niet meer.'

Met andere woorden, die had hij gebruikt voor valse documenten en de overtocht naar Lissabon. Victoir kon de rest van het verhaal raden. De Roemeense koning ging in ballingschap, hield een verkoop tegen dumpprijzen op weg naar het buitenland – of raakte de scepter kwijt aan dieven, waarschijnlijk zijn eigen paleiswachten. Op de een of andere manier ging de diamant van hand tot hand tot hij bleef hangen in de palm van de zenuwachtige kleine man in zijn witte pak en panamahoed. Victoir was nieuwsgierig naar de lotgevallen van de diamant sinds hij uit handen van de Roemeense koning was geraakt, maar wilde de man niet afschrikken door hem rekenschap af te laten leggen van het bezit van de steen.

Victoir accepteerde het verhaal van de man dat hij een rode diamant had. Zelfs al was hij niet gaaf, dan zou hij toch uiterst waardevol zijn. Als hij gaaf was – nee, dat was onmogelijk. Een gave rode diamant zou schatten geld waard zijn omdat hij zo zeldzaam was.

'Hoe regelen we het bezichtigen van de diamant?' vroeg Victoir.

Vartes ogen gingen van de een naar de ander. 'Als ik het geld zie.'

'Hoeveel vraag je ervoor?' vroeg Victoir.

'Tweehonderdduizend Amerikaanse dollars.'

Victoirs gezicht bleef onbewogen, maar João floot zachtjes. 'Niemand in Lissabon heeft zoveel geld. En als ze het hadden zouden ze het niet betalen voor een gestolen diamant. Want zo is het toch, niet?'

'Zet me af bij het casino. Er zijn anderen die me willen geven wat ik verlang.'

Toen ze terug waren op het parkeerterrein van het casino waren ze het eens geworden over vijftigduizend dollar. Het was een enorm bedrag. Maar Victoir was opgewonden. Als de diamant werkelijk beantwoordde aan de beschrijving van de man, was hij veel meer waard. Hij beschikte zelf niet over zoveel geld, maar Pedro en de anderen zouden een steentje bijdragen. João ook, al eiste hij meestal alleen een percentage voor het aanbrengen van de handel.

Toen ze uitstapten, zei Victoir: 'We hebben een paar dagen nodig om het geld bijeen te krijgen, maar voordat we dat doen moeten we ergens afspreken zodat ik de diamant kan bekijken.'

Varte wees naar João. 'Jij blijft hier. Kom,' zei hij tegen Victoir. Hij leidde hem over het parkeerterrein naar een Peugeot waar een man achter het stuur zat. Victoir herkende de man onmiddellijk – Heinrich, een Duitse schurk met kort haar, een plat vierkant gezicht en een stompe neus. Hij deed Victoir denken aan een wild zwijn. Hij had gehoord dat de man tijdens de oorlog sergeant was geweest in een eenheid van de SS. Hij was te arm om uit Lissabon weg te kunnen en hing rond in de stad, waar hij werkte als lijfwacht en loopjongen voor *emigrés*. Hij was een slome, domme man, wat hem gevaarlijk maakte. Vandaag was hij extra gevaarlijk – er lag een Duitse Luger op de stoel naast hem.

Victoir ging achterin zitten met Varte. 'Dus hij is in de auto.'

'Alleen als ik erin zit.' Varte grinnikte en nam zijn hoed af. 'Niemand onderzoekt een hoed, zelfs niet aan de grens.' Hij pakte een klein leren zakje uit de binnenband, opende het en schudde een steen in zijn hand. Victoir onderdrukte een kreet bij het zien van de diamant, maar kon zijn reactie niet verbergen. Hij snakte naar adem.

'Je dacht dat ik loog, hè?'

Zelfs in het schemerige licht van de auto glinsterde de Oost-Europees geslepen diamant met een vuurrode gloed. Hij was prachtig, perfect. En Varte had gelijk wat het gewicht betrof. Victoir schatte het op ongeveer veertig, misschien een of twee karaten meer.

'Hij is veel meer waard dan ik ervoor vraag,' zei Varte.

'Ik weet het niet. Hij zal getaxeerd moeten worden. Het is te donker in de auto om hem hier te kunnen onderzoeken.' Zelfs met gebreken zou de diamant immens waardevol zijn. Als hij gaaf was – dat was ondenkbaar. De steen was absoluut uniek. Varte had niet gelogen, het was een echte robijnrode. Hij betwijfelde of Varte werkelijk besefte wat hij in handen had. De man wist dat de steen waardevol was, maar óf hij wist de echte waarde niet – óf hij was gewoon de wanhoop nabij. Bovendien zou het bedrag dat hij ervoor vroeg hem een goed leven bezorgen in Zuid-Amerika.

'Heeft hij een naam?' vroeg Victoir. Net als sommige winden waren sommige diamanten uniek genoeg om een naam te hebben – de indigoblauwe Hope-diamant, de Koh-i-Noor 'Berg van Licht', de 530-karaats Star of Africa, de blauwe, als een rozet geslepen Great Mogul, de grote roze Darya-i-Noor, de grote kanariegele Tiffany. Een naam deed de waarde van een diamant stijgen.

'Hij heet het Hart van de Wereld,' zei Varte. 'Dat is de islamitische naam. Je kunt hem noemen zoals je wilt.'

Hart van de wereld. Ja, een passende naam.

'Voordat ik deze zag,' zei Varte, 'wist ik niet dat er robijnrode diamanten bestonden. Ik dacht dat ze allemaal helderwit waren.'

'Diamanten komen in veel kleuren voor – geel, roze, groen, blauw.' Hij zei er niet bij dat hij nog nooit gehoord had van een echte robijnrode, al waren er lichtere en donkerdere tinten. En een robijn zelf was niet te vergelijken met de vurige diamant die Varte verkocht, want robijnen hebben niet het glinsterende vuur van een diamant. Hij haalde een loep uit zijn borstzak en stak zijn hand uit naar de steen.

'Ik kan hem echt niet beoordelen in dit licht.'

Varte wees op een zaklantaarn. 'Neem die maar.' Voor hij hem de steen overhandigde knikte de Roemeen naar zijn waakhond, Heinrich. 'Let op zijn vriend aan de andere kant van het parkeerterrein, ik heb slechte dingen gehoord over die Portugees.'

'Als hij naar ons toe komt, dood ik hem.'

'Als deze het portier van de auto aanraakt terwijl hij de diamant in zijn hand heeft, dood je hem ook.'

'*Jawohl.*' Hij glimlachte.

Victoir geloofde dat de Duitser het zou doen. Een bedrieglijk plan zoals bluf zou te gecompliceerd zijn voor Heinrich. 'Hou het licht voor me vast,' zei hij tegen Varte. Toen hij de steen op een wit stuk papier onder het vergrootglas bestudeerde, kon hij geen zichtbare gebreken ontdekken. Maar hij hield een slag om de arm omdat de omstandigheden gebrekkig waren. 'Het licht is niet goed genoeg voor een professioneel onderzoek. Ik moet…'

'Je hebt al het onderzoek gehad dat je krijgt. Zelfs al zouden er kleine foutjes zijn, dan is die steen een fortuin waard. Geef hier.'

Hij rukte hem uit Victoirs hand.

'Stap uit.'

Toen Victoir op het plaveisel stond, deed Varte het portier op slot voor hij het raam omlaagdraaide. 'Je zei dat je twee dagen nodig hebt om de Amerikaanse dollars bijeen te krijgen. De ruil zal aanstaande woensdag om precies acht uur plaatsvinden in de lounge van het casino. Als ik jou of je vriend vóór die tijd zie, zal Heinrich je doden.'

11

❖

João lag zijdelings op zijn motorkap een van zijn havannasigaren te roken toen Victoir over het parkeertrein aangesjokt kwam. Hij lachte toen Victoir bij de auto was.

'Amigo, je kijkt als een man die zojuist zijn favoriete vrouw heeft verloren.'

'Je had hem moeten zien, João, het was iets ongelooflijks. Varte loog niet, hij moet aan een koning hebben toebehoord.'

'Reden temeer om ervoor te zorgen dat het zwijn er niet mee ontsnapt.' João maakte een gebaar of hij zijn keel doorsneed.

Het kon Victoir niet veel schelen waar de stenen die hij kocht en verkocht vandaan kwamen. Zes jaar oorlog hadden Europa op zijn kop gezet, miljoenen gedood, en de zakken geleegd van nog veel meer miljoenen. Maar iemand te laten profiteren die hij ervan verdacht een nazi te zijn, ging hem te ver. Als Victoir een transactie afsloot met dit soort mensen, volgde João de verkoper, verloste de man van de koopsom, en deelde het geld later met Victoir. Victoir beschouwde het als een privé-oorlog. Maar roof was iets anders dan moord. Vluchtelingen helpen door hun juwelen te kopen gaf hem een goed gevoel. Ervoor zorgen dat een nazi niet profiteerde van gestolen goederen gaf hem een goed gevoel. Moord was niets voor hem. João beweerde dat hij alleen maar de paradepasmarcheerder beroofde, maar Victoir was er niet zeker van. Hij ging er niet verder op in.

Victoir schudde zijn hoofd. 'Je kunt niet zomaar op hem aflopen en die diamant pakken. Hij heeft die beer van een mof, Heinrich, om hem te beschermen. En hij heeft de lounge van het casino gekozen voor de oversteek. We kunnen onmogelijk de diamant te pakken krijgen en het geld houden. En ik wil de transactie niet verpesten door het te proberen. De diamant is veel meer waard dan hij ervoor vraagt.'

'Dus hij is werkelijk uniek,' zei João dromerig, meer tegen zichzelf dan tegen Victoir.

'Ik heb nog nooit zoiets gezien.' Victoirs handen waren bezweet en hij veegde ze af aan zijn jas. 'Ik heb me zelfs nog nooit zoiets voor kunnen stellen. Een diamant die in een koninklijke kroon hoort. Hij heeft een naam en zelfs een geschiedenis, net als de Great Mogul, alleen provocerender. Drie monarchen die hem in bezit hadden hebben hun troon verloren. Varte schijnt hem niet alleen om het geld kwijt te willen maar omdat hij bijgelovig is. Hij vertelde me dat iedereen die de diamant bezit, achtervolgd wordt door de dood – en hij zei het als een man die het weet.'

João grinnikte en haalde zijn schouders op. 'Misschien heeft onze vriend een voorspellende gave – wat zijn eigen lot betreft.'

'João, ik wil deze diamant. Ik heb er alles voor over. Alles. Er is geen edelsteen op aarde mee te vergelijken. Als ik naar Amerika ga, zou hij mijn entreebiljet zijn voor de citadellen van de diamanthandel. Ik wil niet dat er iets tussenkomt.'

Die nacht lag Victoir in bed te denken aan de diamant. Hij transpireerde ervan. Hij had nog nooit de neiging gehad iemand te doden, maar toen hij het Hart van de Wereld in zijn hand hield, wekte die een vurige passie in hem, een begeerte die zo hevig was dat hij kon exploderen als geweld. Als hij eens een pistool bij zich had gehad? Zou hij die mof in zijn achterhoofd hebben geschoten en Vartes gezicht hebben weggemaaid om die diamant te krijgen? Was dit de hitte van de passie die woedende minnaars ertoe bracht te moorden?

Hij wist dat mensen van diamanten net zo opgewonden konden raken als van seks, maar dat gold voor zoveel dingen – paardenrennen en geld, om er maar twee te noemen. Maar het Hart van de Wereld deed zijn eigen passiemeter huizenhoog stijgen. 'Het is niet zomaar een diamant,' had hij tegen João gezegd toen ze afscheid namen, 'evenmin als de *Mona Lisa* zomaar een schilderij is of Michelangelo's *David* gewoon een marmeren beeld.' Het Hart van de Wereld was uniek en mooi, het rechtmatige bezit van koningen en koninginnen. En het zou niet de eerste keer zijn dat een fabelachtige edelsteen verborgen bleef in de kluis van een koning, tot dieven hem wisten te bemachtigen.

De Roemeen kon het ook wel eens bij het rechte eind hebben wat de herkomst van de diamant betrof, dacht hij. Enkele van de mooiste edelstenen ter wereld sierden oorspronkelijk de Pauwentroon. De onschatbare troon werd gemaakt voor de Mongoolse keizer Sjah Jahan, de Indiase heerser die de Taj Mahal bouwde. In 1739 werd hij met andere buit in beslag genomen door een Perzische veroveraar die Delhi bezette en de troon weer verloor aan de Koerden, die hem demonteerden en de stukken ervan verkochten. De Koh-i-noor, de Berg van Licht, verworven door koningin Victoria, was, vermoedde men, afkomstig uit de troon, en hetzelfde gold voor de Darya-i-noor, de Zee van Licht, een gave lichtroze, en de zuster de Noor-ol-eyn, het Licht van het Oog, twee diamanten in de kroonjuwelen van Iran.

Het was ook mogelijk dat de vuurdiamant vroeger het oog van een afgod was geweest. Men geloofde dat de Hope-diamant, de vijfenveertigkaraats indigoblauwe, gestolen was van een hindoegod. Vroeger was het een grotere diamant, de French Blue, die gestolen was uit het afgodsbeeld en een spoor van moord en verraad had achtergelaten, tot de diamant eindelijk terechtkwam in de kroon van Lodewijk XVI – die zijn hoofd, zijn troon en de diamant ongeveer tegelijkertijd verloor.

Dezelfde fatale geschiedenis gold voor de Orlov-diamant, de eivormige, 193-karaats van de kroonjuwelen van de Romanoffs – voordat ze door de bolsjewieken vermoord werden. Beide diamanten hadden een geschiedenis van moord en intriges, en zoals de menselijke natuur nu eenmaal is, maakte die ze des te begerenswaardiger en waardevoller. Een naam en een geschiedenis, zelfs van ongeluk, verhoogden de waarde van een diamant. De Moon of Baroda, een vijfentwintigkaraats peervormige kanariegele diamant, die vroeger eigendom was van de Gaekwar-heersers van Baroda in India, zouden ongeluk betekenen voor de eigenaars die hem droegen als ze water overstaken. Hoeveel voegde die reputatie voor ongeluk toe aan de waarde ervan? Hoeveel voegde de gewelddadige geschiedenis toe aan de waarde van de Great Mogul, de French Blue Hope-diamant, en de Orlov?

Hij moest beslist meer te weten zien te komen over de diamant, meer over de geschiedenis ervan. Als hij hem gekocht had, zou hij hem meenemen naar Amerika en daar veilig opbergen in een bankkluis. Dan zou hij een reis maken naar Istanbul, Caïro en Teheran, plaatsen waar de diamant zich zou hebben bevonden.

In zijn gedachten was het geen diamant die gestolen was uit een afgodsbeeld in India, maar een stuk van een ster dat op de aarde was gevallen. Meteoren brachten diamanten naar de aarde; feitelijk werd er een veel grotere concentratie van diamanten in de meeste meteoren gevonden dan in diamantvelden. Diamanten waren koud als je ze aanraakte, ze leken warm omdat ze hitte aan je hand onttrokken. Maar Victoir zou er een eed op willen doen dat het Hart van de Wereld zijn eigen hitte voortbracht – als een ster.

'Een stuk van een ster,' zei hij hardop. Hij huiverde als hij eraan dacht.

12

❖

Heinrich de Duitser zat aan de bar toen Victoir de lounge van het casino binnenkwam om de diamant te kopen. João was er ook, maar aan de andere kant. Hij zat te praten met twee vrouwen in kleding en met make-up die duidelijk maakten dat ze voor zaken in de bar waren. Victoir wist dat João verschillende louche zaakjes aan de hand had. Het zou hem niet verbazen als João ook de pooier was van een stel meisjes.

Victoir bleef vlak bij de ingang staan en liet zijn ogen wennen aan het schemerige licht. Hij zag Varte niet. Heinrich ving zijn blik op en wenkte met zijn hoofd naar de achterkant van het vertrek. Aan een tafel in een donkere hoek, waar een zwak licht boven de nabije ingang van de *casa de banho* hing en dat zijn vissenbuikteint deed glanzen, zat Varte.

'*Olà*,' zei Victoir en ging aan de tafel zitten.

'Heb je het geld?' vroeg Varte.

Victoir trok zijn wenkbrauwen op. 'Heb je de diamant?'

'Eerst het geld. Laat zien.'

Victoir haalde een buidel onder zijn jas vandaan en overhandigde hem die. Varte legde de buidel op zijn schoot, zodat anderen de inhoud niet zouden zien als hij hem openmaakte. Hij haalde er een stapel honderddollarbiljetten uit.

'De nazi's hebben die met miljoenen tegelijk vervalst, met hulp van professionele graveurs en muntemployés,' zei Varte. 'Hoe weet ik of ze echt zijn?'

'Het probleem met de vervalste nazi-biljetten is de Duitse obsessie voor perfectie – ze maakten ze beter dan de originele biljetten.'

Victoir wist zeker dat veel van de bankbiljetten in de buidel behoorden tot de miljoenen vervalste die de Duitsers hadden gedrukt, maar hij wist ook zeker dat Varte óf het verschil niet zou zien, óf zo wanhopig zou zijn dat hij de valse biljetten zou accepteren, in de wetenschap dat alleen een expert het onderscheid zou kunnen zien.

'Deze zijn vals,' zei Varte.

Victoir schudde zijn hoofd en stak zijn hand uit naar de buidel. De man blufte. Hij had goed licht en een vergrootglas nodig om het verschil te kunnen zien. 'Nee, het zijn allemaal goede biljetten. Laten we niet sjacheren. Jij houdt de diamant en ik…'

'Ik moet ze onder het licht bekijken.'

'Neem er een paar mee en controleer ze, maar de rest blijft hier.'

De Roemeen pakte een paar bankbiljetten en gaf de buidel terug. Haastig liep hij door de gang naar de wc.

Victoir leunde achterover en draaide zijn nek rond om de spanning te verlichten. Onderhandelingen waren moeilijk. Het was niet hetzelfde als met een koppel praten over een verlovingsring. Het ruilen van geld en koopwaar veroorzaakte angst, wantrouwen en gevaar.

Hij keek achterom naar de bar. Heinrich zat er nog over een glas bier gebogen, zijn ellebogen op de bar, starend naar zijn drankje. Misschien interpreteert hij het bierschuim, dacht Victoir, wil hij zien wat de toekomst in petto heeft voor een ex-nazi met spieren tussen zijn oren. Hij vroeg zich af waarom Heinrich er niet op aan had gedrongen vlak naast zijn werkgever te zitten als de ruil plaatsvond. Er was één goede mogelijkheid – dat de kleine Roemeen de Duitser ook niet vertrouwde. Niet met een hoop geld.

Victoir ving João's blik op en schudde zijn hoofd, ten teken dat de ruil nog niet had plaatsgevonden. Hij had João gevraagd bij de bar te blijven staan, gereed om hem indien nodig te steunen. De Roemeen scheen een gezonde achterdocht en angst te hebben voor João, dus was het beter als hij zich een beetje afzijdig hield.

Toen er enkele minuten voorbij waren gegaan, begon Victoir zich zorgen te maken. Waarom bleef die kleine man zo lang weg? Hij rookte een sigaret, keek weer op zijn horloge, een nerveuze reactie omdat hij niet had gekeken hoe laat het was toen de Roemeen naar de wc ging. Hij bedacht dat er misschien een achteruitgang was in het toilet – en dat de man ervandoor was gegaan met de vijf of zes honderddollarbiljetten die hij hem had gegeven.

Het was geen waarschijnlijk scenario, niet waar de man een ongelooflijk zeldzame en waardevolle diamant bij zich had, maar er waren gekkere dingen gebeurd sinds de nazi's de wereld op zijn kop hadden gezet.

Hij stond op en haalde zijn schouders op naar João. En keek even naar de bar. Heinrich was verdwenen. Wel verdomme! Haastig liep hij de korte gang door en duwde de deur open van de mannen-*banho*. Hij bleef met een ruk staan toen hij naar binnen keek.

Varte lag op de grond. Op zijn rug. Zijn dode ogen staarden naar het plafond, zijn gezicht was een masker van ontzetting. Het bloed dat uit zijn doorgesneden keel droop vormde een rode plas naast zijn hoofd en schouders.

Zijn hoed was verdwenen.

Het raam stond open.

13

❖

De misthoorn van een schip liet een klaaglijk geluid horen op de Rio Tejo toen Victoir langs Lissabons embarcadero liep. De zomerse mist was eerder op de dag over de baai naar de zee gedreven. De invallende avond veranderde de schemering in een donker lijkkleed, wat Victoir, die niet gezien wilde worden, goed uitkwam.

Drie dagen waren voorbijgegaan sinds hij de Roemeen op de grond in het toilet had gevonden. Hij was ondervraagd door de politie, maar omdat de dode geen Portugees was en met een vals paspoort reisde, had een redelijke omkoopsom aan de rechercheurs alle vragen die ze mochten hebben doen verstommen.

Heinrich verscheen de volgende dag. Zijn lichaam dreef in de grote poel die gevormd werd door de zeekliffen van de Boca do Inferno. Hij zou op de bodem zijn blijven liggen – een van zijn enkels was met een ketting bevestigd aan de zware velg van een vrachtwagen – maar gelukkig was de voet afgebeten door een haai en was de ketting eraf gegleden.

Het was niet moeilijk het verloop van de gebeurtenissen te raden. João had Heinrich omgekocht, de moord op de Roemeen en de diefstal van de diamant geënsceneerd en was nu bezig de lijst van getuigen te wissen.

Victoir wist zeker dat hij op de lijst stond – de ontsnapping aan de nazi-beesten in bezet Frankrijk had hem een scherp gevoel voor overleven bijgebracht.

Hij dacht aan de moordzuchtige waanzin die Europa zes jaar lang in zijn greep had gehouden. En aan alles wat hij had verloren. Hij had de nazi-periode in Europa overleefd, die ze de Holocaust noemden, al was de uitdrukking van de zigeuners voor genocide – het Verslinden – eigenlijk juister. Niets verbaasde hem. Hij had geen vertrouwen in de inherente goedheid van de mens. Of in vriendschap.

Hij was ervan overtuigd dat de moorden en de diefstal het werk van João waren. Hij voelde geen woede over wat João had gedaan.

69

Hij vermoedde dat als hij João ermee confronteerde, de Portugees slechts zou glimlachen en zijn schouders zou ophalen en voorstellen een glas wijn te drinken en met een vrouw naar bed te gaan in plaats van te antwoorden.

Maar er waren vragen die je een man niet stelde. Niet als die bedrog, moord en roof inhielden. Een man als João kon je een glas wijn overhandigen terwijl hij je keel doorsneed.

Zijn enige spijt was het verlies van de diamant. Hij zou er alles voor gegeven hebben. Behalve zijn leven. Die arme donder van een Varte wist niet hoezeer hij het bij het rechte eind had toen hij zei dat er een vloek rustte op de diamant. Hij hoopte alleen maar dat die vloek op een dag João zou treffen. Maar hij dacht niet dat dat zou gebeuren – mannen als João maakten hun eigen geluk. Het was de enige verklaring voor mensen die ongelooflijke risico's namen om uit de goot te komen.

Lissabon was niet langer een veilige haven voor hem.

Hij vond de aanlegsteiger die hij zocht en liep naar een vissersboot die op hem lag te wachten. Hij was in Frankrijk ontsnapt aan de nazi's in een vissersboot. Hij zou Lissabon op dezelfde manier verlaten, de boot naar Engeland nemen. Hij had zijn Engels een jaar lang geoefend. Volgens zijn papieren was hij Amerikaan. De Amerikaanse nationaliteit was een goede keus, dacht hij. Hij wilde naar Amerika, waar hij familie had die hem zou helpen zijn intrede te doen in de diamantbusiness.

Bovendien was het het enige land ter wereld waar een buitenlands accent niet betekende dat je een buitenlander was.

14

❖

Win Liberte, New York, 1991

Ik ging in mijn eentje naar JFK, nam een taxi naar de terminal van TAP Air Portugal. Niemand had aangeboden me weg te brengen en ik had het niemand gevraagd. De enige manier om een nieuw leven te beginnen is het oude achter te laten. 'Alice woont hier niet meer,' zei ik tegen Tony, de dienstdoende halportier, toen ik langsliep. Hij keek me verbaasd aan. Ik herinnerde me ook niet meer wie Alice was.

'Ik zal u missen, meneer Liberte.'

Ik gaf hem een envelop met wat contant geld erin. Tony was een goeie kerel, die me meer dan eens naar mijn appartement geholpen had als ik te veel gedronken had.

Ik had een vreemd gevoel in de taxi en leunde achterover terwijl ik probeerde erachter te komen wat er mis was. Vreemd genoeg voor een man die nog nooit één dag in zijn leven gewerkt had en alleen maar wist hoe hij de spreekwoordelijke coupons moest knippen, joeg het feit dat ik platzak was me geen angst aan. Het was verdovend, maar ik stond niet te trillen op mijn benen. Misschien was ik te dom om bang te zijn.

Er zat me iets anders dwars en ik begon de lijst na te gaan. Het was niet het verlies van de boot of de auto's. Die waren vervangbaar. Ik was nooit zo opgegaan in het bezit van dingen. Ik kocht speelgoed en dolde daar wat mee en kocht nog meer, om te gebruiken, niet om te verzamelen. Ik vond het gemakkelijk om afstand te doen van dingen. Misschien omdat ik mijn vader en moeder verloren had toen ik nog een kind was. Niets was blijvend.

Zo dacht ik ook over de flat in het Dakota. Ik had er daarvóór een gehad en zou er nu weer een krijgen. Het feit dat het een adres van wereldklasse was betekende niet veel voor me. Ik had het gekregen omdat ik geld in overvloed had en de kans kwam toen een rockster zijn populariteit verloor en een snelle financiële injectie nodig had na te veel andersoortige inspuitingen.

Terwijl de taxichauffeur door de straten van Manhattan reed en een spelletje speelde met roekeloos overstekende voetgangers, met het risico bandensporen op hun rug en tandafdrukken op zijn bumper achter te laten, besefte ik wat me hinderde. Ik liet niets achter wat me aan het hart lag. Niet mijn chique flat, mijn snelle auto's, mijn prachtige boot. Zelfs niet mijn prachtige vriendin. Ik zette Katarina op het vliegtuig naar L.A. met een eersteklaskaartje en een vette bankrekening na de verkoop van de Bugatti. Ik mocht Katarina graag, maar ik miste haar niet. Ik voelde alleen een leegte als ik geil was, een bewijs dat de aantrekkingskracht meer wellust dan liefde was. Al betekende ze wel iets bijzonders voor me. De rest van mijn vrienden had de benen genomen zodra ze hoorden dat ik blut was. Katarina hoorde het van anderen en holde naar me toe om me haar steun aan te bieden, maar ik verzekerde haar dat het allemaal een kwestie was van belastingontduiking in samenwerking met mijn accountant. Het was een goeie smoes voor haar. Ze had geen verstand van geld als het gecompliceerder was dan het saldo van haar chequeboekje, als ze zelfs dat al snapte, maar ze kwam uit een deel van de wereld waar regeringen corrupte bureaucratieën hadden en belastingontduiking een levenswijze was.

Ik probeerde iemand of iets te bedenken waar ik om gaf, echt om gaf, en kwam uit op niets. Ik had geen ouders. Bernie was dood en we waren emotioneel nooit zo intiem geweest. Mijn stiefmoeder nodigde me alleen uit voor de feestdagen en ik vond altijd een excuus om niet te gaan. Mijn stiefbroer was een misbaksel. Mijn 'vrienden' waren stuk voor stuk niet meer dan kennissen – ik had geen bloedbroeders, geen hechte studievrienden.

Ik had hier nooit aan gedacht tot de draaimolen plotseling stopte en ik eraf werd gegooid en op mijn hoofd terechtkwam. Bernie had me geen dienst bewezen – moge die egoïstische klootzak eeuwig branden in de hel – maar zijn blunder had me wakker geschud en me bewust gemaakt van mijn financiën. Het was allemaal nog wat vaag omdat ik nog duizelig was na de noodlanding, maar ik besefte wél dat wat ik leven had genoemd niet meer was geweest dan een serie geïsoleerde gebeurtenissen – de wip van deze week, de lol van deze week – in plaats van een complete voorstelling. Net als de titel van een boek dat ik had moeten lezen op de universiteit, maar waarin ik nooit verder was gekomen dan de samenvatting, had mijn leven alleen maar uit betekenisloze woorden bestaan, zonder iets voor te stellen.

'Geen vrienden, helemaal niks.'

De chauffeur vroeg me wat ik had gezegd. Althans, ik denk dat hij dat vroeg. In de tijd van mijn vader hadden de chauffeurs moeilijk verstaanbare Brooklynse accenten. Nu hadden ze moeilijk verstaanbare accenten die bij tulbanden en *green cards* hoorden. Kamelenjockeys, zandnikkers, theedoekenkoppen waren het soort minachtende benamingen waarmee mijn kennissen – mijn ex-kennissen – hen betitelden. Maar geen van de mensen die de chauffeurs bespotten deden zoveel werk in een jaar als deze mensen in een week. Hoe zou het zijn om een taxi te moeten besturen en in een hok te leven om geld te kunnen sturen naar je gezin in de Derde Wereld, een gezin dat anders zou verhongeren? Wat gaat er in je om, in je hoofd, in je ziel, als het achterportier van je taxi 's avonds opengaat en je een kerel ziet instappen die eruitziet of hij uit een drankwinkel komt, high door de crack, gewapend met een revolver en een skimasker over zijn hoofd – en die je beveelt hem naar een plaats te rijden waar het donker is en eenzaam en niemand pistoolschoten en gegil hoort? Wat voor shit moeten deze mensen slikken van hoerenlopers en hoeren en drugsverslaafden en mensen die kotsen en pissen...

Ik huiverde en zette het idee van me af om ooit taxichauffeur te worden. Als ik zo oud werd, zou ik de *Midnight Cowboy*-route volgen en orale contacten leggen in de toiletten van Central Park voor ik dezelfde troep zou slikken als zo'n arme drommel die een taxi bestuurde in New York City.

Toen ik uitstapte, wierp ik de man een biljet van honderd toe, tweemaal de ritprijs, en zei dat hij het wisselgeld mocht houden. Mijn dagen als grote verkwister waren voorbij, maar het was belangrijk voor me dat ik me niet blut voelde.

15

❖

Ik passeerde de beveiliging van de luchthaven toen ik een vrouw zag van ongeveer mijn leeftijd, misschien een paar jaar ouder, die vóór mij door de metaaldetector liep. Het uitzicht op haar rug beviel me en het werd nog beter toen ik de rest van haar zag. Ze had rood haar, een van mijn vele zwakheden.

Een boek was uit haar open tas gevallen toen die door de scanner ging. Ik pakte het en riep haar toen ze wegliep.

'U hebt dit laten vallen.' Ik keek naar de titel. *The Social Economics of The Third World Famines* (De sociale economie van de honger in de Derde Wereld).

'Ik geloof dat ik de film gezien heb,' zei ik grijnzend en overhandigde haar het boek.

Ze keek me aan met een blik die een hondsdolle hond zou verkillen. 'Hebt u genoten van het deel waar kinderen gekannibaliseerd worden voor voedsel?'

O, shit. Van dat soort! Idealistisch. Eropuit om de wereld te redden.

Ze voegde zich bij een groepje van drie mannen en een vrouw die door de hal liepen. Zonder die kleinering zou ik waarschijnlijk geen ogenblik meer aan haar gedacht hebben. Ze was aantrekkelijk, maar ijzig. Ik behoor niet tot de mannen die kruipen aan de voeten van vrouwen die op hen trappen, maar het maakt de jacht altijd aantrekkelijker als er horden te nemen zijn. Bovendien was er dat rode haar.

Bij de check-in ging ik achter hen staan. Toen het mijn beurt was keek ik naar de jonge Portugese vrouw achter de balie en wees op de roodharige aan de andere kant van de ruimte.

'Ik wil dat ze een upgrade naar de eerste klas krijgt, de plaats naast de mijne. Het kan me niet schelen wat het kost.' Ik had mijn American Expresskaart nog. Zonder die creditcard had ik niet kunnen vertrekken.

'Is dat uw vrouw?'

'Nog niet.'

'Wat is haar naam?'

'Dat zult u me moeten vertellen.'

De vrouw keek me onderzoekend aan. 'Uw Portugees is heel goed, meneer Liberte.'

'Mijn moeder was Portugese.'

'We hebben regels voor dit soort dingen.'

'Amerikanen hebben regels voor dit soort dingen. Portugezen hebbben een ziel die weigert om een formele kwestie in de weg te laten staan van romantiek.'

'Waarom vraagt u het haar niet zelf?'

'Ik probeerde haar te versieren met mijn gebruikelijke charme en spitsheid en kreeg de kous op de kop. Ze is een heel serieuze vrouw, die wereldschokkende zaken aan haar hoofd heeft.'

'En u?'

'Volkomen gedegenereerd. Denk altijd maar aan één ding.'

De vrouw zuchtte. 'Ja, u hebt beslist Portugees bloed.' Ze keek naar de roodharige en controleerde haar computer. 'Marni Jones, dr. Marni Jones. Ze hoort bij een groep van de Verenigde Naties.'

'Hoe krijg ik haar naast me?'

'Wat zijn uw bedoelingen met dr. Jones?'

'Met haar naar bed gaan als we in Lissabon zijn.'

Ze knikte. 'Tja, daar zou de luchtvaartmaatschappij geen bezwaar tegen hebben. Zolang u maar wacht tot u van boord bent gegaan. De plaats naast u is nog vrij. *Boa sorte!*'

Ik schonk nauwelijks enige aandacht aan dr. Jones toen ze aarzelend in het gangpad van het vliegtuig bleef staan, starend naar haar boardingcard. Schijnbaar verstrooid stond ik op, zodat ze aan het raam kon gaan zitten. Ik wilde aanvankelijk niet te veel belangstelling tonen. Het is beter om een ijsprinses de eerste stap te laten doen. We waren in de lucht en kregen een drankje aangeboden voor ze tegen me sprak.

'Ik heb nog nooit eerste klas gevlogen. Dank u.'

Ik haalde mijn schouders op. 'Je kunt tegenwoordig ook niemand meer een geheim toevertrouwen. Heeft ze u ook verteld waarom ik naast u wilde zitten?'

'Ze zei dat u van plan was me te verleiden.'

'En?'

'Ik accepteerde de upgrade. Maar alleen voor een betere maaltijd en een comfortabele stoel, meneer Liberte.'

'Als u me beter kende…'

'Maar ik kén u. Het meisje van de check-in heeft me dit gegeven.'

Ze haalde een exemplaar van het tijdschrift *People* uit haar aktetas. Op de omslag stond een aankondiging van de Vijftig Meest Begerenswaardige Vrijgezellen. Ze sloeg het blad open bij het artikel. 'Win Liberte houdt van snelle auto's en snelle vrouwen. Hij is rijk, verwend, rijdt in een auto met driehonderd kilometer over de openbare wegen, heeft een relatie met supermodel Katarina Benes, en heeft nog nooit één dag in zijn leven gewerkt.'

'Wauw,' zei ik. 'Lijkt me een geweldige kerel.'

'Meneer Liberte – mag ik Win zeggen?'

'Meneer is goed.'

'Meneer, u bent irrelevant.'

'Christus, ze hebben me al een hoop dingen genoemd, maar wat is in godsnaam irrelevant? Het klinkt als een geslachtsziekte.'

'In een wereld die in een crisis verkeert, met alle revoluties, hongersnood, onrechtvaardigheid en sociale ontreddering die hele continenten in hun greep houden – weet u wel waar zich dat allemaal afspeelt terwijl u seks hebt met een of andere bimbo met driehonderd kilometer op de snelweg?' Ik had zo'n idee dat ze het me zou gaan vertellen, dus sneed ik haar de pas af.

'Weet u hoe ik denk over de verhongerende Afrikanen en Aziaten?' Ik boog me dichter naar haar toe. 'We lossen het hongerprobleem in de wereld op door de ene helft te voeren aan de andere helft.'

'Ik heb me vergist – u bent niet irrelevant. U bent een door en door egoïstische, hebzuchtige en gedegenereerde schoft.'

Ik kwam er algauw achter dat ze met een missie van de VN naar Angola ging, en haar reis onderbrak in Portugal voor een conferentie met Portugese functionarissen van de ontwikkelingshulp voor ze verder vloog naar equatoriaal Afrika.

'Angola lijdt aan de derdewereldvloek van natuurlijke hulpbronnen, een petro-diamantsyndroom. In bijna elk land onder de Sahara heeft de ontdekking van olie of diamanten dood en ellende gebracht in plaats van vrede en voorspoed. In Angola, Sierra Leone, de Congo's – het is overal hetzelfde verhaal. Opstandige krijgsheren nemen de oliebronnen of diamantwinnende gebieden in bezit en gebruiken de opbrengst om de wapens te kopen die hen aan de macht houden. Ze doden geen honderden of duizenden, maar moorden, verminken en verkrachten tienduizenden. Miljoenen hebben geleden of zijn gestorven.'

'Vertel eens wat meer over Angola,' zei ik.

'Waarom?'

'Weet ik niet, misschien koop ik het land nog eens.'

'Zoals ik al zei, het is een oorlogsgebied. Tot 1975 was het een Portugese kolonie. Het maakte zich na jaren van strijd los van Portugal, maar de onafhankelijkheid betekende alleen maar verschil in wie de strijdende partijen waren. Vanaf de onafhankelijkheid tot nu toe woedt er een burgeroorlog tussen een groep die de MPLA heet en een groep die zich de UNITA noemt. De MPLA hield de regering onder controle en werd gesteund door de Russen met duizenden Cubaanse troepen; de UNITA werd gesteund door de CIA.'

'De goeien en de slechten.'

'De slechten en de nog slechteren. President Reagan noemde Savimbi, de leider van de door de CIA gesteunde UNITA-rebellen, een held. Mensen in Angola noemen hem een moordzuchtige maniak, een psychopaat, en erger. Hij steelt kinderen, haalt ze van de straat als ze doodhongeren, laat ze verslaafd worden aan drugs, geeft ze legergeweren en maakt moordenaars van ze. De rebellen en de regering worden verondersteld een vredesakkoord te ondertekenen, de Cubanen zijn naar huis gegaan, maar niemand neemt de vrede serieus – oorlog is te winstgevend. Savimbi heeft het diamantgebied in handen en de regering heeft de olievelden, ze vechten in het geheim en openlijk, en iedereen is blij en gelukkig, behalve de miljoenen mensen die omkomen van de honger.'

'Wat heb jij met dit alles te maken?' vroeg ik.

'Ik ga na hoeveel van de hulp van de VN feitelijk bij de mensen terechtkomt voor wie die bestemd is. Dit is mijn eerste reis naar Angola, maar ik heb al begrepen dat ik dolblij kan zijn als zelfs maar de helft ervan behoorlijk gedistribueerd wordt.'

Ze zweeg even en keek weer met die ijzige blik naar mij. 'Ik heb gelezen dat uw familie in de diamanthandel zit. U begrijpt toch waarom ze bloeddiamanten worden genoemd, meneer Liberte? Omdat ze doordrenkt zijn van het bloed van onschuldigen.'

Ik knikte en mompelde iets nietszeggends over de diamanthandel van mijn familie.

'Ik herinner me dat het House of Liberte op de lijst staat van eigenaren van diamantmijnen in Angola,' zei ze. 'Bent u wel eens in Angola geweest? Hebt u gezien wat voor verschrikkingen de diamantindustrie daar heeft veroorzaakt?'

Dat was het natuurlijk, mijn naam stond op de zwarte lijst. Ze wist wat een schurk ik was nog voordat ze me ontmoet had. Ze keek alsof ze de vork van de luchtvaartmaatschappij waarmee ze haar salade at, in mijn hart wilde stoten. Ik durfde haar niet te vertellen dat mijn huidige doel in het leven was om te zien of ik een manier kon vinden om genoeg bloed te persen uit mijn diamantmijn om me mijn vroegere levensstijl terug te geven.

'Marni, heeft je moeder je als baby op haar rug gebonden tijdens de Berkeley-demonstraties in de jaren zestig?'

'Is dat de manier waarop u bezorgdheid voor het lijden in de wereld bekijkt? Als een teruggrijpen naar de jaren zestig? U bent de meest onwetende man ter wereld, afgezien van uw eigen egoïstische pleziertjes, die ik ooit heb ontmoet.'

'Ik zal veranderen, ik beloof het.'

'Meneer Liberte, weet u wat me aan u bevalt?'

'Niets, absoluut niets. Maar nu we dat hebben afgehandeld, wilt u in Lissabon met me gaan eten?'

'Ik eet nog liever met een ratelslang.'

'Betekent dat: ja?'

16

❖

Lissabon

Toen ik door de douane was en in de grote hal stond, waagde ik nog een laatste poging bij Marni.

'Weet je zeker dat je niet met me wilt eten?' vroeg ik.

'Eerlijk gezegd zou ik jou een etentje moeten aanbieden voor het verbale geweld dat je duizenden kilometers hebt moeten verdragen. Maar ik zal het vreselijk druk hebben met de activiteiten van de VN hier in Lissabon – elke dag vergaderingen, elke avond diners – dus ik vrees dat ik het niet goed met je kan maken.'

'Jammer, het zal erg eenzaam zijn in Lissabon. Ik ken hier niemand.'

'O, ik denk niet dat je erg eenzaam zult zijn.' Ze knikte over mijn schouder. Een vrouw hield een zakdoek omhoog met in lippenstift WIN erop geschreven. Ze lachte en zwaaide met de zakdoek toen ze zag dat ik stond te staren.

'Goeie jacht,' zei Marni en liep weg.

'Ik ben João's vrouw,' zei Simone. 'Het spijt me van die zakdoek, maar ik wist alleen sekse en leeftijd en wist niet naar wie ik uit moest kijken.'

Ze sprak Engels met een intrigerend accent. Ik moest mijn Portugees oefenen, dus ging ik na de inleidende woorden daarin door.

Simone reed in een parelwitte Royce Silver Cloud-cabriolet uit het eerste kwart van de vorige eeuw. Een beetje te tam en conservatief naar mijn smaak in transportmiddelen, maar zij zag er goed uit.

Ze straalde pure sensualiteit uit. Haar zwarte haar, groene ogen en lichte huid – bijna zo parelkleurig als de auto – accentueerden de diamanten die ze droeg. Grote – in haar oren, om haar hals, om haar polsen en vingers. Ze hadden allemaal een unieke zetting, maar ze droeg geen andere juwelen dan diamanten. Dat was ongebruikelijk. De meeste vrouwen mengden hun juwelen, voegden er een paar robijnen of saffieren aan toe voor de kleur, al zag ik op een choker verschillende gele en groene en zelfs een zeldzame roze diamant. Hoewel de kleuren goed waren, wist ik dat het geen eersteklas diamanten waren. De choker zou een vermogen waard zijn als de gekleurde diamanten gaaf waren; niet iets dat je droeg als je iemand ging afhalen van de luchthaven. Maar zelfs met onzuiverheden zouden de diamanten heel wat waard zijn.

De diamanten stonden haar goed, zonder opzichtig te zijn – als een diamanten halsband om de nek van een lenige junglekat.

Ik berekende snel het leeftijdsverschil tussen haar en João, die ongeveer van mijn vaders leeftijd moest zijn, dus achter in de zestig of begin zeventig. Ongeveer twee keer zo oud als Simone, die ik zo'n jaar of vijfendertig schatte.

Een hitsige jonge vrouw, een rijke oude man, waarschijnlijk geen huwelijk dat in de hemel was gesloten, maar ik had João nog niet ontmoet. Misschien was hij wel een Portugese Jack La Lanne.

Iets stoorde me in Simone. Ze had een scherp kantje. Niet zozeer het harde vernis dat sommige vrouwen krijgen die slecht behandeld zijn en hebben moeten vechten om te overleven. Daar had ik iets van bespeurd in Katarina, een 'stap niet op me'-houding. Simones gedrag was rustiger, subtieler, maar oneindig bedreigender. Terwijl Katarina geneigd zou zijn mijn ogen uit te krabben, verdacht ik Simone ervan dat ze me in mijn ballen zou kunnen trappen en een mes in mijn keel zou steken als ik haar woedend maakte.

Ik ving het eerste staaltje ervan op toen we uit de terminal kwamen. Ze had de Rolls illegaal geparkeerd voor de terminal – de arrogantie van de rijken. Een verkeersagent met een laatdunkende uitdrukking op zijn gezicht stond te wachten – een illegale parkeerder op de bon te kunnen slingeren was waarschijnlijk het hoogtepunt van zijn week. Hij kreeg nog geen drie woorden zijn mond uit voor ze hem begon uit te kafferen. Ik kende niet veel Portugese straattaal, maar ik kreeg de indruk dat het niet het soort taal was dat de verkeersagenten in Lissabon vaak horen van vrouwen die in een Rolls Royce reden.

'*Bastardo*,' zei ze toen we wegreden. 'Kleingeestige mannetjes met kleingeestige regeltjes.'

'Probeer me eraan te herinneren dat ik geen van mijn regels aan jou probeer op te dringen.'

Ze lachte. 'Sorry, maar ik hou niet van politieagenten.' Ze lachte weer. 'Meestal ga ik niet zo tegen hen tekeer. Deze moet me aan iemand hebben herinnerd die ik als klein meisje tegen het lijf ben gelopen.'

Ik vroeg me af wat voor soort leven ze vroeger geleid had dat haar in conflict had gebracht met de politie. En of haar huidige leven nog steeds die kans bood.

'Je moet me wel verschrikkelijk vinden.'

'Nee, ik moet mijn Portugese vocabulaire bijspijkeren, en ik heb net een paar nieuwe woorden geleerd. Ik weet alleen nog niet zeker tegen wat voor soort mensen ik die kan gebruiken.'

Ze lachte weer. Ze lachte gemakkelijk, vrijuit, zonder reserve. Zoals ze snel en zonder enige terughoudendheid in woede verviel. Ik voelde me onmiddellijk seksueel tot haar aangetrokken. Ik heb gehoord dat het mannen aangeboren is om aangetrokken te worden door vrouwen als de Verenigde Naties-Marni die het jachtinstinct van een man wekken, ongetwijfeld een oeroud instinct dat je leert rond de grot. Misschien ja, maar er is ook een ander soort vrouw tot wie een man zich onweerstaanbaar aangetrokken voelt, hetzelfde soort attractie die een mot voelt voor hij met zijn vleugels tegen de rand van een vulkaan slaat. Vrouwen als Kathleen Turner in *Body Heat*, Lana Turner in *The Postman Always Rings Twice*, Barbara Stanwyck in *Double Identity* en nog verder terug Lorelei en de Sirenen. *Femmes fatales* hebben een dierlijk magnetisme dat een man naar zijn ondergang leidt. Sommige slechte mannen hadden dat fatale magnetisme ook, trokken goede vrouwen naar zich toe.

Ik nam me voor mijn ritssluiting stevig dicht te houden. Naar wat ik over João gehoord had van mijn vader en Bernie was hij keihard – niet alleen in zakelijke, maar in dodelijke zin.

In gedachten zag ik hem als de peetvader van de Portugese maffia. Om maar te zwijgen over het feit dat de Portugezen dat Latijnse machismo hadden dat een man toestond met iedere vrouw die hij maar wilde het bed in te duiken, maar de doodstraf oplegde aan een man die het waagde hun vrouwen aan te raken. Een Amerikaanse echtgenoot was meer geneigd de minnaar van zijn vrouw een opstopper te verkopen dan hem een mes of een kogel in zijn lijf te jagen. Aan het mes geregen worden in Lissabon en in een armengraf terecht te komen stond niet in mijn agenda.

'Het verbaast me dat je vader je nooit mee naar Portugal heeft genomen,' zei ze. 'João en hij deden lang voor jouw geboorte al samen zaken.'

'Waarschijnlijk de timing, het lukte allemaal net niet. Mijn moeder is gestorven toen ik acht was, mijn vader een paar jaar later. Hij is na mijn geboorte nooit meer in Portugal geweest. De gezondheid van mijn moeder was slecht en ik heb begrepen dat hij en João al zo lang samenwerkten dat het niet nodig was.'

'Ik kan je met haar in contact brengen,' zei Simone.

'Met wie?'

'De roodharige vrouw die je probeerde te versieren toen je uit het vliegtuig kwam.'

'Heb je een bemiddelingsbureau?'

'Nee, ik zag dat ze een VN-food badge droeg. Zij en haar collega's zijn hier voor een bespreking met de Angolese hulporganisatie van Portugal.'

'Ken je iemand van die organisatie?'

'Heel goed zelfs. Ik ben de voorzitter.'

De ontdekking dat ze aan het hoofd stond van een charitatieve hulporganisatie was geen grotere verrassing dan wanneer ze gezegd had dat ze een astronaut was. Niet dat het zo onlogisch was dat een sensueel dier voorzitter was van een Afrikaanse hulporganisatie. Maar Simone leek niet de liefdadige soort. Of een pijler van de high society. Mijn onmiddellijke veronderstelling was dat er verband bestond tussen hulp aan Angola en Angolese diamanten, althans voor haar man.

Ze lachte toen ze mijn gezicht zag. 'João heeft een speciale belangstelling voor Angola.'

'Ben je er geweest?'

Ze trok een rimpel in haar neus. 'Eén keer. Ik ging bijna dood omdat ik niets wilde eten of drinken en ik heb het land zo gauw mogelijk verlaten. Wat je er ook over hebt gelezen of gehoord, het valt in het niet bij de ervaring.'

Ze wees op het landschap dat we passeerden. 'Allemaal betonnen gebouwen en snelwegen vanaf de luchthaven, maar het centrum van Lissabon is een prachtige oude stad. Sintra, waar wij wonen, ligt nog geen halfuur van het centrum, maar het is een andere wereld. Het dorp en de omgeving worden als een van de schilderachtigste plaatsen in Europa beschouwd. De Verenigde Naties hebben het tot een Wereldmonument uitgeroepen.'

'Kinderen?'

'Je zult Juana later ontmoeten, mijn vijftienjarige dochter. Als en wanneer ze besluit thuis te komen.' Ze lachte weer.

'Waarom is dat zo grappig?'

'Je zult op je hoede moeten zijn.'

'Zie ik eruit als iemand die een kind verleidt?'

'Ik was niet bang dat jij haar zou verleiden.'

17

❖

Muito mulher. Zo dacht ik over João's vrouw, Simone, toen ze wegreed van de luchthaven. Honderd procent vrouw.

De rit van het Aeroport de Lisbon naar de Sintra-afslag duurde
ongeveer twintig minuten over een recht stuk snelweg. Een paar kilometer na de snelweg begon het fraaie landschap dat volgens Simone het mooiste ter wereld was. Het was heuvelachtig, met een smalle
bochtige weg, kleine dorpen met straten met keitjes, en een kasteel,
het Pena Paleis, dat vanaf de top van de heuvel omlaagtuurde. We reden door Sintra zelf een nog smallere weg op, waar twee auto's elkaar nauwelijks konden passeren. We kwamen langs nog een ander
kasteel en verderop voorbij een elegant hotel.

'*Palacio de Seteais*, Paleis van de Zeven Echo's,' zei Simone. 'Vroeger woonde daar de adel, nu is het een hotel. We zijn bijna bij João's
huis, dat ook heel mooi is. Het was het achttiende-eeuwse landgoed
van een Portugese markies.'

João's huis. Vreemde manier om het huis te beschrijven dat ze
deelt met haar man. Hun relatie ging steeds meer lijken op de indruk
die ik kreeg toen ik haar voor het eerst ontmoette. Een rijke oude
man, een jonge aantrekkelijke vrouw om zijn voeten warm te houden
in bed. Het goede leven.

Langs een rij drie meter hoge heggen reden we door het open-
staande hek over een lange oprijlaan met aan beide kanten indrukwekkende cipressen naar het grijze stenen huis dat op een ommuurd
klif stond aan de Atlantische Oceaan. Achter me, op de top van een
heuvel, lag het Pena Paleis.

Het rook niet naar geld – het stonk ernaar.

João wachtte op ons bij een zwembad dat op een verhoogd plateau
was gebouwd, zodat je tijdens het zwemmen door een glazen wand
de zee kon zien.

Ik had gelijk met mijn vermoeden over een Portugese Jack La
Lanne. João had de teint van glanzend oud brons, witzijden haar en

zware witte wenkbrauwen. Hij droeg chique vrijetijdskleding, was slank gebouwd, en zijn bijna rimpelloze huid spande strak om zijn gezichtsbeenderen. De korte mouwen van zijn hemd lieten harde, dikke spieren vrij. Duidelijk een man die zich goed verzorgde. Hij was een perfect voorbeeld van een man in zijn gouden jaren. Op de rolstoel na. Die had ik niet verwacht.

'Een paar jaar geleden in mijn rug geschoten tijdens het kaarten,' zei hij. 'Net als jullie Wild Bill Hickock.'

'Met azen en achten in de hand?' vroeg ik, zinspelend op het feit dat Hickock die kaarten had toen hij vermoord werd. Later werden ze naar aanleiding daarvan ongelukskaarten genoemd.

'Alleen een paar azen in mijn hand en nóg een paar in mijn mouw.' Hij lachte. 'Leo heeft je belazerd.'

Niets zo goed als meteen terzake te komen.

Op de verplaatsbare bar op de patio stond een tiental flessen wijn. Ik dronk van een glas *vinho tinto*, rode wijn, terwijl ik luisterde. En de oude vriend van mijn vader aandachtig opnam.

Niets aan João klopte. Hij was getrouwd met een vrouw die half zijn leeftijd was. Gebouwd als de spreekwoordelijke kleerkast, zelfs op zijn leeftijd, maar veroordeeld tot een rolstoel. Het huis waarin hij woonde was echt antiek, een fantastisch huis waar vroeger vorsten werden ontvangen. Maar het zwembad naast ons was ultramodern, met een zwarte bodem waar veel verguldsel doorheen liep. Griekse en Romeinse marmeren goden stonden rond het zwembad. Dikke majesteitelijke pilaren scheidden de patio bij het zwembad van het uitzicht op zee.

Het had de patio een oud en rijk aanzien moeten geven. Op mij maakte het de indruk van nouveau riche, smakeloos opzichtig. Misschien maakte João's ontwerper films over het Romeinse Rijk en had hij een filmset overgehad.

Grote sardines, gekookte eendenmosselen, *percebes* genaamd, en kaas-aperitivos werden voor ons neergezet door een oudere vrouw, naar ik aannam de huishoudster. De sardines werden in Portugese stijl geserveerd – ik moest ze zelf ontgraten. Ik zou kaviaar en champagne hebben verwacht gezien de ambiance van het huis. Zelfs de wijn was verrassend. Het was een goede, goedkope rode tafelwijn, die de Portugezen *vinho tinto de mesa* noemen.

Simone had João een zoen gegeven toen we aankwamen. Nu zat ze er stil en rustig bij terwijl hij sprak, als een goede echtgenote.

'Ik ben degene die Bernie adviseerde om te overwegen in diamantmijnen te beleggen.'

João had een lage, zoetgevooisde stem, als een mooie oude wijn. Het was een stem die je masseerde, je op je gemak stelde – vlak voordat het mes tussen je ribben gleed. Als ik me niet herinnerd had dat mijn vader João niet vertrouwde, zou ik erin getrapt zijn. Nu ik eenmaal wist dat er een relatie bestond tussen Portugal en Angola was het niet moeilijk João daarin een plaats te geven. Marni had me in het vliegtuig verteld dat toen de Portugese kolonisten in 1975 het land verlieten, sommigen wijnflessen vol diamanten bij zich hadden. Ik zag João al voor me, op de luchthaven van Lissabon wachtend op de vliegtuigen met contant geld en een weegschaal voor diamanten op zak.

'Ik had geen idee dat Bernie uiteindelijk je hele erfenis in die mijn zou steken. Ik had verwacht dat hij het risico zou spreiden, maar hij haalde alleen Leo erbij, wat op een ramp uitdraaide. Toen Bernie contant geld nodig had draaide Leo hem – en jou – de duimschroeven aan.'

'Leo wist hoe hij Bernie moest manipuleren. Werkte op zijn ego,' zei ik.

'Zo houd je een man toch onder controle? Mannen worden beheerst door geld of door een vrouw. De meesten hebben beide nodig.' Hij keek veelbetekenend naar Simone.

Hij had gelijk wat Bernie betrof – zijn zwakke punt was geld. Maar niet omdat Bernie er graag mee pronkte. Waarschijnlijk zou hij in zijn huurflat zijn blijven wonen als hij een miljard had gewonnen in de loterij. Nee, voor hem was het een manier om respect en bewondering te oogsten van anderen. Zelfs in zijn jeugd droeg Bernie polyesterpakken en imitatieleren schoenen. Als hij mijn geld had uitgegeven aan kleren, auto's en vrouwen had ik het beter kunnen begrijpen dan aan een of ander idioot mijnbouwproject.

'Ik heb zo'n idee dat de mijn "geïnjecteerd" was,' zei ik. 'Daar zou Bernie wel ingetrapt zijn. Leo kwam erachter en kapte ermee. Zo is Leo – een klootzak, maar hij weet hoe hij geld moet verdienen. En houden wat hij verdient.'

Ik liet geen moment in mijn stem doorklinken dat ik João ervan verdacht de hele zwendel op touw te hebben gezet.

João schudde zijn hoofd. 'Je zult me moeten uitleggen wat je bedoelt met het "injecteren" van een mijn.'

'Eerlijk gezegd weet ik het zelf niet, althans niet met betrekking tot een diamantmijn. Als kind heb ik eens een oude film gezien waar de schurken het deden voorkomen dat een mijn goud bevatte door met een geweer goud in de mijn te schieten. Ik kan me niet voorstellen dat zoiets mogelijk is met diamanten. Niet dat Bernie zich daar overigens door zou hebben laten verleiden. Ik weet zeker dat hij de mijn nooit gezien heeft.'

'Je zou geen valse indruk kunnen wekken dat er diamanten aanwezig zouden zijn door ze in de mijn te planten. Dat zou moeten gebeuren door vervalste geologische rapporten. En je hebt gelijk, Bernie heeft de mijn nooit gezien. Hij heeft de mijn gekocht op mijn aanraden.'

'Geweldig. Dan heb ik het dus aan jou te danken dat Bernie me heeft belazerd. Is dat wat je me duidelijk wilt maken?'

'Bernie en Leo hebben beiden schuld,' zei João. 'Ik wist niet dat jouw erfenis bij de transactie betrokken was.'

'Hoe je het ook wendt of keert, het ziet ernaar uit dat de mijn een slechte investering was. Ik ben nog steeds eigenaar van de mijn en ze hebben me gezegd dat hij verlies oplevert. Waarom raadde je Bernie aan in iets te investeren dat geld kost?'

'Het is nooit de verwachting geweest dat de mijn winstgevend zou zijn; dat wist Bernie toen hij de mijn kocht.'

'Pardon? Bernie investeerde mijn geld in een mijn die niet geacht werd winst te maken?'

'Het was een manier om de deur open te zetten voor andere mogelijkheden.'

'Wat voor mogelijkheden?'

'Ik neem aan dat je weet hoe de internationale diamantindustrie werkt. De diamanten die uit Afrika komen zijn in handen van De Beers en hun systeem van sightholders. Het is een privé-club en wie daar geen lid van is moet maar zien hoe hij aan diamanten komt. Ik had al die jaren goede contacten in Afrika, vooral in Angola door de Portugese achtergrond van het land, maar naarmate de mensen ouder werden of met pensioen gingen en de diverse regeringen elkaar opvolgden, droogden de meeste Angolese bronnen op. Maar terwijl dat aan de gang was, deed zich een ander fenomeen voor. Er bestaat een algemene bezorgdheid in de wereld over de conflictdiamanten…'

'Bloeddiamanten. De stenen die de oorlogen en burgeroorlogen voeden op het continent.' Marni zou trots op me zijn geweest.

'Bloeddiamanten, oorlogsdiamanten, conflictdiamanten – hoe je het ook wilt noemen, het zijn diamanten voor wapens. Er worden pogingen ondernomen om een eind te maken aan de handel.' João schudde zijn hoofd. 'De naïviteit. Alsof de oorlogvoerende partijen geen andere manieren zouden vinden om hun strijd te financieren, veel gruwelijkere methodes dan een deel van de diamantopbrengst te besteden aan het kopen van wapens. De pogingen om een eind te maken aan de handel hebben een boycot bevorderd van diamanten uit de landen waar oorlogen worden gefinancierd door de diamantproductie.'

João zweeg even en nam een slok wijn. 'Zoals je weet, hebben diamanten geen vingerafdrukken. Niemand kan zeggen of een diamant ontgonnen is in Angola, Kongo of Siberië.'

'Ik heb gehoord dat ze proberen een manier te vinden om dat vast te stellen.'

'Dat is zo, ja, maar het zal nooit helemaal nauwkeurig kunnen gebeuren omdat er gebieden zijn in Afrika waar een vulkanische uitbarsting van miljarden jaren geleden diamanten creëerde die verspreid zijn over meer dan één land. Die diamanten zullen allemaal dezelfde vingerafdruk hebben. Hoe dan ook, de toenemende boycot van conflictdiamanten biedt ons een prachtige kans.'

Ik pikte het 'ons' op maar ging er niet op in. 'Staan Angolese diamanten op de boycotlijst?' Het was een belangrijke vraag. Ik wist niet of mijn geldverliezende mijn ooit winstgevend zou kunnen worden, maar dat was uitgesloten als het bovendien nog onmogelijk was de diamanten die er ontgonnen werden te verkopen.

'Nee. Angola verkeert momenteel in een overgangsperiode. Savimbi en de regering hebben tijdelijk vrede gesloten. Technisch gezien wil dat zeggen dat Angola niet langer een oorlogsgebied is.'

'Technisch gezien?'

'Het bestand is niet blijvend. Ik geef het één, misschien twee jaar. Savimbi is geen normaal mens, hij is een uitgesproken gek. En de regering is niet echt representatief voor het volk. Het zal niet lang duren voordat de wittebroodsweken overgaan in een gewelddadige echtscheiding. Ze hebben al tientallen jaren gevochten, elkaar vermoord en afgeslacht. Een stuk papier dat een vredesovereenkomst wordt genoemd kan niet al het bloed opzuigen dat er is gevloeid.'

'Hoe passen Bernie en mijn diamantmijn in dit bizarre moeras van burgeroorlog en de internationale verontwaardiging over bloeddiamanten?'

'Er is een certificeringsprocedure voor diamanten. Om de boycot te vermijden moet een diamant een certificaat hebben dat hij ontgonnen is in een land dat niet voorkomt op de lijst van oorlogvoerende gebieden.'

Ik paste de stukjes in elkaar. 'Diamanten hebben geen vingerafdrukken. Je ontgint de diamanten in Sierra Leone of een ander gebied op de verboden lijst, en met een certificaat van een mijn in Angola kun je de diamanten op de vrije markt verkopen. Omdat ze besmet zijn, betaal je voor bloeddiamanten veel minder dan voor andere diamanten. Toch worden ze tegen dezelfde prijs verkocht als andere stenen.'

'Uitstekend.' João klapte in zijn handen. 'Je hebt de intuïtie van je vader. Ja, je krijgt de diamanten een stuk goedkoper – maar niet alleen omdat het conflictdiamanten zijn. Belangrijker dan de herkomst van de diamanten is hoe ze worden betaald. Het is een ruilhandel, geen *cash-and-carry*.'

'Waartegen worden ze geruild?'

'De krijgsheren hebben vaak liever wapens dan geld. Handelaren die hun wapens en munitie bieden in plaats van alleen geld voorzien in een behoefte. Net als in jullie Amerikaanse films lijken die transacties een beetje op de wapensmokkelaars die vroeger wagonladingen repeteergeweren leverden aan de verschillende stammen in de tijd van de indiaanse oorlogen in het oude Westen. Alleen worden deze wapenvoorraden aangevoerd door straaltransportvliegtuigen en bevat het arsenaal vaak tanks en grond-luchtraketten.'

'Waar halen diamanthandelaren dergelijke wapens vandaan?'

'Zoals er een boycot bestaat op het kopen van bloeddiamanten, is er ook een verbod op het leveren van wapens aan de Afrikaanse krijgsheren. De wapens zijn, laten we zeggen, zwartemarktproducten, en veel daarvan wordt clandestien gekocht in de Sovjet-Unie, waar grote, economische problemen heersen.

'Natuurlijk zijn de prijzen immens verhoogd, waarbij nog de kosten komen om ze van het ene land naar het andere te vervoeren. Het systeem van omkoperij is verbijsterend. Een geweer dat voor driehonderd dollar verkocht zou worden in een door de regering gesanctioneerde transactie in de plaats waar het gefabriceerd is, gaat voor vele malen dat bedrag van de hand als het wordt afgeleverd op een primitief vliegveld midden in een rimboe midden in een oorlog.'

Ik dronk mijn wijn en dacht erover na. Het was een slim plan. Zo smerig als maar kon. En waarschijnlijk even winstgevend als de illegale drugshandel. 'Je krijgt de diamanten een stuk goedkoper dan op de vrije markt, en betaalt ze met wapens die veel te duur zijn. Vervolgens verkoop je de diamanten tegen de normale marktprijs. Op die manier haal je zowel de koper als de verkoper het vel over de neus.'

'*Exactamente!* Begrijp je nu waarom de mijn geen winst hoefde te maken?'

'Ja, en ik snap waarom Bernie op die kans is afgesprongen. Hij zou zijn eigen mijn hebben. Het deed er niet toe dat de mijn zwaar verloor door het ontginnen van de diamanten. De diamantproductie van de mijn was irrelevant. De echte winst zat in het verschaffen van certificaten voor bloeddiamanten. Bernie kon rondwandelen in het diamantdistrict met zijn zakken vol diamanten, en de mensen wijsmaken dat ze uit zijn eigen mijn kwamen. Hij koopt goedkope bloeddiamanten, en jij bemiddelt tussen de mijneigenaar en de krijgsheren.'

João klapte weer in zijn handen en Simone liet een van haar lachjes horen. 'Het was wat jullie Amerikanen een win-winscenario noemen, ja?' vroeg hij.

'Ja, maar als het zo'n briljant idee is, waarom vertel je me dan niet wat er zo fout is gegaan dat mijn hele erfenis eraan is opgegaan – en die arme Bernie een duik uit het raam van een torenflat heeft genomen?'

João schudde zijn hoofd met een uitdrukking van oprechte spijt. 'We hadden koffers vol diamanten kunnen hebben, maar een stukje lood van een paar penny's heeft het verijdeld.'

'Zeg dat nog eens?'

'De krijgsheer met wie we de transactie afsloten kreeg een 9-millimeterkogel in zijn linkeroog voordat de zaak was afgerond. Ik heb begrepen dat de kogel een tijdje in zijn dikke schedel rondbotste voordat hij tot rust kwam.'

'Maar waarom zou één transactie de hele handel lamleggen?'

'Dit soort zaken is vaak een handel tussen drie partijen – de diamanthandelaar, de wapenhandelaar en de krijgsheer. Teneinde onze winst zo hoog mogelijk op te voeren besloten we – Bernie, Leo en ikzelf – de wapens te leveren die voor de transactie werden gebruikt. Dat betekende dat we een hoop geld moesten neertellen…'

'Vooral nadat Bernie al miljoenen had uitgegeven voor een mijn.'

'Ja, en de wapens en het transport kostten nog eens miljoenen. Alles ging goed tot een legerpatrouille van de regering toevallig ons vliegveld ontdekte op het moment dat de ruil plaatsvond. Er werd over en weer geschoten en een ongelukkige kogel trof onze krijgsheer.' João schudde weer zijn hoofd. 'De regeringspatrouille vluchtte weg, maar zodra hun leider was doodgeschoten, kregen zijn ondergeschikten onderling ruzie om de diamanten en de wapens. Ze parkeerden een jeep voor het vliegtuig om te beletten dat het zou opstijgen terwijl zij stonden te ruziën. De ruzie liep uit op een gevecht, en het vliegtuig en de inhoud sneuvelden. Het eind van het liedje was dat wij met lege handen stonden.'

'Mijn god, dat was veel te gecompliceerd voor Bernie,' zei ik, ongelovig mijn hoofd schuddend. 'Hij was geen slechte kerel en hij was ook niet stom. Hij was een goede diamanthandelaar op een glibberig speelterrein. Maar van dit bloeddiamantengedoe had hij geen verstand. De zaak liep volkomen mis en hij stond tot aan zijn kont tussen de haaien.'

'Ik moet je mijn oprechte medeleven betuigen,' zei João. 'Ik had geen idee dat hij zo zwaar gegokt had. Ik verloor zelf het meeste geld, maar ik had andere activa waardoor ik het hoofd boven water kon houden. Ik besefte niet dat Bernie in feite alleen jouw erfenis had om mee te gokken.'

Ik trapte niet in João's sympathiebetuiging. Hij was er de man niet naar om andermans verlies te betreuren. Maar ik wilde het niet tegen hem opnemen voor ik alle kaarten kende die hij in handen had.

Al mijn logica en redeneringen verdwenen in het niet toen ik hem in de ogen keek. Ja, hij was heel serieus, maar er lag een zweem van plezier in zijn ogen. Hij speelde met me. Het maakte me pissig.

'Dus je sleepte Bernie mee en maakte hem gek tot hij alles verloor wat hij had en alles wat ik had,' zei ik tegen João. 'Daar komt het toch op neer, hè?'

'Bernie wist precies waar hij aan begon,' zei João ernstig. 'Ik heb ook een groot verlies geleden. Bernie betaalde voor de mijn, maar ik dekte het leeuwendeel van de wapeninkoop. Toen de zaak mislukte, verloor ik mijn onderpand, dat ik meer koester dan het leven zelf. Ik betreur het dat de zoon van mijn oude vriend onbedoeld is benadeeld door de situatie.' Hij spreidde zijn handen op de patiotafel. 'Maar de schade kan nog worden hersteld.'

'Ik ben nog steeds eigenaar van de mijn, jij hebt nog steeds een contact voor de diamant-wapenruil. Is dat de reden waarom je me in Lissabon hebt uitgenodigd?'

João grinnikte. Niet de humoristische lach die zijn vrouw vaak liet horen, maar het geluid dat een jager maakt als er een grappige gedachte bij hem opkomt terwijl hij op het punt staat een hert tussen de ogen te schieten.

'Zoals ik al zei, je hebt het inzicht van je vader. Hij wist altijd wat ik dacht – zelfs nog voordat ík het wist. Maar ja, zoals je zegt, dat is de reden. Je hebt een mijn die momenteel waardeloos is, maar waarvan we een waardevol gebruik kunnen maken. Het is een dekmantel voor de uitgifte van certificaten. Ik heb contact met een andere krijgsheer die koffers vol diamanten bezit en wapens nodig heeft. En ik heb een wapenhandelaar achter de hand die de ruilproducten kan leveren.'

'Ik heb geen geld om een transactie te financieren,' zei ik.

'Ik ook niet, althans niet genoeg om dit te bekostigen. Buiten de ramp waar Bernie bij betrokken was, heb ik nog meer tegenslagen gehad door de situatie in Angola. Deze keer zal de wapenhandelaar participeren in de transactie.'

'Wat verlang je van mij? En wat hou ik eraan over?'

'Als mijneigenaar kun je de certificaten tekenen voor de diamanten die we krijgen. De certificaten moeten ondertekend en gecertificeerd zijn in Angola. Bernie zou ernaartoe zijn gevlogen zodra we de diamanten hadden.'

'Dat is alles wat ik hoef te doen, mijn handtekening zetten onder een stuk papier?'

'In wezen wel, ja.'

'Ik ben Bernie niet. Ik zal het je recht voor z'n raap zeggen. In tegenstelling tot Bernie zal ik me niet van het leven beroven als ik belazerd word.'

João keek naar me met zijn humorloze roofzuchtige grijns. 'Je vader was geen fysiek mens. Het was een van de dingen die ik in hem bewonderde. Hij deed alles met zijn hersens. Ik hoop dat zijn zoon dat goede verstand heeft geërfd.'

'Laten we mijn vader in vrede laten rusten en vertel me precies wat de transactie is en waaruit mijn aandeel erin bestaat.'

João schonk weer wijn in terwijl hij sprak.

'Zoals je je misschien kunt voorstellen is er in deze wereld meer dan één handelaar bereid wapens te ruilen voor diamanten. Omdat er veel rivaliteit heerst in deze business,' hij liet weer zijn roofzuchtige grijns zien, 'een smerige, gemene rivaliteit, is geheimhouding essentieel. Laten we volstaan met te zeggen dat de militair die de wapens wil hebben zich in Angola bevindt.'

'Dat is niet logisch. Angolese diamanten kunnen gecertificeerd worden. Waarom al die geheimzinnigheid?'

'Laten we de situatie er een van delicate internationale proporties noemen. Degene die de wapens krijgt in Angola wil niet dat anderen weten dat hij ze krijgt. Zoals ik je zei, bestaat er een tijdelijk vredes-verdrag tussen de rebellen en de regering. Niet iedereen is gelukkig met die situatie. De diamanten die gebruikt worden voor de betaling zijn niet noodzakelijkerwijs diamanten die kunnen worden herleid tot een mijn in Angola – of waar dan ook.'

Dat vertelde me veel – en niets. Het vertelde me dat degene die de diamanten ruilde voor wapens Savimbi was of een onbekende wild-card die niet wilde dat de rebellenleider of de regering het te weten kwam.

João ging verder. 'Als je eenmaal in Angola bent, zul je benaderd worden door degene die de wapens koopt. Er zal een regeling wor-den getroffen voor de ruil van diamanten voor wapens. Je zult die re-geling te horen krijgen zodra de plannen definitief zijn.'

'Hoe gevaarlijk is het in Angola?'

'Niet gevaarlijker dan te zwaaien met een Israëlische vlag in Bag-dad of Teheran tijdens de ramadan.'

'Ik heb een beter idee. Ik verkoop jou de mijne. Jij gaat naar Ango-la, regelt alles en stuurt me een cheque voor mijn aandeel.'

Hij zuchtte en keek naar zijn vrouw. 'Hoe komt het toch dat als ik oud en moe ben en veroordeeld tot deze rolstoel dat er zoveel *merda* op mijn stoep wordt gedumpt?' Hij schraapte zijn keel. 'Helaas ben ik een persona non grata in dat Afrikaanse land. Maar als je er niet bij betrokken wilt worden, is dat je goed recht. Het zal me niet moeilijk vallen een arme mijneigenaar in Angola te vinden die bereid is mee te doen voor de vijf miljoen dollar die je zou hebben verdiend.'

Ik dronk mijn wijn en zei geen woord. Hij had mijn prijs gehono-reerd. Ik weet niet hoeveel zielen verkocht worden aan de duivel, maar vijf miljoen zou me weer rijk maken.

Maar ik hoefde geen woord te zeggen. João had op zijn minst de laatste halve eeuw zaken gedaan met andere diamanthandelaren, een ras dat slechts door Perzische tapijthandelaren werd overtroffen in notoire hebzucht.

'Laten we drinken op ons nieuwe partnerschap,' zei João.

Simone lachte.

'Lach je ook op begrafenissen?' vroeg ik haar.

'Alleen van andere mensen.'

Ik vroeg João me uit te leggen waarom hij niet terug kon naar An-gola.

'De laatste keer dat ik in Angola was speelde ik poker met een re-bellenleider. Ik werd in de rug geschoten door iemand die zijn baan-tje wilde hebben. En zelfs al zou mijn fysieke toestand me niet belet-ten in Angola rond te reizen, dan zou mijn sociale positie dat doen. Je maakt gemakkelijk vijanden als ze lang genoeg rondhangen in de diamantbusiness. En vijanden die in Afrika gekweekt worden komen op je af met antitankraketten.

'Maar,' hij spreidde zijn handen op de tafel, 'als je bang bent om te gaan, kan ik het je niet kwalijk nemen. Ik kan regelen dat je de mijn overschrijft op de naam van een ander, misschien van de opzichter van de mijn. En je zou toch een percentage krijgen, misschien zo'n tienduizend per maand.'

Tienduizend per maand was een fooi, daar zou ik niet eens mijn champagnerekening mee kunnen betalen.

'Vijf miljoen voor één transactie, zeg je?'

'Ongeveer twee miljoen voor deze deal. De rest zal binnen zes of acht maanden worden verdiend met andere transacties. Als we die ene deal hebben gesloten zal er een vaste clientèle bij ons op de stoep staan. Dus… partners?'

'Wie is het derde lid van het team, de wapenhandelaar?'

'Een man die bekendstaat als de Bey.'

'Klinkt Turks. Algerijns?'

'Uit een van de sovjetmoslimrepublieken, Turkestan geloof ik, maar hij woont nu in Istanbul. Vroeger kolonel in het sovjetleger, het kwartiermeestercorps. Heeft de Sovjet-Unie nog net vóór het vuurpeloton verlaten, dat heb ik tenminste gehoord. Blijkbaar ging hij al wapens op de zwarte markt verhandelen toen hij nog in uniform was. Ken je de uitdrukking "kanonnenkoning"?'

'Niet echt, nee.'

'Het is een ouderwetse manier om een "handelaar in de dood" te beschrijven, iemand die wapens verkoopt aan oorlogvoerende partijen – en erom bekendstaat dat hij de conflicten aanmoedigt om meer zaken te kunnen doen, of zelfs het begin van de vijandelijkheden bekokstooft. Ik geloof dat de Duitse munitiefabrikant Krupp de eerste oorlogsstoker is die aan die beschrijving beantwoordt.

'De Bey is een moderne kanonnenkoning. Hij fabriceert natuurlijk geen wapens. Hij koopt gestolen wapens. Ongetwijfeld zet hij veel van die diefstallen zelf op touw. En, zoals al die kerels van dat slag, maakt het hem weinig uit aan wie hij verkoopt. Ik heb begrepen dat hij wapens heeft geleverd aan de strijdende christelijke en moslimpartijen die zoveel van Beirut in puin hebben gelegd, en de ingrediënten verkoopt voor zelfmoordbommen aan de Hezbollah en gestolen raketcomputertechnologie aan de Israëli's.'

'Goeie vent om te kennen – als je een oorlog wilt beginnen.'

'Ja, of als je wapens wilt ruilen voor diamanten. De Bey heeft de wapens, jij hebt de certificaten, ik heb de man die met diamanten wil betalen. Zoals jullie Amerikanen zeggen: alle honken zijn bezet.'

Ik had zo'n idee dat er meer gestolen honken waren in het plan dan João me liet weten. En evenmin geloofde ik zijn berouwvolle opmerkingen over 'die arme Bernie' en mijn verloren miljoenen. Maar op het ogenblik was João de enige mogelijkheid in de stad om vijf miljoen dollar te verdienen.

Ik groette João met mijn glas wijn en grijnsde naar hem en Simone.

'Grappig, dit zal de eerste echte baan worden die ik ooit heb gehad. Lijkt moorddadig…'

Simone lachte, maar João wist niet hoe hij mijn woorden moest opvatten.

We hoorden jeugdige stemmen en een paar tienermeisjes verschenen op de patio. Ze droegen een string en hun blote huid als badpak. Het was niet moeilijk te zien wie hun dochter, Juana, was. Ze had Simones sensuele uiterlijk. Ze was jonger en slanker en had het uitgehongerde uiterlijk van een model als Katarina en zoveel andere modellen uit modetijdschriften.

'Jonny, kom hier, ik wil je aan iemand voorstellen,' zei Simone.

Het kind kwam aangeslenterd, met alle verwaandheid en arrogantie van een sexy vijftienjarige. Ongetwijfeld had ze ook de grote bek van een moderne vijftienjarige.

'Dit is Win Liberte,' zei João. 'Je hebt me over hem horen praten. Zijn vader was een oude vriend van me.'

Ze bekeek me van onder tot boven. Onbeschoft.

'In de tijdschriften zie je er beter uit,' zei ze in het Engels. 'Maar die foto's retoucheren ze natuurlijk.'

Ik gaf haar van hetzelfde laken een pak. 'Het verbaast me dat je tijdschriften leest. Maar ze hebben natuurlijk grote foto's en weinig tekst.'

'Ver…'

Simones lach onderbrak haar. 'Dat verdiende je. Je bent een klein krengetje. Ga nu maar terug naar je vriendinnen.'

Jonny mompelde een vuile Portugese vloek over een *caralho*, de edele delen van een man, en keek me aan met een blik die me vertelde dat ze nog niet klaar met me was.

Maar ik moet toegeven dat er een golf van verlangen door me heen ging toen mijn ogen bleven rusten op haar babyzachte billen terwijl ze wegliep.

'Ik heb een beter idee,' zei ik tegen João toen zijn dochter buiten gehoorsafstand was. 'Laten we haar op de oorlog in Angola afsturen.'

João gromde. 'Ze zou de diamanten stelen en ze verkopen voor een nieuwe jurk.'

'Ze heeft discipline nodig, maar mijn man verwent haar en tolereert al haar excessen.'

'Ze is niet half zo wild als haar moeder was,' protesteerde João.

Interessante opmerking. Gezien het verschil in leeftijd, vroeg ik me af waar hij zijn vrouw had gevonden. Op het schoolplein?

18

❖

Simone bracht me naar een kamer met uitzicht op zee. Ik had het niet beter kunnen treffen als ik in het paleishotel had gelogeerd waar we onderweg langs waren gereden. De kamer behoorde tot de luxe klasse.

'Er is een minibar voor het geval je dorst krijgt en de bel voor het personeel ligt op de bijzettafel. We willen dat je je hier thuisvoelt. De bedienden zullen voor alles zorgen.'

De bedienden konden niet voor een uur seks met hun meesteres zorgen, maar ik was zo beleefd dat niet ter sprake te brengen.

Bij de deur bleef ze staan.

'Zal ik regelen dat je samen met haar eet?'

'Met je dochter? Ze is nog een beetje jong…'

'Met de vrouw op het vliegveld.'

'Ik wil graag haar telefoonnummer.'

'Ik kan haar laten geloven dat ze een afspraak heeft met iemand die een belangrijke bijdrage levert aan de strijd tegen het lijden in de wereld.'

Ik lachte. 'Denk je dat ze niet met me uitgaat als ík haar bel?'

'Wat denk jij?'

'Het is gemakkelijk om nee te zeggen aan de telefoon.'

'Ja, en ik heb haar gezien op de luchthaven. Ze ziet eruit als het toegewijde type, iemand die vecht voor waarheid en rechtvaardigheid. Helemaal niet het type dat haar tijd verdoet met een man die van vrouwen en snelle auto's houdt.'

'Je bent een slimme meid, Simone. Regel het voor me.'

Ze maakte een laatste opmerking voor ze wegging.

'Ze is anders dan wij, hè?'

Ik stond bij het raam en vroeg me af wat ze bedoelde. Misschien voelde ik geen verdriet over het lijden van de mensheid en serveerde ik met Thanksgiving geen kalkoen aan de zuiplappen in de Bowery, maar ik dacht toch niet dat ik – toen drong het tot me door. Verdomme, ik had net onderhandeld over een deal waaraan ik een centje kon verdienen – vijf miljoen dollar om precies te zijn – door wapens te leveren die mensen doodden. De deal was een opeenstapeling van moord en immoraliteit en illegaliteit. Allemaal voor vuil gewin.

Ik was geen haar beter dan João. En had waarschijnlijk minder excuses om betrokken te raken bij slechte dingen met slechte mensen. Mijn vader had verteld dat João zich uit de straat omhoog had moeten vechten, gehinderd door armoede, en vooroordelen omdat hij een mulat was. Ik vermoedde dat Simone evenmin uit de hoge kringen kwam. Het enige wat ik als excuus kon aanvoeren voor mijn bereidheid om slechte dingen te doen was mijn eigen stommiteit en luiheid door mijn financiële zaken te verwaarlozen.

Er was nog een andere kant aan Simones opmerking die me trof en waarover ik na moest denken.

Ging ik werkelijk een deal sluiten met de duivel? Zou ik illegale en immorele dingen doen voor vijf miljoen dollar? Daden die een oorlog konden doen ontbranden?

Hoor eens, zei ik tegen mezelf, het is niet jouw strijd. Het is niet jouw taak om de wereld te redden.

Ik veroorzaakte de armoede en ellende in Afrika en Azië niet. Ik wist dat het westerse imperialisme voor een deel de schuld ervan droeg, maar voornamelijk had de Derde Wereld het aan zichzelf te wijten. Mijn taak was om geld te verdienen. Als mensen dat geld gebruikten om elkaar kwaad te doen, was het niet mijn schuld. Ik deed het niet, dat zouden andere mensen doen.

Mijn geweten was gesust, en ik begon mijn koffer uit te pakken. Ik hoorde iemand bij de deur en draaide me om. Simone was weggegaan zonder hem dicht te doen.

Jonny en een van haar vriendinnen in string stonden in de deuropening.

Jonny boog zich voorover en kuste het meisje op de mond en trok het minieme topje van het meisje omlaag. Ze masseerde de borsten van het meisje en glimlachte naar me.

'Wil je met ons neuken?'

Glimlachend liep ik naar hen toe.

'Kom terug als jullie volwassen zijn.'

Ik smeet de deur dicht. Ik was niet stom… of misschien was ik dat wel.

Ik had behoefte aan een koude douche.

19

❖

Lissabon… Twintig jaar geleden

João kwam de koele, donkere eetzaal binnen van de privé-club. Het was zijn favoriete vertrek in het gebouw. Hij vond er de elegantie in terug van de eetzaal die hij eens gezien had in een statig oud oceaanschip – voordat het in stukken werd gehakt voor schroot en naar Japan verstuurd om er blikopeners en auto's van te maken. Zoals een groot deel van de club waren de muren en vloeren van hardhout, mahonie en teak. Het plafond had een zweem van verguldsel en op de muren waren glimmende koperen strips aangebracht. Overal waren palmen, grote varens en kunstvoorwerpen te zien uit Portugals voormalige koloniale rijken in Afrika, India en China.

Hij betrad de club, Palácio de la Mar genaamd, nooit zonder zich ervan bewust te zijn hoe ver hij het in het leven geschopt had. Nu was hij een voorname vrijgezel van middelbare leeftijd, die door bankiers en scheepseigenaren werd gezien als een potentiële partner voor hun dochters. Niet dat de hele respectabele society in Lissabon zo over hem dacht. Toen er over zijn aanvraag om lid te worden gediscussieerd werd, waren er veel bezwaren tegen zijn lidmaatschap. Zijn sociale achtergrond was vaag. Zijn financiële transacties waren vaak twijfelachtig. En er deden geruchten over hem de ronde die hem in verband brachten met de *crime organizado*, die de prostitutie, gok- en drugshandel van Porto tot Faro onder controle had.

Uiteindelijk was het niet zijn karakter – of gebrek eraan – dat de doorslag gaf. Een grote afkoopsom aan de minister van Financiën van het land bezorgde hem een glorieus sponsorschap. En de man die het hardst geschreeuwd had over João's verdachte achtergrond veranderde van mening nadat hij foto's had ontvangen van zijn studerende dochter terwijl ze seks had met een voetballer – van het damesteam.

Niet dat João op sociale voet wilde verkeren met leden van de club. Integendeel. Een knikje en een glimlach bij het binnenkomen, een groet met zijn glas cognac of sigaar als een lid dat hem vriendschappelijk gezind was geweest langskwam, was zo ongeveer de grens van zijn omgang met de society in Lissabon.

96

Toen hij lid was geworden, had hij een aantal uitnodigingen gekregen van leden voor party's en andere sociale bijeenkomsten. Hij wist dat het motief achter die uitnodigingen was om met hem te pronken, zodat de gastheer kon opscheppen dat hij in het gezelschap verkeerde van iemand van wie ze dachten dat hij een peetvader was van de Portugese misdaad. Hij weigerde ze allemaal. Hij deed ook nooit zaken met andere leden, niet in zijn eigen diamanthandel en niet om te investeren in hun ondernemingen. Als een lid hem voorstelde ergens in te investeren, was hij altijd beleefd en vrijblijvend. Hetzelfde gold voor zijn diamanthandel. Als ze informeerden naar diamanten, verwees hij ze naar een handelaar die in het geheim voor hem werkte.

João's reden om lid te worden had niets te maken met een verlangen om in hogere kringen door te dringen. Die mensen interesseerden hem niet. Zijn mening over hen was zonder uitzondering geringschattend. Vrijwel allemaal hadden ze hun sociale en financiële positie geërfd. Portugal was een oud land met oude stambomen die weinig ruimte boden voor een opschuiving naar boven. De mensen bleven op het niveau waarop ze waren geboren.

João had meer dan de arrogantie van een selfmade man ten opzichte van anderen die zich omhoog hadden gewerkt via hun familie – hij had de monstrueuze verwaandheid van een man die geroofd en gemoord had.

Maar het lidmaatschap was belangrijk voor hem. Zijn reden was persoonlijke voldoening, het bereiken van een doel dat hij zich als kind voor ogen had gesteld. Als twaalfjarig straatschoffie had hij schoenen gepoetst bij de ingang van de club. Hij had mannen zien arriveren in auto's met chauffeur, zien uitstappen in hun handgemaakte schoenen en dure kleermakerspakken. Zelfs als kind was João een klerengek geweest – had hij de mooie kleding van mannen en vrouwen bewonderd.

Nieuwsgierig hoe het er binnen uitzag, in dat exclusieve heiligdom van een paar geprivilegieerde mensen, bracht hem in actie toen de portier een tas naar binnen droeg voor een van de leden. Hij stak zijn hoofd om de deur, rook het olieachtige poetsmiddel dat gebruikt werd voor de mahoniehouten wanden. Hij glipte naar binnen, sloop door de hal en wierp een blik in een lounge waar mannen rondom tafels zaten en dure sigaren rookten en oude cognac dronken.

De portier joeg hem naar buiten, maar toen hij over straat liep zwoer hij bij zichzelf dat hij op een goede dag die club zou binnengaan en de portier voor hem zou buigen als een knipmes. Ten slotte had hij met omkoperij en intimidatie een lidmaatschap veroverd om aan zijn wens te voldoen. Naarmate hij ouder werd, ging het lidmaatschap minder voor hem betekenen.

Eerlijk gezegd verveelde die club hem mateloos. Hij kwam zelden meer, alleen in de eetzaal, waar hij de nodige tijd doorbracht die door het bestuur was voorgeschreven.

Senhora Tavora zat aan een tafel op hem te wachten.

'Senhora,' zei hij. Hij gaf haar een handkus voor hij ging zitten.

'João, je bent zo galant. Je zou verbaasd staan als je wist hoe weinig mannen op deze wereld weten hoe ze een dame moeten behandelen.'

'Vast niet. Maar misschien zou jij verbaasd staan als je wist hoe weinig vrouwen op deze wereld weten hoe ze een dame moeten zijn.'

'Net als jij ben ik niet verbaasd, maar ontsteld.'

Ze babbelden even als twee oude vrienden, de verfijnde oudere vrouw, met een smetteloze stamboom, en de succesvolle zakenman. Natuurlijk waren beide indrukken verkeerd. Senhora Tavora was de grootste koppelaarster in Lissabon – en ze zorgde voor mannen en vrouwen. Of het een meisje met een blanke huid was voor een rijke olie-Arabier, of een tienerjongen met een fragiel uiterlijk voor een man die liever via de achterdeur binnenkwam, de *senhora* kwam over de brug – tegen een flinke vergoeding.

Toen hij met haar afsprak in zijn club ging de gedachte door João heen dat iemand in de club vroeger misschien wel eens zaken met haar had gedaan en haar zou herkennen. Dat amuseerde hem om twee redenen: ze zouden veronderstellen dat haar schandelijke activiteiten deel uitmaakten van zijn organisatie – en bang zijn dat zij hen zou herkennen.

Ze praatten over koetjes en kalfjes bij een glas wijn voor de lunch. Ze hadden niet veel met elkaar gemeen. João kende de senhora voornamelijk als klant voor zijn diamanten. En in de loop der jaren had hij nu en dan gebruikgemaakt van haar koppelaarspraktijken om vrouwen te vinden.

Als je João zag kon je je afvragen waarom hij een koppelaarster – een chique naam voor pooier – betaalde om hem vrouwen te verschaffen. Fysiek was hij in goede vorm en voor zijn middelbare leeftijd een knappe man; zijn jong uitziende gezicht contrasteerde met zijn voortijdig zilvergrijze haar. Het haar was een deel van het geheim van zijn jeugdige uiterlijk en vitaliteit – het was dik en vol, niet muisgrijs of zwart geverfd. Toen hij jong was, waren zijn donkere huid en enigszins wijd uitstaande neusgaten de kenmerken van een mulat en een sociaal stigma. Maar leeftijd en geld waren hem vriendelijk gezind geweest. Waar andere mannen kwabbig en kalend werden, voorzagen zijn genen zijn kleine maar krachtige, gespierde gestalte van die fraaie bos haar. En met zijn geld kon hij zich een gemanicuurd, voortreffelijk gekleed uiterlijk verschaffen. Maar de chic zat slechts aan de buitenkant – hij droeg nog steeds twee messen.

João's probleem was om vrouwen te vinden die zijn speciale behoefte bevredigden. Al senhora Tavora's cliënten hadden hun eigen speciale behoeften. De gemiddelde vrouwen verveelden hem. Hij had geen tijd voor de finesses van romantiek en seks, evenmin als hij tijd en geduld had voor zakelijke beslommeringen. João ging instinc-

tief zakelijke deals aan die winsten opleverden zoals legitieme
ondernemingen zelden deden – en hij hield van het gevaar en de opwinding van de schimmige zakenwereld waar deals soms met bloed
werden gesloten. Hij voelde zich ook aangetrokken tot vrouwen uit
een andere wereld, vrouwen met een gevaarlijke kant.

Maar geen van hen hield het lang uit bij João. Sommigen lieten
hem in de steek omdat hij driftig werd en erop los sloeg. Anderen
werden betrapt op stelen. De meeste vrouwen verveelden hem na de
aanvankelijke seksuele verovering.

'Ik heb een heel bijzonder meisje,' zei de senhora, toen aan de uit-
wisseling van sociale beleefdheden was voldaan.

'Als ze ook maar enigszins op jou lijkt, zou ze heel bijzonder zijn.'

Ze glimlachte, kennelijk in haar ijdelheid gestreeld, ook al wist ze
dat het op haar leeftijd een loos compliment was.

'Ze komt uit een verbeteringsgesticht in het noorden. Ik heb daar
iemand die weet dat ik meisjes die het moeilijk hebben graag de helpende hand bied.'

João moest een slok nemen om zijn grijns te onderdrukken. Die
persoon was ongetwijfeld een bewaker die de senhora belde als iemand gearresteerd was die beantwoordde aan de eisen van de koppelaarster.

'Wat maakt haar zo bijzonder? Er zijn veel mooie vrouwen in Lissabon, meer dan ik tijd voor kan opbrengen.'

'Ze is aantrekkelijk, al zou ik haar niet mooi willen noemen. En haar
lichaam, in de bloei van de jeugd, is mooi en gevuld. Wat maakt haar
bijzonder, vraag je? Heb je wel eens een schoonheidswedstrijd gezien?
Als ik al die mooie vrouwen op een rij zie, moet ik altijd denken aan
een paardenshow waar de fokkers de volbloeds opstellen. Als je je oog
langs de rij laat glijden zie je soms iets bijzonders aan een paard dat je
aandacht trekt. Het paard hééft iets – de manier waarop het zijn hoofd
houdt, de manier waarop het over de grond krabt – dat je vertelt dat
het een kampioen is. Zo denk ik ook aan deze jonge vrouw – laat haar
meedoen aan een schoonheidswedstrijd, en misschien zou ze niet de
hoofdprijs winnen, maar je oog zou op haar blijven rusten.'

'Wat is die bijzondere eigenschap?' vroeg hij.

'Ik kan het je niet precies vertellen, ik ben maar een arme vrouw
die probeert eenzame mensen bij elkaar te brengen. Maar als ik het
onder woorden moest brengen, zou ik zeggen dat ze spirit heeft. Misschien zelfs vuur, elan. Maar dat zul jij moeten vaststellen.'

Ze gaf hem een hotelsleutel die ze verborgen had in een servet.

'Ik heb haar ondergebracht in de kamer in het Alfama-hotel waar
we al eerder gebruik van hebben gemaakt. Een klein, discreet hotel
waar ik al vaak zaken mee heb gedaan. Ze wacht op je.'

20

❖

João stapte voor het hotel uit een taxi. Meestal reed hij in zijn eigen
auto, maar hij gebruikte zijn Mercedes limo altijd als hij naar de club
ging. Zijn excuus was dat het moeilijk parkeren was bij de club. Maar
de echte reden was dat hij het heerlijk vond opnieuw de tijd te beleven toen hij fantaseerde dat hij op een dag voor de ingang van de club
uit een auto met chauffeur zou stappen.

Hij stuurde met opzet zijn chauffeur naar huis en nam een taxi
naar de Alfama-wijk – het was geen buurt om met je rijkdom te pronken. Het Alfama, met zijn oude Moorse stijl, was het oudste nog be-
staande deel van de stad, een warboel van smalle straten en stegen op
de helling onder Castelo de Sao Jorge, het kasteel op de top van de
heuvel. Hij was opgegroeid in dat district. Zijn moeder werkte in de
tavernes als fadozangeres; haar leven was even melancholiek als de
liederen die ze zong. Het was in een van deze stegen dat hij zijn eerste misdaad had gepleegd toen hij elf was – hij had een fles gebroken
en een man neergestoken nadat deze zijn moeder van de straat had
gesleurd, de steeg in, om het geld terug te pakken dat hij beweerde
dat ze van hem had gestolen.

Hij liep langs de receptie van het hotel, rechtstreeks naar de lift. De
eenzame receptionist knikte naar hem. Op de derde verdieping stapte
hij uit en bleef staan bij de deur van de kamer. Hij was een voorzichtige man. Hij draaide de sleutel om in het slot en duwde de deur wijd
open, om zeker te weten dat niemand zich erachter verschool.

Ze zat op het bed een tijdschrift te lezen. Ze gooide het opzij en
stond op toen bij binnenkwam. Hij controleerde de badkamer voor
hij haar bekeek.

Senhora Tavora had gelijk – ze was een knap meisje met het potentieel om een aantrekkelijke vrouw te worden, maar te mager en te
jong om wat sex-appeal betrof te concurreren met oudere vrouwen
met een weelderiger figuur. Het was dat andere 'iets' dat de senhora
herkende, dat bijzonder aan haar was. Uitdagende opstandigheid

was João's eerste indruk. Een jonge vrouw die volgens de senhora getrapt en geslagen was door het leven en meer dan eens verkracht toen ze dakloos op straat rondzwierf. Maar net als de kampioenbokser en -atleet veerde ze weer overeind en vocht terug.

Toen hij haar van boven tot onder opnam, kwam er een harde blik in haar ogen. Ze tilde haar jurk op en draaide zich om, trok haar slipje omlaag en schoof haar billen naar hem toe.

'Wilde je die onderzoeken?'

'Ik heb wel eens een betere kont gezien,' zei hij.

Ze draaide zich weer om, trok de rekbare halslijn van haar blouse omlaag en liet een borst zien. 'Wil je zuigen? Je kunt je tanden uit je mond halen, ouwe, en erop knabbelen.'

Hij sloeg haar.

De klap verraste haar volkomen. Hij haalde breed uit, sloeg tegen de zijkant van haar hoofd, boven de haargrens, zodat een blauwe plek niet te zien zou zijn. Ze viel zijdelings tegen de muur.

Ze kwam op hem af, gereed om toe te slaan, maar hij pakte haar beet en ramde haar met haar rug tegen de muur, drukte zijn onderarm tegen haar keel. Zijn vrije hand kwam omhoog met een mes.

Hij liet haar het lemmet zien, draaide het rond, zodat het licht erop viel en in haar ogen weerkaatste.

'Mijn naam is João. Ik ben de gemeenste *bastardo* die je ooit gekend hebt. Jij wordt mijn vrouw. Als ik je wil hebben, knip ik met mijn vingers en kom je. Als ik met je wil neuken, buig je je voorover. Als ik wil dat mijn hond met je neukt, buig je je ook voorover. Begrepen?'

Ze spuwde in zijn gezicht.

Hij drukte zijn elleboog harder tegen haar keel, voelde het zwakke kraakbeen meegeven onder de druk. Haar gezicht werd rood en ze snakte naar adem.

'Ik hou van een vrouw met spirit. Maar je moet goed begrijpen dat er een grens is aan mijn geduld.' Hij verminderde de druk tegen haar keel enigszins en raakte de tepel van haar blote borst met de scherpe punt van het mes aan en zag haar ineenkrimpen.

Hij zoende haar op haar mond. Ze accepteerde zijn lippen zonder te reageren.

Het mes bewoog achteloos tegen haar borst. João oefende druk uit en sneed door een paar centimeter van haar borst. Het bloed stroomde over haar blanke huid.

'Dat is mijn markering. Van nu af aan ben je mijn vrouw. Tenzij ik je aan iemand anders wil geven.'

Hij deed een stap achteruit en borg het mes weg en ging op de rand van het bed zitten om zijn schoenen uit te trekken. 'Nu ga ik je neuken.'

Hij zag het aankomen, maar ze was jong en te snel voor hem. De scherpe rand van een asbak trof hem op de zijkant van zijn hals en liet een diepe snee achter.

'Dat is mijn markering,' zei Simone.

21

❖

Lissabon, 1991

Simone regelde de afspraak voor het etentje met Marni voor de volgende avond. Het restaurant waar ik Marni zou ontmoeten was in de buurt van de Rossio, het hoofdplein in het centrum van Lissabon. Ik weigerde me door de chauffeur te laten rijden, en mijn gastheer leende me een Mercedes. Ik parkeerde de auto in een ondergrondse garage in een zijstraat aan de westkant van het plein en liep via de oostkant naar het restaurant. Ik had waarschijnlijk een parkeerplaats kunnen vinden die dichterbij was, maar ik wilde naar de Rossio lopen – het plein was min of meer een aandenken aan mijn ouders. Hier had mijn vader mijn moeder ontmoet en was hij op het eerste gezicht verliefd geworden.

Ik glimlachte toen ik aan hun ontmoeting dacht – toen hij naar de overkant keek en haar op een terras zag zitten, keek zij op en blikte hem recht in de ogen. Was het wat Hollywood 'een magische, romantische ontmoeting' noemde? Toen hun blikken elkaar kruisten, stond de tijd toen stil, stopte elke beweging op straat, stierven muziek en stemmen weg?

Toen ik langs de grote verlichte fontein op het midden van het plein liep, kwam ik tot de conclusie dat het inderdaad was wat er met mijn vader en moeder was gebeurd. Er zat magie in de lucht toen ze elkaar voor het eerst aankeken.

Marni wachtte bij de receptie van het restaurant toen ik binnenkwam. Ze stond met haar rug naar me toe en bekeek een schilderij van een koning uit een lang vergeten tijdperk. Ik liep stilletjes naar haar toe.

'*Olá, fala Inglés?*' Hallo, spreekt u Engels, vroeg ik in het Portugees.

Ze staarde me aan, haar mond viel open van verbazing. Toen deed ze haar mond weer dicht en er verscheen een rode blos op haar wangen. Ze besefte dat ze voor de gek was gehouden en aarzelde tussen het spelletje meespelen of zich omdraaien en weglopen.

'*Non. Parlez-vous français?*' vroeg ze.

'*Oui*, ik spreek Frans. Ik heb zelfs Franse familie, maar laten we het bij Engels houden, dat is gemakkelijker.'

'Ik dacht dat ik een heel belangrijke directeur uit Lissabon zou ontmoeten die bereid is het hulpprogramma te steunen. Ik ben heel kwaad op…'

'Nee, dat ben je niet. Ik heb Simone gedwongen je in de val te lokken. Ik heb haar verteld dat ik in het vliegtuig hopeloos verliefd op je was geworden en dat ik mijn polsen zou doorsnijden als ik je niet te zien kreeg. Ze heeft mijn leven gered.'

'Als ik de keus had, zou ik liever hebben dat je je polsen doorsneed dan met je te gaan eten.'

Ik pakte haar beide armen vast en trok haar naar me toe. 'We kunnen ons nu gedragen als beschaafde en volwassen mensen, of ik kan je in verlegenheid brengen met luide en vulgaire beschuldigingen hoe je van de straat binnenkwam en me een oneerbaar voorstel deed. Wat zal het zijn?'

'Je bent onverbeterlijk. Wat versta je onder "beschaafd en volwassen"?'

'We eten samen, vrijen, ontbijten, vrijen. Enzovoort.'

'Je denkt maar aan één ding.'

'Dat is niet waar. Soms denk ik aan andere opwindende dingen dan seks met een mooie vrouw.'

Ze lachte. 'Oké. Met je vleierij krijg je tenminste een diner. Niemand heeft me sinds mijn tweede jaar ooit nog mooi genoemd. Maar ik betaal. Dan kun je in ieder geval niet denken dat je recht hebt op een dessert omdat je een vrouw een duur diner hebt aangeboden.'

'Afgesproken.'

Toen we aan tafel zaten, vroeg ze: 'Je moet me iets uitleggen. Waarom heb je al die moeite gedaan om een afspraak met me te maken? Ik ben niet mooi, ik ben niet sexy, ik ben een saaie docent-bestuurder en binnenkort veldwerker voor een humanitaire organisatie. Je kunt kiezen uit aantrekkelijke vrouwen naar wie alle hoofden zich omdraaien als je een restaurant met hen binnenkomt. Dus wat is het, Win? Was mijn afwijzing in het vliegtuig de eerste die je ooit in je leven hebt gekregen? Heeft het je getraumatiseerd dat een vrouw zomaar weigerde met je het bed in te duiken zodra ze je zag? Of ben je een masochist?'

Ik dacht serieus na over haar vraag.

'Weet je waar ik in geloof?' vroeg ik.

'Vertel op.'

'In niets. Ik geloof echt in niets. Ik ben grootgebracht met twee religies, en het belangrijkste wat ik ervan leerde was het vage dreigement dat ik me goed moest gedragen want dat God me anders zou straffen. Ik kan geen enkel enthousiasme opbrengen voor sociale doeleinden.' Ik schudde mijn hoofd. 'Ik geef geen donder om politiek, religie, humaniteit, seksuele opvoeding, economische indicators, abortus, aardbevingen, vliegtuigongelukken of iets anders dat me niet persoonlijk raakt. Misschien is dat het wat me in jou intrigeert – behalve mijn masochistische verlangen om me onder je voet te laten verpletteren. Ik ben nieuwsgierig naar mensen zoals jij, die voldoende in een goede zaak geloven om hun leven eraan te wijden.'

'Geloof je in liefde?'

'Ik hield van mijn ouders en die zijn allebei dood. Maar ik heb nooit van iemand anders gehouden. Als je volgende vraag is of ik bang ben om lief te hebben, vergeet het dan maar. Ik weet het niet, dat zal ik wel zien als ik die liefde tegenkom.'

'En je speeltjes?'

'Zo gewonnen, zo geronnen. Je hebt nu mijn biecht gehoord, vertel me nu iets over jezelf. Waarom ben je een intellectueel geworden in plaats van arts of advocaat of indiaans opperhoofd?'

'Doe niet zo neerbuigend. Eerst noem je me mooi, dan intelligent.'

'Natuurlijk, het is de eerste stap in het boek dat ik lees over het verleiden van intellectuelen.'

'Bén ik dat? Een intellectueel? Ik vind niet dat dat etiket op mij van toepassing is. Het riekt meer naar wiskunde en chemie dan naar de sociale wetenschappen.'

'Iedereen die meer dan vier jaar universiteit heeft gehad is in mijn ogen een intellectueel. Verrek, iedereen die meer leest dan de sportpagina vind ik een intellectueel. Nee, ik wil het echt graag weten. Hoe ben je zo enthousiast geraakt over Afrika dat je je erheen spoedt om het zwarte werelddeel te redden? Hoe komt het dat je specialiteit Angola is geworden?'

'Angola is niet mijn specialiteit, dat is de economie van de Derde Wereld en de Afrikaanse sociologie. Mijn belangstelling voor Afrika is waarschijnlijk ontstaan door de Tarzanfilms die ik als kind heb gezien.'

'Tarzanfilms zijn voor jongens.'

'Een ouderwetse, seksistische opvatting. Maar goed, toen ik op Berkeley zat, kreeg ik een Fulbrightbeurs om een jaar te studeren aan de Coimbra Universiteit hier in Portugal. Mijn belangstelling voor Angola is ontstaan omdat mijn kamergenote daar vandaan kwam. Ze wilde geholpen worden met haar Engels en leerde me in ruil daarvoor haar Bantoedialect. Ik bleef de taal bestuderen omdat ik dacht dat het me op een dag zou helpen naar Afrika te komen.'

'In het vliegtuig zei je dat dit je eerste reis was naar Angola.'

'Ja. Mijn derdewereldopleiding is volkomen theoretisch geweest, in het leslokaal en daarna bij de VN in New York. Mijn specialiteit is de theorie van de economische aspecten, het ontwikkelen van programma's voor hulpmissies. Ik trek het veld in om wat praktische ervaring op te doen, om de voedsel-medicijn-keten uit de eerste hand mee te maken. Ze zeggen dat ik soms tot aan mijn knieën tussen krokodillen, slangen en in moeraswater zal staan.'

Ik rilde. 'Leuke gedachte. Heb je allang suïcidale neigingen?'

'De inheemse bevolking heeft dagelijks met dat soort dingen te kampen.'

'De inheemse bevolking lacht om insectenbeten die de hersens aantasten van buitenlandse bezoekers. Waarom doe je dit?'

'Voor het geld natuurlijk. Ik word rijk van het uitdelen van zakken rijst aan verhongerende mensen. En ik popel van verlangen om met eigen ogen te zien hoeveel wreedheden er zijn begaan om jouw diamantmijn in bedrijf te houden.'

'Hoe komt het dat je absoluut niets van me weet, maar me nu al hebt berecht en veroordeeld als een rijke, waardeloze, gedachteloze schoft die leeft van de roof van de derdewereldeconomie?'

Mijn god, ze had me wél aan de kaak gesteld – en terecht! Als die vrouw wist wat ik bezig was te bekokstoven met João zou ze toegeven aan de verleiding die ze in het vliegtuig had om met een vork in mijn hart te prikken.

'Ik moet het ergens hebben gelezen. Maar om terug te komen op je oorspronkelijke vraag, wat mijn drijfveer is – misschien komt het als een schok voor je, maar ik wilde een carrière die me het gevoel gaf dat ik iets tot stand had gebracht. De wetenschap dat ik mijn tijd zal besteden om het leven gemakkelijker te maken voor mensen die niet alleen achtergebleven zijn ten opzichte van de moderne wereld, maar overgeleverd zijn aan oorlogsverwoestingen, is voor mij net zo'n grote opwinding en blijdschap als jij voelt wanneer je weer een miljoen bijschrijft op je bankrekening.'

'Marni, je ziet me verkeerd. Ik heb nooit enige opwinding gevoeld over het bijschrijven van een miljoen op mijn bankrekening. Ik ben een verkwister – ik verspil, verbras en smijt met geld. Er komt me enige lof toe voor het feit dat ik in mijn hele leven nog nooit een dollar verdiend heb. Jij ziet me als een kapitalist die de kleine man uitbuit.' Ik stak als een padvinder mijn hand op. 'Ik zweer je, ik heb nog nooit lang of hard genoeg aan iets gewerkt om wie dan ook uit te buiten of te belazeren.'

Ze schudde haar hoofd. 'Waarom krijg ik de indruk dat je de waarheid vertelt – en er trots op bent? Is het wel eens bij je opgekomen dat je je leven vergooid? Hoe kun je er trots op zijn dat je niets hebt gedaan?'

'Ik verwacht mijn beloning te krijgen in de hemel.'

Ze verslikte zich in haar wijn.

'Vertel me eens waar je vandaan komt,' zei ik. 'Vertel me je levensgeschiedenis.'

'Ik ben geboren in San Jose op het schiereiland San Francisco.

Mijn vader werkte voor een computerfirma. Doet hij nog steeds. Hij is vice-president, belast met de research.'

Ik hief mijn hand op om haar het zwijgen op te leggen. 'Je hoeft me verder niets te vertellen over je ouders. Ik heb een kristallen bol. Je vader is een computerfreak, je moeder een radicale Berkeley-feministe die je op haar rug meenam naar anti-oorlogs-, anti-milieuvervuilers-, anti-wat-dan-ook-demonstraties. Het huwelijk tussen de computerfreak en de radicale feministe liep stuk. Je bent opgevoed in een commune waar de mensen de hele dag hasj rookten en seks hadden.'

Ze schudde haar hoofd. 'Je bent verbluffend. Je hebt óf het bloed van Sherlock Holmes in je aderen óf je hebt mijn achtergrond laten onderzoeken door een detective. Maar je hebt weggelaten dat mijn moeder zich aansloot bij de Weathermen en met mij op haar rug de banken binnenging om ze te beroven voor de financiering van hun revolutionaire ideeën. En de keren dat ze…'

'Met andere woorden, ik heb de plank volledig misgeslagen.'

'Meneer Liberte, ik had het niet beter onder woorden kunnen brengen.'

'Ik geloof dat we uitstekend bij elkaar passen.' Ik haalde mijn schouders op. 'Uitersten trekken elkaar aan. Jij bent een idealiste met een reeks titels voor je naam en een missie om de wereld te redden. Ik ben een onverantwoordelijke nietsnut die hervormd moet worden en niets anders te doen heeft dan nóg een vermogen verkwisten.' Ik boog me dichter naar haar toe tot mijn lippen de hare bijna raakten. Een warme sensualiteit straalde van haar uit. Op het moment dat ik Katarina zag, wilde ik met haar naar bed. Marni was een vrouw met wie ik de liefde wilde bedrijven.

'Win…'

'Laten we…'

'Nee. En niet omdat ik het niet wil.' Ze duwde me een eindje van zich af en trok mijn das recht. 'Ik wil het heel graag.'

'Heb je iemand aan wie je rekenschap moet afleggen?'

'Ja – aan mijzelf. Ik ben niet sterk. Ik heb werk te doen, bergen te beklimmen, rivieren over te zwemmen. Ik kan me geen relatie met een man veroorloven. Dan zou ik niet in staat zijn te functioneren.'

Ik had het over het bedrijven van de liefde, niet over een relatie.

Ze raadde mijn gedachten. 'Ik ben anders dan jij. Ik kan niet verklaren waarom, maar ik kan me domweg niet permitteren iets met jou te beginnen. Het eten was goed, het gezelschap geweldig.'

Ze gaf me een vluchtige zoen op mijn wang en stond op.

Ik kwam overeind en nam haar in mijn armen. 'Ga niet weg. Ik wil bij je zijn.'

Hoofdschuddend maakte ze zich los. 'Ik kan het niet.'

Ik zag haar door de voordeur verdwijnen en gooide toen voldoende op tafel voor drie diners. Ze was vergeten te betalen. '*Obrigado*,' zei ik tegen de glimlachende ober toen ik langs hem liep.

Marni was een puzzel verpakt in een raadsel. Gewoonlijk kon ik de mensen classificeren, vooral vrouwen van mijn leeftijd. Maar telkens als ik haar in een hokje stopte, sprong ze eruit en wipte in een ander hokje. Ja, ze was een sociaal bewuste intellectueel, maar ze was ook een zinnelijke, warme, sensuele vrouw die mijn testosteronpeil pijlsnel omhoog deed schieten.

Ik was even onzeker over mijn gevoelens voor haar als zij blijkbaar over de hare voor mij.

Verdraaid – ik moest ook rivieren en bergen oversteken. 'En kasteelmuren bestormen en draken verslaan,' zei ik tegen de nacht. Ik had geen tijd om het mysterie Marni Jones te ontraadselen.

Ik was op weg naar de ondergrondse garage toen ik Jonny zag. Ze stond met een groepje bij de grote fontein in het midden van het plein. En ze voelde zich niet gelukkig.

22

❖

Er hingen acht of tien mensen rond, de meesten jong – van Jonny's leeftijd tot de universitaire leeftijd – en drie oudere mannen, midden of achter in de twintig. De kinderen leken op Jonny – verwend, rijk, doelloos. De drie oudere mannen maakten een harde, onaangename indruk, vooral degene die met Jonny stond te ruziën.

Het ging mij niets aan en ik liep door, maar bleef staan toen ik zag dat een van de harde knapen naast Jonny ging staan terwijl ze met zijn maat stond te redetwisten. Ik had zo'n gevoel dat hij zich in een positie manoeuvreerde om haar te grijpen. Shit. In elkaar geslagen worden door het uitschot van Lissabon stond niet op mijn agenda, maar ik kon niet aanzien dat het kind iets overkwam.

Toen ik dichterbij kwam ving ik de naam op van degene die ze stond uit te kafferen – Santos – en de reden van de ruzie. Ze was pissig over de slechte ecstasy die hij haar verkocht had. Geweldig. Nu kon ik een pak slaag krijgen voor een goede reden – een vijftienjarig kind aan de drugs houden.

Santos keek langs Jonny heen toen ik naar hen toe liep. De meesten van ons denken dat we in een beschaafde maatschappij leven, maar op een bepaald niveau op straat telt brute kracht meer dan intelligentie. Santos was gebouwd als een artilleriegranaat – niet lang, maar stevig, van onderaf taps toelopend – benen als boomstammen, brede romp, smal hoofd. Ik was geen watje, maar ook geen ruwe jongen.

'Hoi, Jonny, wil je een lift naar huis?'

De uitdrukking op Jonny's gezicht vertelde me dat ze niet zeker wist of ze me het bos in moest sturen.

'Sodemieter op, *puta.*'

Santos noemde niet Jonny een hoer – het woord was voor mij bestemd.

'Laten we…' Terwijl ik tegen Jonny sprak, naar haar arm greep, draaide ik me bliksemsnel om en liet een rechtse neerkomen op Santos' gezicht, zette het gewicht van mijn schouder en lichaam erachter. Net zoals me geleerd was. De stoot kwam precies goed aan, trof Santos op zijn kaak. De dreun van de klap bonkte door mijn arm.

Santos wankelde en deed met één voet een halve stap achteruit.

Ik had hem een trap tegen zijn kont moeten geven. Mijn arm deed nog pijn – ik had het gevoel dat ik tegen een stenen muur had geslagen.

Santos' ogen werden een seconde lang glazig. Toen ze weer helder werden richtte hij zijn blik strak op mij. Geen menselijke blik, maar de koude, gemene manier waarop een pitbull naar een andere hond kijkt.

Ik kon dag zeggen met mijn handje.

Jonny stond plotseling tussen ons in, raakte hem met een reeks schoppen.

'Walgelijke klootzak die je bent, João zal je ballen eraf rukken en ze aan zijn honden voeren.'

Santos verdroeg de schoppen en de scheldwoorden zonder een spier van zijn gezicht te vertrekken.

Jonny pakte mijn arm. 'Laten we gaan, weg van die stinkende *merdas*.'

We liepen in de richting van de ondergrondse garage.

'*Obrigado*,' zei ze. 'Maar ik had je hulp niet nodig. Hij zou me met geen vinger aanraken. Hij weet dat João mijn vader is.' Ze keek naar me met een blik van valse oprechtheid. 'Nu moet je me betalen voor het geld dat ik kwijt ben aan zijn slechte pillen.'

'Vergeet het maar, ik hou niet van drugs.'

Ze gaf me een arm toen we wegliepen.

'Waar hou je dan wél van? Seks? We kunnen naar een hotel gaan of neuken als we thuiskomen.'

'Denk je niet dat je ouders een beetje uit hun humeur zullen zijn als ze ons een nummertje zien maken in de zitkamer?'

Ze haalde haar schouders op. 'Ik heb alles over seks geleerd door naar mijn moeder te kijken.'

Ik keek achterom. Santos en zijn twee maten volgden ons.

'Maak je maar niet ongerust,' zei ze. 'Ze zijn bang voor João. Mijn vader is oud, maar hij heeft belangrijke vrienden.'

'Ze zullen jou misschien geen kwaad doen, maar dat wil niet zeggen dat ze mijn hoofd er niet af zullen rukken.'

De Mercedes stond drie verdiepingen lager. We stapten in en ik deed de portieren op slot. Toen ik de motor startte, viel ze op me aan. Ze stak haar tong in mijn mond, pakte mijn hand en legde die op het warme plekje tussen haar benen.

Ze beet in mijn oor. 'We kunnen het hier doen.'

Ik duwde haar van me af en schakelde. 'We gaan weg. Er zijn geen getuigen om het João te vertellen als we hier samen worden doodgeslagen.'

Ik reed de Mercedes naar boven. Op de glooiing naar de straat wachtte me een verrassing. De uitgang naar de straat was geblokkeerd. Een kleine Fiat stond boven aan de helling geparkeerd met de neus naar ons toe.

Santos stapte uit aan de passagierskant van de Fiat. Hij had een meterlange stalen buis in zijn hand. Zijn gezicht was niet langer uitdrukkingsloos – hij zag er vals, gemeen en pissig uit.

Jonny keek naar mij. 'Merda.'

'Ja, zoals ik al zei, geen getuigen.'

Ik trapte op het gaspedaal, gaf een ruk aan het stuur en draaide de auto om. De banden piepten luid in het ondergrondse gewelf. In plaats van snel omlaag te rijden, om beneden in de val te lopen, zette ik de wagen in zijn achteruit en draaide me om op de bank en keek naar de Fiat die de uitgang blokkeerde.

'Wat doe je?'

'Ik ga de weg vrijmaken. Maak je riem vast.'

Ik trapte op het gaspedaal en schoot achteruit.

Santos' mond viel open toen de auto pijlsnel op de Fiat af kwam. Hij drukte zich tegen de muur en liet de stalen buis vallen.

De bestuurder van de Fiat staarde me ontsteld aan. Ik kon zijn verwarring en paniek zien terwijl hij zijn best deed de auto in zijn achteruit te zetten.

Het lukte hem op het moment dat de achterkant van de Mercedes de voorkant van de Fiat ramde. Door de botsing vloog de Fiat van de glooiing af. De Mercedes raakte hem een tweede keer toen we door de uitgang het plein opreden. De Fiat draaide als een bezetene om zijn as.

Ik schakelde en reed weg.

Jonny staarde me met open mond aan.

'Stockcarraces,' zei ik. 'Ik heb er als kind eens aan meegedaan. De voorkant van een auto is kwetsbaar want daar zit de motor, maar de achterkant kun je als een stormram gebruiken.'

'Je bent gek.'

'Dat word ik als mensen proberen me te vermoorden.'

Ze kroop dicht tegen me aan. 'Ik mag je wel. Ik weet hoe ik moet betalen voor gunsten.' Ze sprak weer Engels.

'Ik ben een gast in jullie huis. Seks met jou zou niet erg beleefd zijn.'

Ze lachte. 'Denk je dat we de Brady Bunch zijn? João heeft Simone van de straat gehaald – of misschien uit een bordeel. Hij is niet eens mijn vader – Simone werd zwanger van de chauffeur. Hij eindigde in de Boca do Ferno met betonnen schoenen. Of misschien was het de tuinman of haar tennisleraar. Ze heeft met allemaal geneukt.'

Ik zei niets. Ik geloofde er geen woord van. Jonny zou niet de eerste zijn om een van haar ouders te haten. Verdomme, kinderen vermoorden soms hun scheppers. En vice versa. Maar ik wist dat João iets in zijn schild voerde. Mijn vader vertrouwde hem niet – en ik vermoedde dat Bernie te veel vertrouwen had gehad. Ik wilde informatie van haar, geen seks.

'Je wilt dat ik je vertel wat João's plannen zijn, hè?'

Ik keek haar van opzij aan. 'Doe je aan gedachtelezen? Heb je zigeunerbloed?'

'Je bent te eerlijk. Ik kon de strijd op je gezicht zien, vraag je het kind haar vader te verraden of…'

'Je zei dat hij je vader niet was.'

'Ik weet niet wie hij is en ik weet niet wat hij van plan is, maar wat het ook is, er zullen mensen zijn die iets verliezen. Misschien zelfs doodgaan. De vader van een van mijn vriendinnen heeft een probleem – hij kijkt altijd naar jonge meisjes, jonger dan ik. Ze zeggen dat hij een ziekte heeft, de kinderen noemen het kleine ogen omdat de meisjes zo klein zijn. João heeft dezelfde ziekte.'

'Hij is een pedofiel?'

'Nee, idioot. Hij heeft oog voor geld; zelfs Simone zegt dat hij ziek is.'

'Zoveel mensen houden van geld.'

'Genoeg om ervoor te moorden?'

'Heb je hem echt wel eens iemand zien vermoorden? Gaat hij Santos vermoorden?'

'Tegen de tijd dat ik João vertel over Santos, zal er geen Santos meer zijn. Dat stuk ongeluk verdwijnt uit Lissabon, houdt zich misschien een tijdje schuil in Spanje of zelfs in Duitsland. Dan zal hij voor zijn terugkeer in Lissabon moeten betalen, João voldoende geld bieden om hem in een vergevensgezinde stemming te brengen. Als hij me kwaad had gedaan, zou hij met zijn leven moeten betalen.'

'Hoe weet je dat allemaal?'

'Waar denk je dat ik leef? Tussen de kostscholen in hoor ik João aan de telefoon, of als hij zijn vrienden thuis uitnodigt, hoor ik hem als hij met ze onderhandelt, over mensen praat die een deal niet nakomen alsof ze al dood zijn.'

'Wat heeft hij voor mij in petto?'

'Dat weet ik niet, dat heb ik niet gehoord. Maar ik denk dat het iets te maken heeft met Afrikaanse diamanten en de vuurdiamant.'

'De vuurdiamant?'

'João's geliefde, zoals Simone hem noemt. Ik heb die diamant nooit gezien, maar ik heb hem erover horen praten, een onschatbare diamant die João al sinds tijden in zijn bezit heeft. Jij hebt iets met die diamant te maken, ik weet niet zeker wat.'

'Wie is de Bey?'

'Iemand met wie hij zaken doet. Simone mag hem niet. Hij woont in Istanbul. Soms stuurt João haar daar naartoe om met hem te onderhandelen. Of misschien om met hem te neuken.'

'Je slaat smerige taal uit voor een vijftienjarige. Noem je je ouders nooit "mama" en "papa"?'

'Ze zijn mijn ouders niet. Ik ben drijvend in een mandje in een rivier gevonden. Mijn moeder was een prinses die zwanger werd voor ze getrouwd was.'

'Nu begrijp ik je.'

Ze keek me vragend aan.

'Je bent een hulpeloos ronddrijvend geval.'

Ze liet haar hoofd tegen mijn schouder rusten en zweeg tijdens de rit naar huis. Alles bij elkaar genomen was Jonny een door en door modern kind, dat haar ouders haatte en volkomen gestoord was door alle huichelarij om haar heen. Sommige kinderen vertrekken zonder vaste tred vanaf het startpunt en raken die schommelende loop nooit meer kwijt. Jonny was een van hen; het ene moment opgewekt en actief, het volgende moment diep in de put op zoek naar drugs, drank of seks om haar gelukkig te maken. Je kon je heel goed indenken dat ze zo de rest van haar leven zou blijven. Het was moeilijk om in het ritme te komen als je dat bij de start niet had.

23

❖

Ik parkeerde de Mercedes op de oprit en stapte uit. De achterkant was verfrommeld. 'Ik zal je ouders morgenochtend vertellen over de schade. Ik zal jou erbuiten laten.'

Ze sloeg haar armen om mijn hals en zoende me op mijn mond. Het was een goede, innige zoen, een die het oeroude reproductie-instinct wekt van de man. Haar lichaam perste zich tegen het mijne.

'Goedenavond.'

Het was Simone. Ik probeerde de kus te verbreken en me uit Jonny's armen te bevrijden, maar ze hield vol. Met opzet.

'Bespioneer je ons?' vroeg Jonny, toen ze me eindelijk losliet.

'Natuurlijk niet, schat. Ik was alleen ongerust.'

'Zoals je ziet, heeft Win me veilig thuisgebracht.'

'Ik maakte me niet ongerust over jou, lieverd. Maar Win is in een vreemd land, hij is zich niet bewust van alle gevaren in Lissabon.'

'Als je zo ongerust bent, kan hij misschien beter in een hotel gaan.' Jonny ging naar binnen.

'Ik ben bang dat je auto beschadigd is.' Ik vertelde Simone dat ik Jonny op straat was tegengekomen, dat we samen naar de parkeerplaats waren gegaan en daar merkten dat iemand tegen onze auto was gebotst, zodat de achterkant beschadigd was. Ik wist niet of ze me geloofde. Ik dacht dat als Jonny haar ouders over Santos wilde vertellen, ze dat wel zou doen.

'We kunnen morgenochtend praten.'

Het waren welterusten-woorden, maar ze zei niet goedenacht.

'Het spijt me als Jonny lastig was. Het is moeilijk voor kinderen tegenwoordig. Ik ben opgegroeid met niets, zelfs niet met liefde, maar dat heeft me geleerd alles wat ik kreeg te waarderen en er hard voor te werken. Jonny krijgt alles voor niets en waardeert niets.'

'Ze is een geweldig kind,' zei ik. Wat moest ik anders zeggen? Ik heb haar weggerukt uit een ruzie op straat met haar drugdealer en ze probeerde onderweg met me te dollen? Bovendien was ik gaan geloven dat ze niet zo'n slecht kind was.

Ik kon Simones hitte voelen. Die vrouw had een natuurlijke sensualiteit die seks uitstraalde. Ik zag de manier waarop haar kleren aan haar voluptueuze lichaam kleefden, de manier waarop ze door een kamer liep, haar volle lippen en de welvingen van haar borsten boven de jurk die aan de hals laag en op de heupen hoog was uitgesneden. Er waren niet veel vrouwen in mijn leven die me zo snel hitsig maakten. Ik kon geil worden van een vrouw die door de kamer liep, maar Simone had iets extra's, iets van gevaar bijna.

'Ze is een klein kreng. Heeft ze je verteld dat haar vader de chauffeur was? Of dat ze geadopteerd is?'

'We hadden het over Amerika. Ze houdt van het land.'

'Je liegt. We hebben haar naar een dure meisjesschool gestuurd in Connecticut. Ze haatte elke minuut ervan. De enige plaats in Amerika waar ze van houdt is Los Angeles. En alleen omdat het een stad van freaks is. Maar dat is oké, het is mooi van je dat je weigert haar zonden te onthullen. Helaas zal zij er openlijk over praten aan het ontbijt – als ze vóór twaalf uur opstaat.'

'Kom, het wordt al laat.'

'Wat vind je van João's voorstel?'

'Ik denk er nog over na.'

'Het moet allemaal wel erg vreemd voor je zijn.'

'Wat? Afrikaanse mijnen, bloeddiamanten, moordzuchtige rebellenlegers? Nee, thuis heb ik voortdurend met dat soort dingen te maken.'

'Ik heb gehoord dat je houdt van de gevaren van snelle auto's en boten. Ik veronderstel dat als je dood moet gaan terwijl je iets opwindends doet, het weinig verschil maakt of het in een raceauto is of door een kogel in Afrika.'

Ik grijnsde. 'Voor mij maakt het verschil. Als ik de keus heb, sterf ik liever in bed. En kies de vrouw uit in wier armen ik lig.'

24

❖

Het was een warme nacht, met een zachte bries. Ik opende het raam, kleedde me uit en nam een warme douche. Ik draaide het licht uit en ging naakt op het bed liggen, genietend van de zwoele avondlucht op mijn lichaam.

Er was een uur verstreken toen ik op mijn deur hoorde kloppen. Ik wist dat ze zou komen. Ze was een vrouw die van mannen hield. Wat ik niet wist was of João haar zou sturen of dat ze uit zichzelf zou komen. Ik kon het niet ontkennen, ik geilde op haar.

Ze liet haar zijden kimono aan het voeteneind van het bed vallen en kroop boven op me. Haar borsten waren stevig en vol, haar tepels keihard. Ik kwam een eindje overeind en zoog op elke sappige tepel. Ze roken naar rozengeurend badwater. Ze nam mijn penis tussen haar benen. Hij spande zich hevig in, was al hard, duwde tegen haar schaambeen, gereed om naar binnen te dringen.

'Verwachtte je Jonny?' fluisterde ze.

'Ik verwachtte een vrouw.'

Ik trok haar tegen me aan en zoende haar hongerig.

Ze ging omlaag langs mijn lijf, plaagde mijn tepels, liet rillingen over mijn rug gaan. Ze bewoog haar tong langs mijn harde fallus en rondom mijn scrotum en likte op en neer over mijn schacht alsof ze aan een ijsje likte.

Ik rolde haar om en bewoog wild in haar mond met mijn tong, ging omlaag naar haar bos schaamhaar, ze was al vochtig. Ik vond haar clitoris en masseerde die met mijn tong. Ik voelde dat ze begon te schokken, op het punt van klaarkomen. Ze hijgde en liet een zacht gekreun horen. Ik pakte haar heupen en ramde in haar, op en neer pompend tot ik explodeerde. Haar vingers groeven zich in me, klauwden over mijn rug.

We lagen allebei uitgeput op bed toen ik een schaduw over ons heen voelde.

'Net iets voor jou, hè, moeder?' zei Jonny. 'Ik breng ze thuis en jij neukt met ze.'

Ik verliet het huis in de kleine uurtjes, vlak voordat het licht werd. Ik had een taxi laten komen bij het hek aan de voorkant. Ik vertrok niet als een dief in de nacht maar ik kroop weg als een worm. Ik wist niet precies waarom ik plotseling een aanval van gewetenswroeging kreeg. Ik had geen seconde stilgestaan bij mijn nummertje met Hot Pants, de vrouw van de investeringsbankier – maar toen was ik geen gast in zijn huis en had ook zijn brood niet gegeten.

Toen ik erover nadacht op weg naar Lissabon realiseerde ik me wat me werkelijk dwarszat. Het had niets met moraal te maken. Wat er ook was tussen João en Simone, het was geen echte liefde. Verrek, misschien had hij haar naar me toe gestuurd om met me van bil te gaan, om me murw te maken voor de bloeddiamantendeal. Hij zou niet de eerste zijn die zijn vrouw gebruikte in zijn onderhandelingen. Ik had niet definitief toegezegd dat ik mee zou doen – maar ik had ook geen nee gezegd.

Als ik eerlijk was tegen mezelf, wat geen geringe opgave is, denk ik dat Simone me meer deed dan ik wilde toegeven. Ik voelde me aangetrokken tot Marni, zij was alles wat ik niet was. Een vrouw die zich in een oorlogsgebied begaf om mensen te eten te geven had meer lef en kloten dan een gorilla van tweehonderd kilo. Maar ik geilde op Simone. Die vrouw bracht mijn bloed aan het koken. En net als die femme fatale over James Cain schreef, ging ze ervandoor met mijn gezonde verstand. Het was niet moeilijk te fantaseren dat Simone me zou overhalen een kussen op het gezicht van haar man te drukken terwijl zij een pen in zijn stervende hand heen en weer bewoog over zijn laatste wilsbeschikkingen.

Ik boekte een vlucht naar Angola na de taxi te hebben besteld. Het toestel vertrok pas om tien uur, zodat ik een paar uur de tijd had. Ik liet me door de taxi afzetten bij een vissershaven. Mijn vader had me verteld dat hij na de oorlog zijn laatste avond in Lissabon had doorgebracht met wandelen over het embarcadero. Ik wilde in zijn voetsporen treden.

DEEL **4**

AFRIKA

25

❖

Luanda, Angola

Een vochtige hitte die stonk naar petroleum en oude vis sloeg me in het gezicht toen ik uit het vliegtuig stapte en boven aan de verrijdbare trap stond naar het teermacadam in Luanda.

'Welkom in equatoriaal Afrika,' zei een grijnzende steward. 'Ik hoop dat u al uw vaccinaties hebt gehad.'

Ja, ik had inentingen gehad tegen cholera, gele koorts, tyfus, hepatitis, TBC, polio en ziektes waar ik nog nooit van gehoord had. De enige die ik miste was er een tegen verveling. Al was mijn eerste indruk van Luanda er niet een van rust en verveling. De terminal krioelde van luidruchtige, opdringerige mensen. Een wirwar van talen, met wat Portugees erdoorheen, schiep een geroezemoes zo luid als radiostatica in een auto die door een woestijn rijdt. Mensen in verbluffende pauwblauwe en groene gewaden liepen naast Afrikanen en Europeanen in pakken van Canali en Armani, met Gucci-tassen onder de arm.

De meeste mensen die ik zag waren mestiezen met Portugees-Afrikaans bloed. João had me verteld dat de mestiezen de steden en regering van het land onder controle hielden, terwijl de volbloed Afrikanen geworteld waren in de dorpen en het platteland. De geodemografie – in belangrijkere mate dan een rassenkwestie – was verantwoordelijk voor de burgeroorlog die al bijna vijftien jaar in het land woedde. De landelijke bevolking voelde zich politiek en economisch uit haar recht ontzet door de machtige mestiezenbevolking. Savimbi, de rebellenleider, had zijn grootste aanhang op het platteland, waarvan hij een groot deel in zijn macht had, waaronder het gebied van de diamantmijnen.

Behalve de burgers in de terminal was er een opvallend aantal soldaten met dodelijke automatische wapens. De soldaten stonden in groepjes van twee en drie, lachend, pratend, rokend, een gevaarlijk uitziend stelletje, niet het gepensioneerde *rent-a-cop*-type dat voor de veiligheidsdienst in de Verenigde Staten wordt gehuurd. De indruk in de terminal was die van een oorlogsgebied.

119

Het was een eerste indruk die blijvend werd toen ik overal waar ik in het land kwam dezelfde oorlogssfeer aantrof.

Een grote zwarte man met een brede borst, dikke armen en een zwarte sigaar die stonk naar geroosterde hondenpoep stond op me te wachten toen ik in de algemene ontvangstruimte kwam.

'Liberte?' vroeg hij.

Het was niet moeilijk me te herkennen – ik was de enige man die uit het vliegtuig stapte met een honkbalpet van de New York Yankees op.

'Ik ben Cross, hoofd van de veiligheidsdienst van de mijn. Eduardo was verhinderd.'

Zijn Engels was perfect. Hij droeg een lichtbruin kaki-uniform en het soort leer-canvas rimboelaarzen die het leger gebruikte in Vietnam. Geef hem een uzi in zijn hand en hij zou er gevaarlijker uitzien dan de soldaten die het plein bevolkten.

De afwezige Eduardo Marques was de mijnopzichter.

'Is hij dood?' vroeg ik, implicerend dat het de enige reden zou zijn waarom de mijnopzichter niet op de luchthaven zou zijn om de nieuwe eigenaar te begroeten.

Cross haalde zijn schouders op. 'In dit land is de dood soms een verbetering vergeleken bij de omstandigheden van de levenden.'

Zijn lichaamstaal straalde een slecht humeur uit. Net als het land, trof Cross me als iets van een oorlogsgebied. Sommige mannen vragen zich af hoeveel geld je verdient als je ze tegenkomt – anderen vragen zich af hoe stoer je bent. Zijn lichaamstaal verried zijn gevoelens toen ik in de ontvangstruimte kwam – hij zou me net zo lief een stomp geven als me de hand schudden.

Er is iets behoorlijk mis als je werknemers geen barst om je geven. Drie minuten in Angola en ik was bereid in het eerste het beste vliegtuig te springen dat uit het land vertrok. Alleen mijn pas ontdekte armoede, aangeboren hebzucht en het afschuwelijke vooruitzicht om te moeten werken voor mijn brood beletten me om halsoverkop een ticket te kopen. Er wachtte me niets in de Verenigde Staten behalve een baan als hamburgerverkoper bij McDonald's – en daar was ik niet voor gekwalificeerd.

Ik beheerste mijn eigen pissige stemming, negeerde de klootzak en ging mijn koffers halen. Ik wist niet of hij de pest in had omdat de mijnopzichter zich gedrukt had en hem had gedwongen me af te halen, of dat hij gewoon een chagrijn was. Ik pakte mijn koffers en volgde hem. Hij bood niet aan om te helpen. Ik volgde hem door de terminal met een koffer in elke hand en mijn reistas over mijn schouder. Ik denk dat ik bofte dat hij geen tas bij zich had, anders zou ik die waarschijnlijk ook nog dragen.

Een gedeukte oude Mercedes die eruitzag of hij een paar derdewereldoorlogen had verloren stond buiten te wachten. De deuken en kogelgaten waren geroest. Verdraaid, in dit hete, vochtige klimaat roestten de mensen waarschijnlijk ook.

Op het portier van de bestuurder zag ik een verbleekt symbool waaruit bleek dat het vroeger een Lissabonse taxi was geweest. De bestuurder zat te roken en praatte met een geüniformeerde bewaker die anders gekleed was dan het legerpersoneel dat in de terminal en erbuiten liep te patrouilleren. De bewaker droeg een camouflagepak zonder militaire onderscheidingstekens en een AK-47 over zijn schouder. In zijn mond bungelde een sigaret. Ik hield hem voor een gewapende particuliere bewaker.

De bestuurder maakte de achterbak voor me open zodat ik mijn koffers erin kon zetten. Oké, dacht ik, als we bij het hotel komen, zal ik mezelf een fooi geven.

De bestuurder en de bewaker stapten voorin en ik ging achterin zitten met Cross.

'We gaan rechtstreeks naar het hotel,' zei Cross toen we wegreden. 'Voor het geval de regeringstroepen met de machinegeweren op de luchthaven of de particuliere bewaker die met ons meerijdt u zijn ontgaan: Luanda is niet bepaald klantvriendelijk.'

De stemming van de mensen op straat leek niet veel beter dan die van mijn gezelschap. Er waren veel mensen op straat, mensen die er steenrijk uitzagen naast anderen die een verslagen indruk maakten. Uitgemergelde mensen en goeddoorvoede exemplaren met paraplu's en aktetassen. Erbarmelijke lemen hutten met zinken daken stonden langs de weg. Broodmagere, uitgehongerde kinderen hurkten in het stof voor de hutten en staarden ons wezenloos aan toen we langsreden.

'Een *musseque*,' zei Cross. 'Een sloppenwijk. Er leven ongeveer tien miljoen mensen in het land en drie of vier miljoen van hen zijn ontheemd door de burgeroorlog. Ze kruipen op elkaar in ellendige sloppenwijken omdat ze nergens anders heen kunnen. Velen eindigen in Luanda. Er leven een paar miljoen mensen in een stad die gebouwd is voor veertig- of vijftigduizend inwoners. Dat is een hoop stront en pis in de goot en de watervoorziening. Zolang u hier bent moet u niets drinken en eten dat niet volledig gesteriliseerd is. Water van je lippen likken onder de douche of je tandenborstel wassen kan je een weeklang diarree bezorgen – als het niet je dood betekent. Het wordt verondersteld een moderne stad te zijn, maar laat u niet voor de gek houden door de hoogbouw. Een beetje glas en chroom maakt deze stad niet beschaafd of gezond.

'Als uw penis een goeie beurt moet hebben, bel dan een nummer in Amsterdam en ze sturen u een hoer voor een paar dagen. Het kost een paar centen, maar in een land waar het schuttingwoord aids is, is elke vorm van seks behalve handwerk zelfmoord.'

Hij grinnikte. Hij scheen er plezier in te hebben me duidelijk te maken in wat voor hel ik terecht was gekomen. 'Maar zelfs gezonde mensen sterven vaak aan loodvergiftiging door een twaalfjarige jongen met een zenuwachtige vinger aan de trekker.'

Ik vroeg me af of hij met opzet een somber beeld schetste van de stad, zodat ik de taxi zou laten omkeren en terugrijden naar de luchthaven. Niet dat hij erg zijn best hoefde te doen. Luanda was een beangstigende ervaring. Als het ongedierte en het vuil je niet te pakken kregen, kon een kogel je de kop kosten – Marni had me verteld dat een aanzienlijk deel van het rebellenleger bestond uit twaalfjarigen die door de bevelhebbers opzettelijk tot drugsverslaafden werden gemaakt, zodat zij ze onder controle konden houden en goede moordenaars van ze konden maken. Voorlopig voelde ik me meer gedeprimeerd dan bedreigd door alles wat ik om me heen zag.

Ik zag niet veel van de Portugese erfenis. Misschien was alles weggevaagd en verbrand in de koloniale oorlog vóór de onafhankelijkheid en de burgeroorlog die in 1975 begon. Het enige Portugese tintje dat ik zag waren de namen van de straten en winkelpuien. RUA AMILCAR CABRAL stond er op een bord. In het bord zaten geroeste kogelgaten.

De straten waren geplaveid met geulen, de bussen waren rammelkasten, gedeukte, rokende sardineblikken, met mensen opeengepakt erin, hangend aan de achterkant, zittend op het dak. Sommige fietsen die ik zag reden op de velgen.

Witte verf op een muur verkondigde: SOCIOLISMO O MUERTE! Socialisme of de dood. Een nalatenschap uit de onstuimige tijd van het communisme, vóór de val van het Snode Imperium. Maar iemand had een deel ervan weggekrast, zodat er nu stond: SO MUERTE!

Alleen de dood.

Er was niets subtiels aan de Derde Wereld. Het kwam recht op je af en sloeg je in het gezicht, pakte je beet. De grapjes die ik Marni in het vliegtuig had verteld, leken nu niet zo leuk meer. Haar verhaal over de verschrikkingen van de oorlog die door olie en diamanten in Angola teweeg werden gebracht leek nu een harde waarheid.

'Wat vind je van ons hoofdstadje, makker?'

'Druk,' zei ik, 'en het stinkt er.'

Cross keek naar me met een blik die zijn minachting voor de rijke Amerikaan die hij van het vliegveld had afgehaald niet onder stoelen of banken stak. 'Je zult Angola een goeie les vinden, maat. Het is een pitstop op de racebaan naar de hel. Misschien is het zelfs wel de finish.'

'Je Engels is goed. Ben je in de Verenigde Staten op school geweest?'

Cross barstte in lachen uit. 'Ja, als je Michigan City, Indiana, als deel van het land beschouwt. Ik ben op Indiana State geweest en heb football gespeeld. Had prof willen worden, maar ik verpestte mijn knie.'

'Ben je Amerikaan?'

'O, nee, José.' Hij gooide zijn sigaar uit het raam en spuwde er achteraan.

Het was nogal stom van me. 'Cross' was beslist geen Portugese of Afrikaanse naam. Het moest de hitte zijn die me belet had na te denken. Of misschien was het zijn arrogante houding.

Ik boog me dichter naar hem toe en keek hem recht in de ogen.

'Mijn naam is Win Liberte, niet José, niet makker, en ik ben verdomme niet je maat. Het feit dat je je als een zak tegen mij – je werkgever – gedraagt, wil zeggen dat je geen barst om je baan geeft. Wat oké is, want ik geef ook geen donder om jou. Maar zolang we met elkaar te maken hebben, kunnen we wederzijds wat respect opbrengen. Of je kunt opsodemieteren en op de eerstvolgende hoek uitstappen.'

Cross stak langzaam een andere sigaar op, nam me uit zijn ooghoek op terwijl hij de auto vulde met smerige rook. 'Nou, je hebt lef, dat moet ik zeggen. Je zult het nodig hebben. Als je mijn advies wilt, zeg dan tegen de chauffeur dat hij omkeert en je terugbrengt naar het vliegveld. Je mag dan een hele Piet zijn op het debutantenbal en de dansavonden van de countryclub, maar je begeeft je in iets dat een Delta Force-eenheid de doodsangst op het lijf zou jagen.

'Angola is het soort oorlogsgebied waarover die nieuwsjongens op de tv in New York of Atlanta verslag uitbrengen terwijl de tv-verslaafde Amerikanen zitten te zappen om nieuws te horen over de echtscheiding van een beroemdheid, omdat de verschrikkingen in dit deel van Afrika te onwerkelijk voor ze zijn om naar te kijken. Shit, de meeste correspondenten zijn doodsbenauwd om hierheen te komen voor een rechtstreeks verslag. Het is niet alleen maar een oorlog, het is een levenswijze, onder toezicht van de demonen uit de hel.

'Als je in Angola blijft rondhangen, kun je er maar beter aan gewend raken kinderen te zien sterven van de honger in de armen van hun moeder, prostituees met aids hun trucs te zien doen op de hoeken van de straat, mannen te zien die niet in hun neus kunnen peuteren omdat allebei hun armen zijn afgehakt of rondkruipen in de modder omdat ze hun benen kwijt zijn door een ontplofte landmijn. Een van de vele records van dit kutland is het verlies van meer levens en ledematen door landmijnen dan waar ook ter wereld.'

Cross keek me weer onderzoekend aan. 'Ik zal je het voordeel van de twijfel gunnen. Misschien dacht je dat het een avontuur zou zijn om naar Afrika te gaan en je eigen diamantmijn te bezichtigen. Misschien dacht je dat je je zou kunnen kleden voor een safari als Stewart Granger en een of twee olifanten schieten, en je door de inboorlingen *bwana* laten noemen. Oké, nu je de realiteitscontrole achter de rug hebt, kun je een retourtje kopen naar een land waar de mensen niet schijten – en sterven – in de goot, en kinderen niet op AK-47's bijten als hun tanden doorkomen.'

Ik staarde uit het raam. 'Ik hou niet van Angola. En ik vind je een klootzak en een ruziezoeker. En die verdomde sigaren van je stinken.' Ik grijnsde naar hem. 'Maar ik ben hier en blijf hier, maat. Wat heb je daarop te zeggen?'

Hij mikte *sigarenas* op de grond en keek me met een berekenende blik aan.

'Mijn naam is niet Maat.'

Ik nam mijn intrek in hotel Presidente Meridien op de Avenida 4 de Feveiro. Ik weet niet waarom de straat de Vierde Februari werd genoemd en andere straten die ik zag namen hadden van een datum, maar het was niet moeilijk te raden. De data waren overwinningen tijdens oorlogen of revoluties. En de winnaars benoemden de straten en richtten standbeelden op.

Ik nam een douche en ging op het balkon staan, slokte een koud biertje naar binnen en bestudeerde de drukke, lawaaierige, vuile straat onder me. Mensen, auto's, fietsen en karren verdrongen elkaar als botsautootjes op een kermis. De weerkaatsing van de ondergaande zon veranderde de baai in het zwarte goud van een olievlek.

Ik had nooit eerder beseft wat een comfortabel leven ik had gehad. Nooit zorgen over geld – verrek, ik dacht zelfs nooit aan geld want het wás er altijd. Net als goede, frisse lakens, schoon water. Ik kon in Amerika van kust tot kust reizen zonder me er ooit om te bekommeren waar ik water zou drinken. Ik weet zeker dat de vochtigheid in Angola iets overbracht dat niet goed voor me was.

Toen de zon onder was, verliet ik de kamer om Cross te ontmoeten in de lounge van het hotel. Het verbaasde me dat hij me niet gewoon voor het hotel gedropt had en was doorgereden naar wat zijn bestemming ook was.

Ik had mijn mening over Cross nog niet bepaald. Zijn houding irriteerde me. Waarschijnlijk was de enige manier om in dit land te overleven een dikke huid te kweken en een slecht humeur. Maar ik had bondgenoten nodig en Cross had één eigenschap die me beviel – hij zei de dingen recht voor zijn raap. Je wist waar je aan toe was. Je zou denken dat niets minder dan de instorting van een mijn Eduardo, de opzichter, zou hebben belet me van het vliegveld te halen. Wat me duidelijk maakte dat ik ook bij hem niet hoog aangeschreven stond. Was het zo moeilijk om goede hulp te krijgen? Stomme vraag. Verdomme, waarschijnlijk was het onmogelijk.

Wat de vraag deed opkomen wat Cross in Angola deed. En waarom Eduardo hier bleef om een verliezende mijn te beheren in een oorlogsgebied. Er moesten gemakkelijker en veiliger manieren zijn om geld te verdienen. Ze deden het beslist niet uit humanitaire overwegingen, niet voor de mijneigenaar en niet voor de oorlogvoerende partijen die het land verscheurden. Dat bracht het terug tot één ding – ze verdienden geld. En het moest een hoop geld zijn om het de

124

moeite waard te maken in een oorlogsgebied te blijven rondhangen en moord, ontvoering en ziekte te riskeren.

En dat leidde tot een andere vraag. Als zij geld verdienden aan die mijn van mij, waarom ík dan niet?

In de lounge ging ik aan de tafel zitten die Cross had uitgezocht en bestelde een flesje bier, geen glas. Ik had rondgereisd in Yucatan en Midden-Amerika, en was zo verstandig om niets te bestellen dat niet uit een verzegelde fles kwam. Als het in een glas moest worden geschonken of er moest ijs in, zelfs in een fatsoenlijk hotel, liep je risico op diarree.

'Wat is er te doen in de stad?' vroeg ik.

'Niets is veilig, behalve een paar hotels en restaurants. Maar als je voor de sensatie het lot wilt uitdagen, zijn er *boites*, disco's met Amerikaanse en Braziliaanse muziek, en *kizombas*, nachtclubs in Afrikaanse stijl. Ze hebben lokale muziek en voedsel als geitenvlees en een kleverige bal puree van zoete aardappels, *stodge* genaamd. Ga naar geen van die tenten. Zelfs al ben je binnen veilig, dan kun je op een meter buiten de voordeur worden vermoord. En je kunt erop rekenen dat elke kut waarin je je pik steekt besmet is met aids. De mensen praten over aids of het een gewone verkoudheid is, zo algemeen is hij. Als je een serieus doodsverlangen hebt dat bevredigd moet worden, kun je op elk moment van de dag of de nacht door de musseque, de sloppenwijk, lopen.'

'Als dit zo'n hel is, waarom ben je dan hier?'

'Niet voor het mooie landschap, dat staat vast. Ik ben hier om dezelfde reden gekomen als andere Amerikanen en Europeanen – geld. Ik heb een niet-afgemaakte technische studie achter de rug en ben in dienst gegaan van een oliemaatschappij die de Cabinda bewerkt, een enclave in het noorden, aan de kust. Het gebied werd ten slotte ingelijfd bij Angola, ondanks het feit dat het aan drie kanten wordt begrensd door Kongo. Werken op een olieveld bleek een beetje te gedisciplineerd voor me. Ik kreeg de diamantkoorts en liet de olie in de steek om naar diamanten te zoeken.'

'Hoe ben je bij de mijnbeveiliging terechtgekomen?'

'Omdat ik blut was. Een kleine diamantmijn ontginnen is even riskant als het kopen van een lot in de loterij. Maar het heeft diezelfde verleidingskracht, dat je met een beetje geld en zweet je grote slag kunt slaan. Ik heb nog steeds een paar claims op diamantontginningen, maar ik had een baan nodig om mijn bier en eten te kunnen betalen.'

'Je moet een goede slag geslagen hebben om je baan als mijn veiligheidsman op te zeggen.' We wisten allebei dat hij geen ontslag had genomen. Tot dusver was het nog geklets.

'Ik heb geen shit. Ik neem ontslag om niet vermoord te worden omdat ik op de in het buitenland wonende eigenaar moet passen die besloten heeft zijn mooie kont uit Manhattan hierheen te slepen om een van zijn feodale domeinen te bezoeken.'

Ik keek achter me en om me heen. 'Waar is die klootzak van een mijneigenaar op wie je blijft schelden? Laten we hem pakken en vermoorden.'

'Mijn excuses. Je kont is niet mooi. Maar je snapt niks van de diamantontginning in Angola. Als je dat wél deed, zou je hier niet zijn. Laten we bij het begin beginnen. Dit land is al dertig jaar in oorlog, eerst met de Portugese koloniale overheersers. Toen met de rebellen die door de VS werden gesteund tegen het communistische regime dat gesteund werd door Moskou en Havanna. De CIA en duizenden Cubaanse troepen zijn naar huis gegaan en er bestaat een vredesverdrag, maar dat is allemaal aan de buitenkant. Het politieke pact is niets anders dan een stuk papier waar niemand iets om geeft en dat de leiders aan beide kanten lippendienst bewijst. Dat komt omdat de strijd niet over politieke vrijheid gaat, maar over controle van de olievelden en de diamantindustrie.

'Als kind heb je ongetwijfeld op school geleerd over de goudkoorts in Californië en Alaska, gouddelvers die gewapend met een revolver tot aan hun knieën in beken met de ene hand erts stonden te wassen en met de andere hand claimjumpers en indianen van zich afhielden. Nou, Win, hier gaat het net zo, alleen hebben de *claimjumpers* in Afrika bewapende helikopters, machinegeweren, tanks en luchtgrondraketten.'

'De rebellen hebben de mijnen overgenomen?'

'Niet operationeel, maar alleen omdat ze niet weten hoe ze een diamantmijn moeten ontginnen. Laten we zeggen dat zij de mijnen bezitten en ze leasen aan mensen als jij. En ze komen elke maand langs om een percentage van de opbrengst te innen als pacht. Als ze denken dat je iets achterhoudt, vermoorden ze je.

Zoiets als de maffia, alleen moorden die kerels alleen als het noodzakelijk is voor hun business. Hier word je door de rebellen of regeringstroepen vermoord als de kleur van je hemd ze niet bevalt. Maar alleen als je niet royaal over de brug komt. Een tijdje geleden hebben ze een stel Europeanen uit de mijnen ontvoerd en honderden kilometers ver de rimboe in gevoerd. En niet voor een picknick. De Europeanen waren wat traag geweest met hun betalingen.

Maar de rebellen zijn niet stom, ze slachten de kip met de gouden eieren niet, behalve als ze vinden dat ze nu en dan een voorbeeld moeten stellen. Zoals de armen afhakken van hun eigen mensen. Doe dat met de mannen van één dorp, en duizend andere dorpen lopen plotseling in de pas.'

'Het klinkt als georganiseerde, gelegaliseerde moord. En chaos.'

'Moord, bloedbaden, genocide, ze zijn van alle markten thuis. En ze zijn georganiseerd. De man die langskomt om de pacht te incasse-

126

ren brengt verslag uit aan iemand anders, tot aan Jonas Savimbi zelf, de man die het hoofd is van de rebellenorganisatie, de UNITA. Wel eens van hem gehoord?'

'Nee,' loog ik. Hij was de man van wie Marni had gezegd dat hij een moordzuchtige maniak was, maar ze somde een stel initialen op als de UNITA, en ik kon me niet herinneren wat op de eerste plaats kwam.

Cross hief gefrustreerd zijn handen op en keek in de lounge om zich heen alsof hij speurde naar een uitgang. 'Je hebt je huiswerk niet zo goed gedaan, hè, *bubba*? Goed, ik zal je wat vertellen over de kerel die verantwoordelijk kan zijn voor je dood. President Reagan noemde hem een vrijheidsstrijder, karakteriseerde hem als een Abe Lincoln voor Angola.'

'Dat klinkt bemoedigend.'

'Alleen als je niet wist dat Reagan seniel was en de astrologiehobby van zijn vrouw het land regeerde. Maar de Amerikaanse politieke houding ten aanzien van Savimbi is een klassiek voorbeeld van stomme Amerikaanse politici. Als de duivel zei dat hij anticommunist was, zouden onze politieke leiders een pact met hem sluiten – wat ze op een gegeven moment in het grootste deel van de Derde Wereld ook hebben gedaan.

De mensen in Angola noemen Savimbi een psychopatische moordenaar, maar niet in zijn gezicht. Hij is de man die persoonlijk de vrouw en kinderen doodsloeg van iemand die zich tegen hem verzette. Shit, hij blies zelfs een Rode Kruis-ziekenhuis op waar ze kunstledematen maakten voor mensen van wie hij en anderen van zijn soort de armen en benen hadden afgehakt – of voor mensen die ze kwijt waren geraakt door een landmijn.'

'Hoe kunnen er in deze sfeer zaken worden gedaan?'

'Savimbi en de zich tegen hem verzettende Angolese regering hebben geld nodig om hun oorlogsmachines op gang te houden. Dat geld komt van olie en diamanten. Zolang je helpt de kas voor die oorlogsmachines te spekken, word je getolereerd. Als iemand uit de lagere rangen de kip met gouden diamanteieren vermoordt, wordt hij vermoord. En als je erop wordt betrapt dat je ze belazert, vermoorden ze je, maar hakken eerst je armen en benen af, zodat je na kunt denken over je zonden terwijl je doodbloedt.'

'Jezus.'

'Nee, Jezus is nooit zover naar het zuiden gekomen. En dat alles nog vooropgesteld dat je eigen mijnwerkers je niet vermoorden omdat je te veel van hen op diefstal betrapt hebt. Zelfs al overleef je de diamantontginning, dan kun je nog gebeten worden door insecten zo groot als vogels of op een slang trappen die je in je geheel opschrokt. De sterfelijkheid onder managers van kleine mijnen en veiligheidsdiensten is groot genoeg om de meest cynische verzekeraar buikpijn te bezorgen. Niet dat er zoiets als verzekering bestaat in Angola. De beste dekking zijn lijfwachten en kogelvrije vesten.'

'Jij bent erin geslaagd te overleven. Waarom denk je dat ik vermoord zal worden?'

'Jij bent een verwend rijk kind dat nog nooit één dag in zijn leven gewerkt heeft. Je hebt nooit iets inspannenders gedaan dan je handen om het stuur klemmen van een snelle auto of om het broekje van een of ander grietje. Je hebt geen flauw idee van het harde leven op straat. Je int een cheque met je mond die je niet kunt dekken met je kont. Je zult de andere kant op kijken en een twaalfjarige jongen afzeiken die high is van de drugs en zijn vinger om de trekker houdt van een roestige AK-47. En ik wil er niet bij zijn als je ingewanden over de grond verspreid worden omdat ik de volgende zou zijn.'

Ik begon te lachen.

Cross probeerde zuur te blijven kijken, maar begon toen ook te lachen.

'Dit hele land is belachelijk,' zei ik. 'Als ik beloof me niet te laten vermoorden, blijf je dan een tijdje in de buurt?'

'Ja, als je me één goeie reden geeft waarom je naar deze hel bent gekomen.'

'Ik ben blut. De mijn is alles wat ik heb.'

Dat legde hem het zwijgen op. En overdonderde hem. De uitdrukking op zijn gezicht verried twijfel aan de waarheid en oprechtheid van mijn woorden. '*No shit?*'

'*No shit*, José. De man die mijn geld beheerde belegde alles in de Blue Lady Mine, een investering die geen cent oplevert en die niemand wil kopen. Ik ben niet graag platzak, dus zal het niet lang duren.'

Hij schudde zijn hoofd. 'Denk je dat je hier binnen kunt vallen en een paar miljoen uit Angola persen? Man, zoals zwarten zeggen in blanke films, jij dromer zijn. Het zou een stuk veiliger voor je zijn om naar huis te gaan en banken te beroven. Of een vrouw te vinden die meer geld dan hersens heeft, zodat je de levensstijl kunt aanhouden waaraan je gewend bent, in ruil voor af en toe een wip.'

'Onderschat me niet. Ik was de beste in alles wat ik ooit heb ondernomen. Geld en diamanten zitten me in het bloed. Ik heb er alleen een tijdlang geen aandacht aan geschonken. Toen jij honkbal speelde, liet mijn vader me diamanten taxeren. Je zei dat je hier bent gekomen om fortuin te maken. Ik wil wat van mij is en wat ik kan verdienen, maar ik ben niet gierig, niet voor iemand die me helpt. Blijf bij me, maak me wegwijs, en je zult er geen spijt van hebben.'

'Is dit een van die "vertrouw me"-situaties?'

'Dit is een zekerheid.'

'Goed, er is maar één ding dat je moet onthouden.'

'En dat is?'

'Mijn naam is evenmin José.'

26

❖

De volgende ochtend vertrokken we in een gecharterde vierpersoons Cessna naar het mijngebied.

'We gaan naar het gebied van de Cuango-rivier, ten oosten van Luana, in de noordoosthoek van het land. De meeste vliegtuigen naar het diamantgebied landen in Saurimo, maar dat is te ver verwijderd van de plaats waar jouw mijn ligt. Als we geland zijn op een aardappelveld, rijden we de rest van de weg naar de mijn, noordwaarts, richting Zaïre. Het hele diamantgebied is verboden terrein voor vreemdelingen tenzij ze in dienst zijn van de industrie.'

'Is een vliegtuig de enige manier om er te komen?'

'De veiligste en snelste. Een klein toestel zoals dit brengt ons op een paar uur van de mijn.'

'Vertel eens over Eduardo.'

Cross haalde zijn schouders op. 'Professionele mijnopzichter, een mesties, geboren in Angola. Zijn vader was een Portugese koffieplanter in de koloniale tijd en ging in de mijnbouw toen zijn plantage in de koloniale oorlog werd platgebrand. Zijn moeder was een Ovimbundu, een grote etnische groep in het land. Eduardo heeft het grootste deel van zijn leven in de mijnen doorgebracht. Hij is slim genoeg om Savimbi's vertegenwoordiger niet te bedriegen als die langskomt om de pacht te incasseren. Anders was hij allang geleden dood geweest.'

'Wie was de eigenaar van de mijn voordat ik, eh, hem kocht?'

'Een of andere corporatie met het hoofdkantoor in Lissabon.'

'Ooit gehoord van João Carmona?'

'Ik heb van hem gehoord,' antwoordde Cross kortaf.

'En?'

Hij haalde zijn schouders op. 'Carmona is een gangster, wat niet altijd zo slecht is in Angola, want tot op zekere hoogte zijn we allemaal gangsters. Ik heb gehoord dat hij een soort Portugese peetvader is van het type maffia. Hij heeft een slechte reputatie onder de mijneigenaren, die hij heeft opgelicht. Hij is *persona non grata* in het land omdat hij de fout heeft gemaakt de regering en de rebellen te bedriegen. Ik heb je verteld over Savimbi. Hij is er niet de man naar om bedonderd te worden. Hij liet Carmona in zijn ruggengraat schieten. Ze hebben me verteld dat het de bedoeling was hem invalide te maken, niet om hem te doden. Op die manier kon hij de rest van zijn leven besteden aan nadenken over wat er gebeurt met mensen die Savimbi belazeren.'

'Heeft Carmona ooit eigendomsrechten gehad in de Blue Lady?'

'Dat weet ik niet. Ik ben nog geen jaar bij de mijn en in die tijd was jij de eigenaar. Hij kan eigenaar zijn geweest via die Portugese corporatie die de mijn vóór jou bezat. In dat geval zou hij hem graag van de hand hebben willen doen voordat Savimbi erachter kwam en de mijn overnam om hem Carmona te ontfutselen. Eduardo zal het wel weten; hij is hier veel langer dan ik en weet alles van de mijn. Als hij het je wil vertellen.'

Ik trok mijn wenkbrauwen op. 'Waarom zou hij het me niet willen vertellen?'

Weer een schouderophalen. 'Eduardo woont in Angola. Dat betekent dat zijn eerste prioriteit is te overleven. Jij bent een schip dat passeert in de nacht. Je kunt morgen weer vertrokken zijn. Of dood. Hij moet al zijn opties openhouden. Hoe je het ook bekijkt, je bent geen blijvertje. Hij gaat geen schepen achter zich verbranden voor jou, broer.'

'Waarom kwam hij me niet afhalen in Luanda?'

'Weet ik niet. Misschien lijkt hij op mij; het kan hem geen barst schelen, en hij is toch van plan ontslag te nemen. Jouw mijn is niet de meest winstgevende hier in de buurt. Ik wilde je graag in zijn plaats afhalen, omdat ik een paar zaken moest afhandelen in Luanda.'

'Hij krijgt een behoorlijk salaris. Jij wordt trouwens ook niet zo slecht betaald.'

'Bullshit. Dat zijn Amerikaanse salarissen, niemand van ons zou voor dat geld in Angola willen werken. We handelen daarnaast allebei in claims; kopen, verkopen, ruilen ze, financieren andere diamantzoekers voor een percentage van de opbrengst.'

João had gezegd dat de mensen die voor me werkten ook een deel van hun salaris zouden stelen. Maar ik kende Cross niet goed genoeg om dat ter sprake te brengen. Eén ding klonk door in de toon waarop hij sprak – hij en Eduardo waren niet bepaald vrienden. Evenmin was Eduardo technisch gezien zijn baas. João had me verteld dat veel mijneigenaren een administratieve afstand bewaren tussen het hoofd van de mijnoperaties en het hoofd van de beveiliging, bij wijze van machtsevenwicht. Als de twee een verbond sloten om te stelen, konden ze een mijn beroven. Met een afwezige eigenaar zoals de Blue Lady had, was er natuurlijk niemand geweest om hen te scheiden.

130

Vanaf de kust golfde het land onder ons in groene heuvels en hooglanden toen we naar het diamantgebied vlogen.

Na een vlucht van twee uur landden we op een onverhard terrein buiten een klein stadje. Het was er even heet en vochtig als in Luanda. Ik volgde Cross' voorbeeld en stopte een zakdoek onder mijn kraag om het zweet op te vangen. Ik had mijn modieuze sportkleren verwisseld voor een neutraal kakihemd en -broek die ik in Luanda had gekocht. Lange mouwen en een antimuggenmiddel waren een noodzakelijkheid. Ik kocht laarzen die ik bijna tot aan mijn knieën kon dichtrijgen.

'Hoop je alleen kleine slangen tegen te komen?' vroeg Cross toen hij mijn laarzen zag.

Een Afrikaanse chauffeur in een Land Rover die eruitzag of hij de strijd tegen Rommel in Noord-Afrika had verloren tijdens de Grote Veldslag reed naar het vliegtuig toen het stopte met taxiën. Een houten bord aan de zijkant vermeldde MINA AZULA SENHORA, BLUE LADY MINE, in verbleekte zwarte letters. Het was niet moeilijk te begrijpen hoe de mijn aan zijn naam kwam. De plaats om diamanten te vinden zijn 'blauwe' ertslagen in de aarde.

'Dit is Gomez,' zei Cross, wijzend op de grijnzende, zwetende chauffeur. 'Hij rijdt ons, rijdt om voorraden te halen, rijdt voor alles wat we nodig hebben. Zie hem maar als de koetsier van de postkoets die vracht vervoerde door het land van de Apaches.'

De kolf van een pistool stak onder Gomez' hemd uit. Een geweer was binnen in de Rover onder de voorruit geïnstalleerd.

We verlieten de landingsplaats aan de rand van een stoffig klein plaatsje en stopten op de plek waar een olievat van twintig liter midden op de weg stond. Drie mannen in legerpakken zaten in de schaduw te roken en te dobbelen. Een van hen slenterde loom naar de auto om het geld in ontvangst te nemen dat Gomez hem gaf.

'Tolgeld,' zei Cross.

We passeerden een huis met betonnen muren en ijzeren tralies voor de ramen en de veranda. Een dikke man zat op een schommelstoel op de betraliede veranda, zwaaide en riep een groet naar Cross toen we langsreden.

'Dat is Ortego, de grootste diamanthandelaar in de omtrek. Hij koopt zijn waar van de mensen langs de rivier en van dieven. Er gaan elke maand meer diamanten door zijn dikke handen dan wij in een jaar produceren. Hij ziet er ongevaarlijk uit, maar in het afgelopen jaar heeft hij twee mannen gedood die zo dom waren dat te geloven.'

Toen we het plaatsje dat uit één straat bestond verlieten, stopten we bij een ander olievat.

'Ik wou dat ik de tolconcessie had,' zei ik.

Een uur buiten het plaatsje, toen we over een onverharde weg in een bochtige kloof reden, zagen we mannen en vrouwen die in de rivier werkten.

'Er zijn twee manieren om in de regio diamanten te delven,' zei Cross. 'In de mijn boren we tunnels in de grond, zoekend naar een kimberlietlaag, wat ze een "ader" noemen bij het delven naar goud of zilver. Maar wat je hier bij de rivier ziet is de meest elementaire manier om diamanten te vinden. Alluviale ontginning. Diamanten ontstonden diep in de aarde, onder enorme druk. Ze werden naar de oppervlakte gebracht door vulkanische activiteit. Erosie, aardbevingen, wind, regen, vooral de werking van de rivier legden diamantlagen bloot en voerden de diamanten kilometers ver stroomafwaarts.

Deze mensen zijn individuele delvers, *garimpeiros*. Ze waden de rivier in en halen modder en grind op, in de hoop ruwe diamanten te vinden. Hun methodes zijn ongeveer dezelfde als vroeger gebruikt werden tijdens de goudkoorts – een pikhouweel, een zeef en een man, of in dit geval mannen, vrouwen en kinderen. Sommige delvers krijgen sponsors, zoals ik, die hun in ruil voor een percentage een paar dollar per maand geven om van te leven. Maar dat percentage is meestal nul komma nul. Sommige beter gefinancierde delvers hebben wasgoten of zuigers om meer van de rivierbodem op te kunnen halen. De meesten werken gewoon met hun twee handen en een emmer.'

Ik wist meer van de geschiedenis van de diamantontginning dan van het feitelijke proces. Alweer kennis die me was bijgebracht door mijn vader. Tot halverwege de negentiende eeuw waren diamanten het exclusieve bezit geweest van vorsten en de superrijken, omdat de voorraad, voornamelijk uit Brazilië en India, klein was. In 1867 raapte een vijftienjarige jongen van de Boeren die langs de rivier wandelde, een glinsterende steen op, die een 21-karaats diamant bleek te zijn. Maar het werd beschouwd als een gelukkig toeval en veroorzaakte weinig opwinding. Twee jaar later vond een andere jongen een diamant, deze keer een 85,5-karaats, de Ster van Zuid-Afrika – en de jacht was geopend. Zeelieden drosten in Afrikaanse havens, gouddelvers lieten hun claims in de steek, boeren zetten hun ploegen aan de kant, tienduizenden mensen, die claims van negen bij negen meter bewerkten, 'tienmaal doodkistformaat' zoals het gezegde luidde.

Uiteindelijk ging de ontginningsindustrie ook ondergronds, speurend naar de kimberlietlagen die Cross had genoemd. Alle diamanten, behalve die via meteorieten de aarde bereikten, kwamen diep uit de aarde en waren ontstaan toen koolstof miljarden jaren geleden onder een enorme druk en hitte kwam te staan. Heftige, cataclysmische uitbarstingen stootten de diamanten omhoog in wortelvormige 'lagen' van vulkanisch materiaal dat blauwig-grijs van kleur was. Het materiaal dat de diamanten omhoog voerde werd kimberliet ge-noemd, naar het 'grote gat' in Kimberley, Zuid-Afrika, een van de eerste diamantmijnen.

Kimberlietlagen die tot aan of vlak bij de oppervlakte reikten, ero-deerden in miljarden jaren door het weer en door aardbevingen, en de diamanten erin werden honderden of zelfs duizenden mijlen ver gevoerd langs rivieren en de zee in.

Een Afrikaans gezin, een man, vrouw en twee kleine kinderen, kwam ons van de rivier af tegemoet toen de Land Rover naderde. De rechterarm van de oudere man ontbrak.

'Een *mutilado*,' zei ik, een woord gebruikend dat ik geamputeer-den had horen gebruiken. 'Auto-ongeluk?'

'*Machete*,' zei Cross. 'Een paar rivierdelvers waren te laat met hun betaling aan een machthebber van de rebellen. Het deed er niet toe wie niet had betaald, Savimbi's mannen plukten gewoon een tiental uit het water en hakten hun armen af. Maar niet meer dan één arm per man, zodat ze nog konden werken. Als ze niet stierven aan hun verwonding.'

Cross stapte uit de auto en liep als een oude vriend naar hen toe, schudde handen, babbelde met hen. Hij haalde een handvol snoep uit zijn zak en gaf dat aan de kinderen. In mijn oren, die opnieuw ge-stemd waren in Luanda, klonk het alsof ze een mengeling spraken van Portugees en wat Afrikaans. Portugees was de officiële taal van het land, maar buiten de steden en dorpen werd het weinig gespro-ken.

Toen de sociale inleiding achter de rug was, overhandigde de man Cross een paar stenen. Cross hield ze tegen het licht en onderzocht ze met een loep. Na nog enkele woorden te hebben gewisseld, gaf Cross hun geld en stapte weer in de auto.

'Een van mijn partners. Ik geef een paar van de rivierdelvers geld voor eten en voorraden, tegen een percentage. Andere keren koop ik claims op en laat ze door mensen bewerken. Alweer tegen een per-centage.' Hij overhandigde me de diamanten. 'Enig idee wat ze waard zijn?'

Het was een test. Ik pakte de loep van mijn vader en bekeek ze. 'Ze hebben wat gebreken, maar ze zijn bruikbaar. In New York brengen ze misschien duizend, vijftienhonderd dollar op. Ik heb geen idee hoeveel ze hier waard zijn.'

'Nog geen tien procent van wat ze in New York of Antwerpen in de groothandel waard zijn. Waarschijnlijk geeft Ortego, de man van de diamanten, er honderd dollar voor. Dat is de opbrengst van een paar maanden voor dat gezin, zelfs een goede, en ze krijgen maar de helft na aftrek van de onkosten. Maar een paar dollar is veel voor mensen die niets hebben. Ik zal deze aan Ortego verkopen en belasting er-over betalen aan de rebellen.'

Cross keek me spottend aan. 'Ik verdien elke week een extra duizendje met mijn nevenactiviteiten, nog geen fooi voor een rijke man als jij, maar het houdt me staande in de business.'

'In afwachting van de grote slag.'

'In afwachting van de grote slag. En de goden spelen graag een spelletje. Er worden net voldoende behoorlijke diamanten gevonden om je lekker te maken, je te laten zweten en vloeken, maar niet voldoende om je rijk te maken. En een enkele keer slaat de bliksem in. Een paar maanden geleden vond een vrouw die een claim bewerkte, een tachtigkaraats steen, niet loepzuiver, maar toch een paar honderdduizend waard, zelfs voor de dikzak. Ik weet niet hoeveel de vrouw en haar man hebben gekregen – áls ze al iets hebben gekregen. Sommigen zeggen dat ze als vorsten in Luanda leven. Anderen zeggen dat hun lijken begraven zijn achter het huis van de dikzak. Of in een van de massagraven die de rebellen geregeld delven.'

'Wat verwacht jij?'

'Ik zeg dat ik het ga maken, tegen een steen trap en ontdek dat het een duizendkaraats loepzuivere blauwe diamant is. Ik verkoop hem aan een van die computerfreaks, een miljardair uit Silicon Valley, en koop een eiland ergens in de South Pacific met palmbomen, mooie inheemse vrouwen, en mijn eigen microbrouwerij. Net als in de film.'

27

❖

De mijn bevond zich op de top van een heuvel. Gezien vanaf de voet van de heuvel zag hij eruit als een gevangenis, en die indruk was niet ver bezijden de waarheid. Er liep een drie meter hoog hek omheen met prikkeldraad, en daarachter een massieve muur van tweeënhalve meter hoog met nog eens anderhalve meter prikkeldraad op de bovenkant. Tussen de twee omheiningen zag ik een bewaker lopen met een dobermann. Het eerste wat we tegenkwamen was een wachthuis.

'Jezus, ik voel me alsof ik een straftijd ga uitzitten in het Alcatraz.'

'Er zijn drie dingen die je moet weten over diamantmijnen,' zei Cross. 'Beveiliging, beveiliging, beveiliging. Als er ook maar een enkele manier is waarop wie dan ook wanneer dan ook diamanten in handen kan krijgen, bedenken ze die om ze te stelen. Ze slikken ze in, stoppen ze in hun reet, laten ze met duiven naar buiten vliegen, gooien ze in het afval dat door hun vrouwen op de vuilnisbelt wordt onderzocht, klemmen ze in de banden van een bevoorradingstruck, of gooien ze in de benzinetank, waar hun handlangers ze later weer uithalen. En dat zijn nog maar een paar methodes.

De arbeiders tekenen voor een periode van drie maanden en verlaten gedurende die tijd nooit het complex. Omdat diamanten klein zijn en met tientallen tegelijk kunnen worden ingeslikt, om nog maar te zwijgen over andere lichaamsopeningen, worden ze als ze weggaan of de mijn verlaten voor een noodzakelijke rustpauze met röntgenstralen onderzocht. Dat gebeurt ook met iedereen en alles wat in contact komt met de mijnwerkers, behalve met Eduardo en mij. Als je hier lang genoeg werkt, ga je lichtgeven in het donker. En, verdomme, dat is niet eens onfeilbaar. Ze maken een deal met de röntgentechnicus om de resultaten van het röntgenonderzoek te vervalsen of knoeien zelfs met de apparatuur.'

Eduardo was niet op kantoor toen we binnenkwamen. Zijn boekhoudster, Carlotta Santos, een topzware vrouw in een jurk die haar weldoorvoede lichaam nauwelijks in bedwang wist te houden, was verbaasd ons te zien. Cross vertelde dat Carlotta ook gemengd Portugees-Angolees bloed had.

Te oordelen naar het uiterlijk van de vrouw had ik onmiddellijk in de peiling dat ze iets meer was dan alleen een boekhoudkundige hulp voor Eduardo. Eén blik op de boekhoudster, en ik was ervan overtuigd dat hij hier in de mijn zijn bed warm hield met haar. Ik geef toe dat ik een beetje gevoeliger ben voor wie het wel of niet doet dan de meeste mensen.

Voor een gewone boekhoudster droeg ze een paar mooie juwelen. Eén diamant aan een ketting was een goede tweekaraats. Op het eerste gezicht leek het meer dan een paar jaar salaris voor haar, zelfs als je rekening hield met de gestegen salarissen in het diamantgebied.

Het was niet moeilijk om je in te denken dat Eduardo zijn honing peurde uit mijn diamanten.

'Eduardo is beneden. Er is iets van de apparatuur kapotgegaan en hij moet dat controleren. Ik zal laten doorgeven dat je hier bent.'

'Laat maar, ik ga hem wel zoeken,' zei Cross.

Ze keek Cross spottend aan. 'We verwachtten je morgen pas. Je hebt niet gebeld om ons te laten weten dat je zo gauw zou komen met senhor Liberte.'

'Dat spijt me.'

Zijn gezicht bleef uitdrukkingsloos terwijl hij sprak – wat me de indruk gaf dat Cross met opzet vroeger was gekomen om Eduardo en de vrouw te verrassen. Ik wist niet of hij probeerde de mijnopzichter of iemand anders te betrappen op fraude, of het alleen deed om iedereen alert te houden. Er was nog een derde mogelijkheid – dat Eduardo en hij samen een deal hadden en hij zich wilde laten gelden.

Cross ging weg om de man te zoeken en ik maakte het me gemakkelijk in het kantoor van de opzichter terwijl ik wachtte. Op zijn bureau lag een pakje met tien diamanten en ik bestudeerde ze tijdens het wachten. De diamanten hadden het enigszins 'zeperige' gevoel van diamanten die uit de aarde zijn gehaald. Elke diamant was van hoge kwaliteit en kon worden geslepen tot een diamant van minstens een karaat of meer.

Tien- of vijftienkaraatsdiamanten waren een druppel in de emmer als je bedacht wat er uit een mijn moest komen om die winstgevend te maken. Voor elke karaat moesten tonnen aarde worden opgegraven. Maar diamanten werden niet verondersteld te eindigen op het bureau van de mijnopzichter. Hun uiteindelijke bestemming, voordat ze onder strenge bewaking en beveiliging uit de mijn werden getransporteerd, hoorde een kluis in de sorteerruimte te zijn.

De Blue Lady leverde meer industriële diamanten op dan diamanten die geschikt waren om tot juwelen te worden geslepen. Dit pakje was kennelijk zorgvuldig uitgezocht. Uit mijn koekjestrommel.

Een paar minuten later kwam Cross terug met Eduardo.

De mijnopzichter kwam met een zenuwachtig gezicht binnen. Hij was broodmager, rond de vijftig, met een koperkleurige huid en scheefstaande gele tanden. Waar Cross overkwam als een ongezouten en genadeloos eerlijke klootzak, wekte de mijnopzichter de indruk van een glibberige wezel.

Na een paar inleidende woorden in het Portugees ging ik in dezelfde taal verder en wees naar de diamanten die ik op zijn bureau had gevonden. 'Goeie diamanten.'

'Die komen niet uit de mijn,' zei Eduardo haastig. 'Dat zijn alluviale diamanten, ik heb rivierclaims, net als Cross.'

'Ja, maar jouw claims leveren heel wat meer op dan de mijne,' zei Cross.

'Ik heb geluk gehad.'

'Ik wou dat de mijn zoveel geluk had gehad,' zei ik. 'Hij produceert een paar ruwe diamanten van redelijke kwaliteit, maar meestal klein, minder dan een karaat, en veel zo klein als zandkorrels, samen met een groot aantal diamanten van industriële kwaliteit. Als we geregeld diamanten konden ophalen zoals deze zou de mijn winst maken.'

'We halen op wat de aarde levert,' zei Eduardo.

Ik grinnikte. 'Als Moeder Aarde niet wat royaler wordt, kan ik beter met een emmer naar de rivier gaan dan geld in de mijn stoppen.'

'Ik vermoed, senhor, dat u na Luanda en nu het mijngebied te hebben gezien, heel snel tot de conclusie zult komen dat u beter af bent in New York.'

'Laten we de mijn eens bekijken,' zei ik.

'Nu? Misschien kunnen we dat beter morgen doen, als u bent uitgerust en zich georiënteerd hebt…'

'Ik heb duizenden kilometers afgelegd om deze kat in de zak te bekijken. Ik heb het maar liever zo gauw mogelijk achter de rug.'

Cross maakte zich uit de voeten, met de mededeling dat hij een paar dingen moest afhandelen die met de beveiliging te maken hadden.

Ik volgde Eduardo door de beveiligingspoort die het kantoorgebouw scheidde van de eigenlijke opgravingen.

'Hoe lang bent u van plan bij ons te blijven?' vroeg Eduardo.

'Zo lang als nodig is,' zei ik. 'Nu ik eenmaal mijneigenaar ben wil ik ook weten hoe hij functioneert.'

Hij keek me aan met een blik die weinig twijfel liet bestaan aan zijn mening dat ik geestelijk gestoord was.

'Ik ben een nieuwsgierig mens,' zei ik. 'Als ik aan het roer sta van iets, wil ik precies weten hoe alles in zijn werk gaat. Ik weet niets van diamantontginning – behalve dat het me een hoop geld kost.'

'De diamantontginning is in de laatste eeuw niet veel veranderd,' zei hij. 'Er zijn diamanten en er is aarde. Je moet nog steeds graven en de aarde zeven om de diamanten te vinden. Dat betekent dat je tonnen aarde moet bewerken voor elke kleine karaat diamant. Honderd jaar of zo geleden zijn Rhodes en anderen begonnen de oppervlakte van de grond en de rivierbeddingen af te schrapen om de diamanten te vinden. Na een tijdje groeven ze schachten in de grond, haalden miljoenen tonnen aarde op en onderzochten die op wat vaak niet meer dan een klein spikkeltje diamant was.

'Tegenwoordig gebeurt het nog steeds op vrijwel dezelfde manier als in de vorige eeuw. De grote mijnen die eigendom zijn van De Beers en anderen hebben misschien modernere apparatuur, vooral in het verwerkingsstadium, maar de meeste mijnen zijn net als de Blue Lady. De methodes zijn beproefd, betrouwbaar en fundamenteel. Het ontginnen van diamanten is minder gevaarlijk en minder smerig dan van steenkool, maar het moet toch met grote behoedzaamheid worden gedaan.' Met die woorden gaf hij me een helm om op te zetten.

Ik luisterde naar Eduardo alsof ik niets wist, maar door de lessen van mijn vader kende ik de manier waarop diamanten worden ontgonnen. Maar mijn kennis kwam uitsluitend uit boeken. Zien hoe het werkelijk in zijn werk ging was een openbaring.

'Zou het de opbrengst verhogen als we investeerden in betere apparatuur?' vroeg ik.

'Het zou de hoeveelheid bewerkte aarde verhogen, en daarmee dus de "opbrengst", zoals u het noemt. Maar het zou goed geld naar kwaad geld zijn. Een diamantmijn kan een gat in de grond zijn waarin geld wordt gegooid.'

We stapten in een liftkooi. Eduardo bleef praten terwijl we afdaalden.

'Het doel van de diamantontginning is de kimberlietlagen te vinden, de blauwe aarde, waarin diamanten worden gevonden. Diamanten worden onder enorme druk ongeveer 150 kilometer onder de oppervlakte van de aarde gevormd en omhooggestuwd tijdens vulkaanuitbarstingen. Toen de vulkanen miljoenen jaren geleden de blauwe aarde omhoogbrachten, bereikte iets ervan de oppervlakte, maar het meeste bleef begraven of werd in de loop van de tijd begraven.'

Hij gebaarde naar de grond die we passeerden tijdens de afdaling. 'De grond om een buis heen wordt een rif genoemd. Het rif hier is ongeveer dertig meter dik, dus oorspronkelijk moest je minstens dertig meter de grond in om wat diamanten te kunnen vinden.

'Na het rif, voordat je bij de blauwe aarde komt, is een gebied dat we gele aarde noemen. Die gele aarde is een mengsel van grijsblauwe aarde en gewone grond zonder diamanten, en is ontstaan toen andere grond zich een miljard jaar geleden vermengde met de blauwe aarde. Er worden diamanten gevonden in de gele aarde, maar de grootste opbrengst komt uit de blauwe aarde zelf.

'En dat, senhor, is het probleem met uw diamantmijn. We zijn alleen op gele aarde gestuit. Blauwe aarde is hier niet – of heeft ons ontweken. We hebben naar alle kanten schachten gegraven in het rif,

138

maar we hadden nooit genoeg geld voor het aantal tunnels dat we nodig hebben.'

'En als ik meer geld investeer?' Het was bluf. Ik had het geld niet en het was geen land waar je financiering door een bank kon verwachten. Ik wilde alleen de stemming peilen.

'Zoals ik al zei over nieuwe apparatuur, het is goed geld naar kwaad geld,' zei hij. 'De Blue Lady is een *puta* met een droge kut. Ze wil geld maar geeft weinig weg van haar charmes. We weten er net genoeg uit te halen om de pacht en de vaste lasten te kunnen blijven betalen. U kunt betere en veiligere investeringen vinden in Amerika. En een veiligere plaats om uw leven door te brengen.'

De lift kwam knarsend tot stilstand. We stapten in een schacht die witgekalkt was en verlicht met zwakke elektrische lampen.

'We schilderen de muren en zolderingen wit zodat we minder licht nodig hebben.'

Hij leidde me door gangen naar een tunnel waar geen witte wanden meer waren. Eduardo wees op de mijnwerkers en een stapel steengruis aan het eind van de tunnel. 'Deze plek is vanmorgen opgeblazen. Eerst boren we gaten in de muur die moet worden opgeblazen, dan stoppen we explosieven in die gaten. Na de explosie worden steengruis en aarde in kruiwagens geladen. We zullen ze volgen.'

De kruiwagens werden door de tunnel gereden. Onderweg gingen ze door speciale deuren die gesloten werden ingeval van een overstroming. Steengruis en aarde werden overgeladen in kleine karretjes op een spoorlijntje. Het was zwaar werk.

'Nu volgen we de treinkarretjes naar de pletmachine.'

Onder het lopen vertelde Eduardo me een oude grap over de diamantontginning.

'Op een dag kwam een mijnwerker uit de mijn met een lege kruiwagen. Dat maakte de bewakers achterdochtig en ze fouilleerden de man grondig. En vonden niets. De volgende dag na het werk kwam de mijnwerker naar buiten, weer met een lege kruiwagen. Alweer een grondig onderzoek zonder dat er iets werd gevonden. Dat ging dag in, dag uit zo door, en zelfs de mijnopzichter en de veiligheidsman werden erbij gehaald, maar ze vonden nooit één diamant op de man. Weet u waarom, senhor?'

Ik wist het. Ik had het verhaal als kind al gehoord van oom Bernie, maar ik wendde onwetendheid voor.

'Omdat hij geen diamanten stal,' brulde Eduardo en sloeg op zijn been. 'Hij stal kruiwagens!'

De spoorkarretjes werden geleegd op een transportband die het erts naar een pletmachine voerde. Toen het erts was fijngemalen om het te reduceren tot aarde en grind werd het met transportemmers naar de oppervlakte gebracht.

'U wilt natuurlijk vragen of er diamanten verpulverd kunnen worden in dit apparaat.'

Dat wilde ik niet vragen, maar ik hield me nog steeds van de domme en knikte als de bezoekende sul voor wie Eduardo me aanzag.

'Ja, zelfs diamanten, de hardste substantie op aarde, kunnen vergruizen als ze op de juiste plaats gekraakt worden.

Er bestaat altijd een mogelijkheid dat heel grote diamanten beschadigd worden, maar dergelijke diamanten zijn zeldzaam. Bovendien zijn de mijnwerkers zelf tijdens het hele proces op de uitkijk naar alles wat licht weerkaatst. Ze krijgen een bonus als ze diamanten vinden voordat die in de pletmachine komen.'

We gingen met de lift weer naar boven. Daar volgden we het erts naar waterreservoirs.

'Dit zijn de karnende bassins waarin het erts uit de pletmachine wordt gedumpt. Het zware grind en de diamanten zinken terwijl de rest wordt weggespoeld. Grote diamanten worden afgescheiden, en wat is overgebleven aan erts, grind en diamanten wordt weer op een transportband gebracht die ze naar de smeertafels brengt.'

De 'smeertafels' waren een reeks vibrerende brede aluminium trappen met ongeveer anderhalve centimeter vet. Het erts werd over de trappen heen gewassen.

'De karakteristieke eigenschap van een diamant is dat hij zich vasthecht aan het vet terwijl andere stenen en grind eraf gespoeld worden.'

Eduardo liet de waterstroom een ogenblik afsluiten en schraapte met een troffel wat van het vet af. Met zijn pen porde hij in het vet en haalde een paar kleine steentjes te voorschijn. 'Dit zijn echte ruwe diamanten.'

Hij praatte tegen me alsof ik een schoolkind was dat een opvoedkundige rondleiding in de mijn kreeg. Hij veegde de troffel af aan een metalen mand die op een keukenzeef leek, maar met veel fijnere gaatjes. 'Het vet wordt in de manden met uiterst fijne gaatjes geschraapt, en die manden worden in kokend water gedompeld om het vet te verwijderen. Dan worden de diamanten gesorteerd en gegradeerd.'

In de gradeerkamer onderzochten mannen bij goed licht en met vergrootglazen de stenen en gradeerden ze. Terwijl Eduardo het proces uitlegde, maakte ik nu en dan een beleefde opmerking.

Toen we de sorteerruimte verlieten, zei Eduardo: 'Jullie Amerikanen willen altijd de essentie weten, dus dit is het.

De diamantwinning is voornamelijk een simpele, wiskundige kwestie. Als je eenmaal op ertshoudende grond bent gestuit, gaat het om de vraag hoeveel duizenden kilo's aarde verwijderd moeten worden voor elke karaat diamant. Hoe minder aarde en hoe meer kwalitatief goede diamanten, hoe meer winst er wordt gemaakt.

'Onze winsten worden beïnvloed zowel door het feit dat we opereren in een oorlogsgebied, waar we steekpenningen moeten betalen

140

en waar alles duurder is, als door het elementaire feit dat we geen blauwe aarde hebben gevonden. Er schijnt nergens in de omtrek van deze mijn blauwe aarde te zijn. Er moet per karaat veel meer gele aarde worden verwijderd om diamanten te vinden dan in mijnen die in rijke blauwe aarde opereren. Het is duidelijk dat hoe meer aarde er moet worden opgegraven, getransporteerd en bewerkt, hoe hoger de kosten per karaat zijn. We moeten bijna twee keer zoveel aarde per karaat bewerken als de meeste andere mijnen. Daarom kan deze mijn nauwelijks winst maken, ondanks mijn totale inzet.'

Ik luisterde en zei niets. Ik was nog steeds bezig alles te verwerken wat ik had gehoord en gezien sinds ik een paar uur geleden was aangekomen.

Hij boorde een ander onderwerp aan toen we naar het administratiegebouw liepen. 'Ik ben benaderd door een syndicaat dat interesse toont voor de mijn en die wil kopen. Ik verwacht de laatste details binnenkort te krijgen, waarschijnlijk morgen. Er is me gezegd dat het aanbod een korte bedenktijd heeft; u zou onmiddellijk moeten beslissen. Ik heb ze aan het lijntje weten te houden omdat ik uw komst verwachtte.'

'Waarom zouden ze een verliesgevende mijn willen kopen?'

'Ze denken dat ze hem goedkoper kunnen bewerken. En misschien kunnen ze dat ook, door gebruik te maken van slavenarbeid, of van dwangarbeiders die door de UNITA worden geleverd.'

Ik voegde dit nieuws bij de informatie die ik al had. Eduardo was zo eerlijk en oprecht als een Luandese hoer. En minder betrouwbaar. Dat hij me bestal, diamanten roofde, was duidelijk. Hij was een dief. De vraag waar het om ging was of Cross met hem samenspande. En of ik levend uit Angola weg zou komen als ik hen ermee confronteerde.

De andere kwestie die me intrigeerde was het aanbod om de mijn te kopen. Iemand dacht kennelijk dat de mijn winstgevend kon worden. Waarom was hij dat dan niet? Ik was nieuwsgierig naar de details van het aanbod, maar ik had weinig hoop. Eduardo was niet het type om me iets goeds toe te schuiven.

Voor we afscheid namen stelde ik Eduardo een vraag die me voortdurend door het hoofd speelde.

'Heb je wel eens gehoord van een grote rode diamant, zuiver robijnrood?'

Hij schudde zijn hoofd. 'Als er zo'n diamant bestaat, heb ik er nooit een gezien. Ik heb over één zo'n diamant gehoord, een loepzuivere diamant die vroeger eigendom was van een vorst, maar ik weet niet of hij werkelijk bestaat of slechts een legende is.'

'En João Carmona?'

Dat verraste hem. 'Carmona? Een echte misdadiger, geloof me. Ik geloof dat hij achter de Portugese corporatie zat die vroeger eigenaar

141

van de mijn was. Hij staat slecht bekend in Angola. Hij was zo dom om Savimbi op te lichten.' Eduardo grinnikte. 'Een grote fout. Savimbi is niet alleen gek, maar ook dol op moorden. Een heel slechte combinatie als hij je vijand is.'

28

❖

Ik installeerde me in de kamer die me was toegewezen in het gebouw waar de mannen van het management gehuisvest waren en maakte de rekening op.

Het stond als een paal boven water dat Eduardo de mijn bestal. Daar had je geen hersens voor nodig – hij had tegen me gelogen over de herkomst van de ruwe diamanten die ik op zijn bureau had gevonden. De stenen hadden een zeperig gevoel. Diamanten die uit de grond komen hebben een olieachtig laagje. Ik denk dat ze daarom aan de smeertafel blijven kleven. Maar de olieachtige laag wordt eraf gespoeld en weggeveegd bij blootstelling aan water en andere elementen – een ander feit dat mijn vader me had geleerd tijdens die sessies na schooltijd.

De diamanten die Cross waren overhandigd door de rivierdelver en die hij me in de Land Rover had laten onderzoeken voelden niet zeperig aan. Eduardo's diamanten wel. Ze waren uit de sorteerruimte uit mijn diamantmijn gekomen. Gewoonlijk is de zeperige laag er afgespoeld als ze in de gradeerruimte komen, wat betekende dat de diamanten in de mijn in Eduardo's zak verdwenen. En de beste plaats voor de diefstallen was de smeertafel.

Speelde Cross onder één hoedje met Eduardo? Het waren twee verschillende persoonlijkheden – de een bot en openhartig, de ander inherent bedrieglijk – maar ze werkten allebei voor een afwezige eigenaar die duizenden kilometers ver weg woonde. Het zou ook moeilijker zijn voor Eduardo om te stelen zonder het hoofd van de veiligheidsdienst erbij te betrekken. En Cross had heel duidelijk gemaakt dat hij maar één reden had voor zijn aanwezigheid in Angola: met een hoop geld naar huis te kunnen gaan. Natuurlijk was dat ook mijn enige reden.

Ik moest aannemen dat ze samenwerkten en dat de onderstroom van animositeit tussen beiden een schijnvertoning was om mij om de tuin te leiden. Eén ding wist ik zeker – als Eduardo stal, was de boekhoudster zijn medeplichtige. Stelen op het werk was iets wat je deed met je vriendin, niet met je vrouw.

De volgende ochtend zat ik op de uitkijk bij het raam tot ik Eduardo door het hek de mijn binnen zag gaan. Toen verliet ik mijn kamer en verscheen in alle vroegte op het kantoor van de boekhoudster.

'Ik wil de boeken zien, Carlotta.'

Ze staarde me aan of ik zojuist neergestraald was door Scotty.

'De boeken? Waarom?'

'Omdat ik de eigenaar ben.'

Ik kon aan haar pruilmond zien dat ze er niet aan gewend was dat mensen tegen haar snauwden, en dat was voor mij de bevestiging van haar relatie met Eduardo. Mensen zijn meer geneigd op hun tenen te lopen rond de vriendin van de baas dan rond zijn ondergeschikte. Ze was een hitsige meid, met een zinnelijk lichaam en sex-appeal, te veel voor een man om met haar te kunnen werken zonder last te krijgen van zijn testosteron. En Eduardo leek me geen man die zich boven een kleine zonde verheven voelde. Maar de doorslag gaf het feit dat ze zo formeel tegen elkaar waren, 'Senhor Marques dit…' en 'Menina Santos dat…'

Mensen die elke dag, de hele dag, samen in een kantoor werkten noemden elkaar geen 'juffrouw' en 'meneer', tenzij ze iets te verbergen hadden en de schijn ophielden.

Toen ik achter de grootboeken zat, besefte ik dat ik er geen flauw benul van had hoe ik die moest interpreteren. Ik had geen onvoldoende gehad voor boekhouden en had gewoon geen enkele economische opleiding gevolgd.

Ik staarde naar de boeken en vroeg me af wat ik er in godsnaam mee aan moest. Waarschijnlijk zou ik wel tot de essentie ervan kunnen doordringen, al zou iets van de terminologie misschien mijn verstand te boven gaan. Maar ik besefte dat het enige wat ik eruit zou kunnen opmaken de huidige toestand van de mijn was. Om de cijfers echt te begrijpen, moest ik iets hebben om ze mee te kunnen vergelijken. Het verleden van de mijn, andere mijnen met een soortgelijke productie.

Ik verdiepte me er zo goed mogelijk in. Er waren maandelijkse en jaarlijkse verslagen, en aan de hand daarvan was het niet moeilijk een algemeen overzicht te krijgen van de situatie. Althans op papier wist de mijn zich met moeite staande te houden, maakte de ene maand wat winst, leed de volgende maand verlies.

De boeken bevestigden Eduardo's verklaring dat er geen geld werd verdiend met de mijn omdat ze pech hadden met het vinden van diamanten. We haalden domweg te veel tonnen aarde op per karaat. Dat was het, in het kort gezegd.

Het zou in orde zijn geweest als ik hem niet van diefstal had verdacht.

Aan de andere kant wist ik niet of Eduardo voldoende stal om de mijn aanzienlijk minder profitabel te maken. Het lag voor de hand dat Eduardo een beetje kon afromen zonder dat Cross het wist, maar als de hoeveelheid diamanten die hij verduisterde groot genoeg was om de winst van de mijn te beïnvloeden, moest Cross ervan op de hoogte zijn.

Diefstal was niet het enige wat me bezighield. Ik was nog steeds geïrriteerd over de manier waarop Eduardo het nieuws had laten vallen dat er een aanbod was om de mijn te kopen. De identiteit van de kopers was vaag. En het nemen van een onmiddellijke beslissing was niet de wijze waarop de verkoop van een mijn tot stand kwam, zelfs niet in een oorlogsgebied. Om nog maar te zwijgen over het feit dat niemand een bod zou doen op de mijn zonder hier te zijn geweest om de mijn nauwkeurig te onderzoeken. En opnieuw tijdens de zekerheidstelling.

De gedachte kwam bij me op dat Eduardo bij de verkoop betrokken kon zijn, als een stille partner, en de productie met opzet laag hield om de prijs van de mijn te drukken.

Bij het doorkijken van de boeken zocht ik naar inconsistenties, iets dat me zou vertellen dat er meer diamanten uit de mijn werden gehaald dan verantwoord werden. Ik controleerde de hoeveelheid grond die maand na maand werd opgegraven en bewerkt, vergeleken met het aantal karaten, maar het bleef redelijk consistent. Ik ging de kwantiteit en kwaliteit na van de diamanten zoals opgegeven door de sorteerruimte en vergeleek ze met wat er verkocht werd aan de groothandel, maar alweer was er weinig inconsistentie.

Ik besloot de boeken te controleren van vroegere jaren om te zien of ik een bepaald patroon kon vinden.

'Geef me de boekhoudkundige samenvattingen van de afgelopen tien jaar,' zei ik tegen de boekhoudster.

'Die zijn er niet.'

'Waarom niet?'

'Senhor, de mijn is pas twee jaar open.'

Waarom had ik daar niet aan gedacht? Doe zo stom en onwetend mogelijk, Win, hield ik me voor terwijl ik me weer begroef in de boeken.

Ik bracht de hele ochtend door met het steeds weer controleren van de boeken, zoekend naar iets wat niet klopte, maar ik vond niets. Het kon niet anders, ik moest iets over het hoofd zien.

Ten slotte kwam ik tot de conclusie dat hij de boeken niet vervalste. De echte tip voor die conclusie was niet mijn ontoereikende kennis van boekhouden, maar de manier waarop de boekhoudster reageerde op mijn verzoek om de boeken te zien. Ze was verbaasd, zelfs geërgerd, maar niet ongerust. En Eduardo kwam een keer langs om goedendag te zeggen tijdens mijn onderzoek, zonder dat er bij hem een zweetdruppeltje te bekennen was.

145

Hij moest de diamanten stelen voordat ze verantwoord werden. En Cross zat in het complot.

Toen ik klaar was, vroeg Eduardo me in zijn kantoor te komen.

'Bent u tevreden over uw onderzoek van de boeken?'

'Ja, alles lijkt me in orde.'

'Mooi. Nu u weer hebt kunnen constateren hoe slecht de financiële situatie van de mijn is, kan ik u alleen maar aanmoedigen het koopaanbod te accepteren. Ik heb het vanmorgen telefonisch doorgekregen. Helaas moet ik u ook vertellen dat ik van plan ben uw dienst te verlaten. Mijn vrouw en kinderen dringen erop aan dat ik terugkeer naar ons huis in Luanda.'

'Het spijt me dat je vertrekt. Dat zou natuurlijk van enige invloed kunnen zijn op mijn overwegingen om het bod al dan niet te accepteren. Hoeveel bieden ze precies?'

'Het komt neer op een contante betaling aan u van vijfhonderdduizend Amerikaanse dollars. Natuurlijk gaat de helft van de verkoopopbrengst naar de UNITA.'

'Van wie komt het bod?'

'Van een Zuid-Afrikaanse corporatie. Ik heb begrepen dat die pas kortgeleden is opgericht, een partnerschap van een paar rijke zakenlieden met ervaring in de diamantwinning. Omdat het een bod in contanten is, achten ze het niet nodig verdere informatie over zichzelf te geven.'

'Eerlijk gezegd, Eduardo, het kwart miljoen dat ik netto zou overhouden na de helft aan de rebellen te hebben betaald, zou nog niet genoeg zijn om mijn drankrekening te betalen. Bovendien bestaat de mogelijkheid dat de regering in Luanda de rest in beslag neemt als ik probeer aan boord van een vliegtuig te stappen. Wat zit er voor jou vast aan die deal?'

'Niets natuurlijk. U bent de eigenaar van de mijn, en ik ga toch weg. Het bedrag op papier is hun publieke aanbod. Er kan een regeling worden getroffen dat een half miljoen dollar rechtstreeks op uw naam op een Zwitserse bankrekening wordt gestort. Omgekeerd zou de UNITA op papier zien dat u slechts de helft van dat bedrag krijgt, zodat u hun slechts honderdvijfentwintigduizend schuldig zou zijn. Ik hoor dat niet te zeggen, maar ik denk dat de nieuwe eigenaars kunnen worden overgehaald om het percentage aan Savimbi's mensen te betalen, zodat u het volle half miljoen krijgt.'

Ik deed net of ik erover nadacht, terwijl ik probeerde uit te maken met hoeveel lagen van bedrog ik geconfronteerd werd. Voor iemand die niets aan de deal verdiende, wist Eduardo niet alleen verdomd veel, maar had hij zich aan alle kanten gedekt – tot en met het verhogen van de inzet.

Mijn 'bullshitdetector' loeide zo luid als een luchtalarmsirene. Die kerel wilde me te graag zien wegwandelen met geld op zak, zelfs al

146

was het een habbekrats vergeleken bij wat ik vroeger had. En hij vroeg niet eens een bonus voor zijn bemiddeling. Hij deed het uit goedertierenheid.

Het beviel me niks.

Eduardo had iets te maken met het bod; er was iets gaande achter de schermen. Het dreigement om op te stappen was om mij onder druk te zetten, zodat ik zou verkopen. Pressie had ik niet nodig, maar wél heel wat meer dan een paar honderdduizendjes. Voor een mijn waarin ik meer dan vijf miljoen had geïnvesteerd.

'Ik zal erover nadenken.'

'De kopers moeten…'

'Christus, ik heb een beetje tijd nodig, Eduardo. Ik ben hier net. Ik wijs het bod niet meteen af, maar wil het alleen een tijdje door mijn hoofd laten gaan, het misschien met mijn advocaat en accountant bespreken. Zeg maar tegen de kopers dat ik erover nadenk. Die mijn loopt niet weg.'

29

❖

Ik besloot de mijn in mijn eentje te onderzoeken – zonder dat Eduardo me opdrong wat hij wilde dat ik zou zien, zoals de lift, de transportband en de pletmachine. Ik wilde alles van de operatie weten. Misschien zou ik die mijn binnenkort zelf moeten runnen. Het was niet iets dat ik in een paar uur zou leren, maar er was ook geen fysicus voor nodig om toezicht te houden op een diamantmijn, vooral niet omdat ik het alleen maar zou doen tot ik een andere opzichter zou kunnen vinden of een goed bod ervoor kreeg.

Het moeilijkste en ingewikkeldste van een diamantmijn was ervoor zorgen dat je niet iets stoms deed en een overstroming of een instorting veroorzaakte – of, wat het meest voorkwam, je liet verrassen door het ontbreken van reserveonderdelen en een technicus voor een kritiek mechanisme waardoor de hele mijn gesloten zou worden, zoals de lift, de lopende band en de pletmachine.

In tegenstelling tot een kolenmijn was er weinig risico voor een ontploffing in de Blue Lady, en evenmin waren er de kilometers lange tunnels die vaak in een ander soort mijnen worden aangetroffen. Geologische onderzoekingen en proefboringen gaven aanwijzingen waar diamanten en gevaarlijke bronnen van ondergronds water gevonden konden worden en bepaalden de richting waarin de tunnels gegraven werden. Als ik de machines en de arbeiders aan het werk kon houden en er contant geld binnenkwam van de verkoop van de productie kon ik de mijn draaiende houden tot de bliksem insloeg. Tenminste, dat hoopte ik.

Ik moest voldoende elementaire zaken weten over de mijnexploitatie, en de namen, gezichten en functies van de voornaamste medewerkers, zodat ik, als Eduardo vertrok, de mijn draaiende kon houden tot ik een vervanger vond. Meestal was de man die het drijfwerk van de transportbanden en de lift oliede, of wist hoe hij ze met een ruk en een trap aan de gang moest houden, belangrijker voor de dagelijkse gang van zaken dan de mijnopzichter, die 99 procent van zijn tijd in zijn kantoor aan de telefoon zat of in zijn papieren rommelde. Of de boekhoudster naaide.

Ik ging met de lift naar beneden tot het niveau van de exploitatie en greep de dienstdoende voorman bij de arm.

'Laten we een eindje gaan lopen, ik wil weten hoe alles in zijn werk gaat.'

Zijn Portugees was beperkt, maar hij begreep wat ik wilde. Met een beetje Portugees, een paar lokale uitdrukkingen die ik had opgepikt, en een hoop gebarentaal, konden we met elkaar communiceren terwijl ik hem ondervroeg over alles wat ik zag.

Bij de pletmachine zag ik een klein ruw plekje. Ik wreef het tussen mijn vingers en voelde het zeperige laagje waardoor het aan het vet op de transportlijn zou blijven kleven.

Vier uur later, toen ik een algemeen idee had hoe de explosieven werden gehanteerd, geleerd had hoe ik de pletmachine moest instellen, sluisdeuren moest sluiten, rails leggen, een liftkabel vervangen en honderd andere essentiële dingen, kwam ik bij de smeertafel. Onderweg liet ik een monteur zien hoe je een probleem moest opsporen in een benzinemotor of bij de kleine tractor die de treinwagentjes voorttrok. Van een benzine- of dieselmotor had ik meer verstand dan iemand anders in de mijn. Het enige waarvan ik beter op de hoogte was dan van een motor waren de onderdelen van een vrouw.

Terwijl ik toekeek hoe de man aan de smeertafel het mengsel van vet en diamanten in de zeven legde, haalde hij er voorzichtig een tweekaraatsdiamant uit en gaf die aan mij. Ik bedankte hem glimlachend. Toen oefende ik me in het verwijderen van de vet- en diamantentroep en smeerde de tafel, om precies te weten hoe het gedaan werd.

Hij kende minder Portugees dan de voorman, maar met behulp van beiden wist ik de vraag over te brengen hoe vaak de man aan de smeertafel diamanten opzij legde voor Eduardo, zoals hij voor mij had gedaan.

'Hij zegt: misschien een paar diamanten per week, dat is alles,' zei de voorman. De voorman was niet dom. Maar hij was eerlijk. Hij bleef met een stalen gezicht kijken toen hij mijn achterdocht bevestigde dat de smeertafel de plaats was waar Eduardo de diamanten achteroverdrukte. Ik zei tegen de voorman dat ik voor beiden een bonus zou toevoegen aan het weekloon als onze discussie geheim bleef.

Ik maakte een snelle berekening aan de hand van de diamanten die ik in Eduardo's kantoor had gezien, wat de smeerder me zojuist had verteld en hoeveel de dikzak die diamanten kocht ervoor zou betalen. Ik dacht dat Eduardo misschien voor een paar duizend per week aan diamanten in zijn zak stak. Geen onbeduidend bedrag, en ook in Angola was het geen speldengeld. Maar gezien het feit dat de

149

helft van de gemelde opbrengst van de mijn eindigde in de zakken van de regering of van de krijgsheren zou het niet veel hebben uitgemaakt als het geld was teruggevloeid in de mijnproductie.

Eduardo's afromen aan de smeertafel kon onmogelijk het financiële plaatje van de mijn veranderen.

Ik vroeg me af of het Zuid-Afrikaanse bod misschien niets meer was dan het witwassen van bloeddiamanten zoals João in zijn hoofd had – bloeddiamanten voor wapens. Dat was een reële mogelijkheid. Het was een verlieslijdende mijn en kon voor een lage prijs worden gekocht.

Maar toen ik naar de sorteerzaal ging om het wegen en graderen van de diamanten te bekijken, knaagde er een gedachte aan me.

De mijn is elke dollar waard die Bernie ervoor heeft betaald.

Bernie had zijn fouten, maar hij was geen stommeling, ook al gedroeg hij zich soms als zodanig. Hé, Bernie, stop alles wat je hebt in een bloeddiamantmijn in een oorlogsgebied aan de andere kant van de wereld! Steek ook de erfenis van het kind erin!

In New York, toen ik verbijsterd was door het feit dat ik failliet was, geloofde ik in dat scenario. Maar nu ik João in Lissabon had gesproken, de mijn had gezien en aan Bernie dacht, klonk het onjuist.

Ik zei het hardop om te horen hoe het klonk: 'Bernie was geen stommeling.'

Bernie wist dat mijn vader João niet vertrouwde. Hij zou niet met hem in zee zijn gegaan. Niet in een opwelling. Ja, grote winsten in bloeddiamanten en het bezit van een diamantmijn was wel iets voor Bernie. Maar Bernie was geen stommeling. Verdomme, Bernie had de zaak langer dan tien jaar na de dood van mijn vader geleid. Hij was geen gisse zakenman, maar hij hield de zaak op de been – zonder aan de grond te raken, tot deze vreselijke Angola-deal.

Ik kon niet anders dan veronderstellen dat Bernie te conservatief was om alles te riskeren in een plan van João voor het witwassen van bloeddiamanten. De enige reden waarom Bernie zoveel geriskeerd zou hebben was als hij dacht dat het een zekerheid was. Ik kon zien hoe het waarschijnlijk tot stand was gekomen. Hij zou zich aangetrokken hebben gevoeld tot een bloeddiamantendeal met João. Een snelle winst, een hoge rente op een investering, en een element van criminele samenzwering waar Bernie van zou hebben genoten.

Bernie was mijn vader niet, hij was niet zo slim in het zakendoen of zo knap in het zichzelf verkopen. Bernie had een achilleshiel – zijn ego. Maar hij had ook een scherpe kijk op de diamanthandel. Wat hij tekort kwam aan aangeboren intelligentie compenseerde hij met osmose – de diamanthandel zat hem in het bloed, omdat hij zijn hele leven erin had doorgebracht. Tot die mijntransactie had hij mijn trustfonds niet alleen instandgehouden, maar elk jaar vermeerderd, ondanks mijn hoge uitgaven. Ik was zo kwaad op hem toen ik ontdekte dat ik failliet was, dat ik hem niet de eer had gegeven die hem toekwam.

Het bloeddiamantenplan van João zou te riskant zijn geweest voor Bernie om alles erin te investeren. Nu ik erover nadacht kon ik niet aannemen dat Bernie alles geriskeerd zou hebben zonder een back-upplan. Hij moest hebben gedacht dat hij iets had om op terug te vallen. Maar dat was mislukt.

Wat wisten Bernie, Eduardo en het Zuid-Afrikaanse syndicaat over de mijn dat ik niet wist – en, daar was ik van overtuigd, João ook niet?

En wat was er gebeurd om het allemaal zo ernstig te maken dat Bernie een eind aan zijn leven maakte? Of had hij hulp gehad bij dat raam?

Ik kreeg weer een intuïtieve inval.

Bernie moest iets geweten hebben over de mijn waardoor hij er zoveel geld in stak. Dat moest het zijn. Bernie was te slim om zich zonder een back-upplan te hebben ingekocht in een zaak die rode inkt bloedde.

Er was nóg een gedachte die aan me bleef knagen. Ik vroeg me af waar Simone was tijdens de onderhandelingen met Bernie. Bernie was niet stom als het om geld ging, maar als er vrouwen in het spel waren?

Als er iemand was die Bernie om kon praten, was het Simone.

Simone. Bernie. Bloeddiamanten. De Blue Lady.

Ik kreeg er hoofdpijn van.

Ik ging naar mijn kamer en verdronk mezelf in een fles *vinho verde*.

30

❖

De volgende ochtend, toen ik overwoog wat ik moest doen met de rode inkt bloedende mijn, kreeg ik bezoek van de duivel.

Ik had mijn leertijd nog niet beëindigd, dus ging ik met de binnenkomende dagploeg de mijn in. Weinig mijnbouwers spraken Portugees, maar ik klampte me vast aan dezelfde voorman van gisteren, met wie ik goed kon communiceren. Ik had Cross en Eduardo de vorige avond met opzet vermeden en had in mijn eentje in mijn kamer gegeten – en gedronken.

'Heb je ook in andere mijnen gewerkt?' vroeg ik de voorman.

Hij haalde zijn schouders op. 'Een paar.'

'Is deze mijn anders?'

'Sommige andere mijnen hebben misschien beter materiaal, sommige slechter, sommige vinden blauwe aarde, sommige gele, sommige gewoon bruine zonder diamanten. Deze mijn is zo ongeveer als alle andere, niet rijk en niet arm.'

'We moeten op een kimberlietlaag stuiten, wil het een rijke mijn worden, klopt dat?'

'O, ja! Blauwe aarde, dan is iedereen gelukkig.'

Hij bedoelde zowel de eigenaar als de mijnwerkers, omdat de mijnwerkers een bonus kregen als de productie een bepaalde limiet overschreed.

'Is er wel eens blauwe aarde ontdekt in de mijn?' Het was een schot in het duister.

Hij schudde zijn hoofd. 'Geen blauwe, alleen gele. Maar er zijn diamanten in de gele aarde. Alleen niet zoveel en zo goed als in de blauwe. Maar op een goeie dag vinden we de blauwe aarde, hè, senhor? Daarom noemen we haar de Blue Lady. Een lady is geen *puto*.'

'Ik hoop dat ze haar naam eer aandoet.'

Ik liet me nog eens alles uitleggen, nog twee keer. Van de auto- en bootmotoren wist ik dat als je een wedstrijd verloor omdat er iets kapotging, het niet het grote motoronderdeel zou zijn maar een rub-

152

berslangetje van een paar centimeter of de flinterdunne pakking die naar de haaien ging.

'Ik wil ook alle reserveonderdelen zien,' zei ik tegen de man die over de inventaris van onderdelen en apparatuur ging. De reserve-inventaris was pover, niet alleen door de financiële toestand van de mijn maar door de invoerproblemen van apparatuur. Ongeveer de helft van de verschepingen verdween tussen de buik van het vliegtuig en het douanepakhuis.

'Vaak kopen we van dieven de onderdelen terug die naar ons verscheept worden,' zei het hoofd van het voorraadmagazijn. 'En dan zijn er nog de belastingen. De regering incasseert de ene belasting, de rebellen de andere. En als de onderdelen met vrachtwagens over land vervoerd worden, moeten er ook nog allerlei tolgelden worden betaald.'

Onderdelen ruilen met andere mijnen behoorde ook tot het spel. Het was geen georganiseerd proces. Ik leerde algauw dat ik ondanks mijn arrogantie nog een hoop te leren had. Ja, ik wist beter dan Eduardo hoe je de motoren moest repareren die gebruikt werden om de mijnapparatuur te laten functioneren. Maar ik wist absoluut niet hoe je de riem van een generator moest vervangen als je niet de plaatselijke handelaar kon bellen om hem te laten bezorgen.

Er waren voornamelijk lege planken in de getraliede kooi waar de onderdelen werden bewaard. De man van het voorraadmagazijn zei dat Eduardo langzaam maar zeker de hoeveelheid reserveonderdelen had verminderd, met de verklaring dat de mijn zich die niet kon veroorloven. Mijn bloed begon te koken, want ik besefte dat het een deel van Eduardo's plan was om de mijn in de rode cijfers te houden. Apparatuur kostte hier veel meer dan in Europa of de Verenigde Staten, maar merendeels was het toch een kleine uitgave vergeleken bij de totale kosten van de mijnexploitatie. Een gebroken katrol van vijftig dollar kon de hele mijn stilleggen tot hij was vervangen. De mijn zou gesloten zijn, maar de meeste vaste lasten zouden blijven doorgaan omdat de mijnwerkers stand-by bleven.

Het hoofd van het magazijn had een neef die veel voor hem bemiddelde en onderhandelde als er onderdelen nodig waren. Hij werkte voor het hele mijngebied.

'Geef me een lijst van alles wat we nodig hebben,' zei ik. 'En van alles wat gewoonlijk kapotgaat. Je weet van vroeger wel wat we voornamelijk nodig hebben. Zet je neef nu aan het werk om de lijst aan te vullen voordat we die dingen nodig hebben.'

Er kwam plotseling een gedachte bij me op. 'Zou je neef ruwe diamanten willen accepteren voor de onderdelen in plaats van geld?'

Hij haalde nietszeggend zijn schouders op, maar ik zag dat ik doel had getroffen. De mijn betaalde de UNITA uit de opbrengst van de verkoop van ruwe diamanten. Door de onderdelen te kopen met diamanten die niet in de UNITA-pot gingen, kreeg ik er een grote korting op. En de neef zou blij zijn omdat hij een grotere waarde in diamanten ontving dan wanneer hij in geld betaald zou worden. Ik vroeg me af hoeveel andere onkosten van de mijn ik zou kunnen betalen met diamanten. Misschien zou ik met Cross bespreken of ik hem met ruwe diamanten kon betalen. Nadat ik had uitgepuzzeld wat ik aan Eduardo zou doen – en ontdekt had of Cross betrokken was bij wat Eduardo in zijn schild voerde.

Ik stond naar het werken met de explosieven te kijken toen een van de mijnwerkers naar me toe kwam en me een bericht overhandigde. Cross wilde me spreken.

Hij stond te wachten in de lift. 'Kom aan boord, de duivel wacht boven.'

'Dit verdomde land is te heet voor de duivel.'

'Precies, maar deze wordt El Diablo genoemd – behalve in zijn gezicht – omdat hij satan zelf de stuipen op het lijf zou jagen. Kolonel Jomba is de sterke man van Savimbi en zijn UNITA.'

'Wat wil hij?'

'Wat willen die mensen altijd? Het is tijd om de pacht te innen. Eduardo zal hem de boeken laten controleren en hem het percentage geven van de productie van de mijn, maar kolonel Jomba heeft speciaal naar jou gevraagd. Hij wil je onder vier ogen spreken.'

'Waarom?'

'Al sla je me dood.'

'Mooie beveiliging ben je.'

Cross greep me bij mijn arm voor ik de lift uitstapte en trok me terzijde zodat hij niet gehoord zou worden door een groep mijnwerkers die stond te wachten om af te dalen.

'Pas op je woorden tegen Jomba, je hebt nog nooit zo'n man ontmoet. Hij is een wild beest en nauwelijks menselijk, het evenbeeld van Savimbi. Als je maar naar hem loenst, laat hij je armen afhakken. Als je hem voor vijftig cent oplicht, laat hij de amputatie heel langzaam gebeuren. Op die manier kun je tijdens het doodbloeden over je zonden nadenken. Miljoenen mensen zijn gestorven in deze krankzinnige oorlog en mensen als Jomba hebben er persoonlijk honderden, misschien wel duizenden vermoord.'

Ik had zo'n idee waarom de kolonel me wilde spreken. Maar dat kon ik Cross niet vertellen. João had gesuggereerd dat ik benaderd zou worden voor de diamanten-voor-wapenstransactie. Ik vermoedde dat het zover was. Mijn knieën knikten. Wat had ik me in godsnaam op mijn hals gehaald? Wapens en bloeddiamanten smokkelen had in Lissabon een heel andere klank dan in Angola. Als ik niet heel goed oppaste, zou iets van het bloed dat aan de diamanten kleefde dat van mijzelf zijn.

Een rij jeeps met machinegeweren en antitankraketten erop gemonteerd stond geparkeerd bij de ingang van de mijn. Zo'n dertig, veertig ruw uitziende soldaten hingen rond bij de auto's. Ze zagen er onbeschaafd en grimmig uit, meer als de plunderaars die ze waren dan als militairen.

Cross pakte mijn arm weer vast. 'Je bent op jezelf aangewezen, bubba, ik heb geen uitnodiging gekregen. Strijk die duivel niet tegen zijn haren in; ik kan je niet helpen als je dat doet. Hou je mond dicht, je portefeuille open en probeer bang te kijken. Als je het in je broek doet, maakt dat meer indruk op hem dan een grote mond.'

'Bang kijken zal gemakkelijk genoeg zijn.'

'Nog één ding. Als hij je uitnodigt voor een barbecue, sta je waarschijnlijk op het menu. Hij heeft eens een *garimpeiro* aan het spit gebraden omdat hij iets voor hem geheim had gehouden. Waarschijnlijk had hij hem voor vijftig cent opgelicht.'

Jezus. Toen ik dichter bij de man kwam, besefte ik dat Cross niet overdreef – de kolonel zou de eetlust bederven van Hannibal the Cannibal. Hij leek op een stier, breed middel, dikke armen en korte benen als boomstammen. Met een groot kaal hoofd waarop geen haartje te zien was. Stierennek. Voeg alles bij elkaar en je had een kerel die mijn armen en benen eraf kon rukken en me ermee afranselen.

Toen ik dicht genoeg bij kwam, verergerde het beeld nog. Hij had duivelshorens aan beide kanten van zijn hoofd laten tatoeëren. En om zijn hals een ketting van prikkeldraad. Ook de messneden op beide wangen ontgingen me niet.

De opzettelijke mutaties waren waarschijnlijk niet bedoeld om angst aan te jagen. Hij was zelf al angstaanjagend genoeg. Ongetwijfeld had hij de horens en prikkeldraadketting laten aanbrengen omdat hij van het kunstwerk hield.

En dat was echt beangstigend.

Hij droeg een Brits officiersrottinkje onder de arm. Zijn laarzen glommen als spiegels. Medailles rinkelden op zijn borst. Een 9mm halfautomatisch pistool zat in een holster onder zijn linkerarm. Op zijn enorme lijf leken de wapens kinderspeelgoed – waarschijnlijk had hij als baby, toen hij niet meer dan zestig kilo woog, erop gekauwd toen hij tanden kreeg.

Op zijn hele lichaam stond 'gevaarlijke rotzak' geschreven. Ik kon me niet indenken dat één mijneigenaar te laat zou zijn met de pacht. Het was alsof je de man met de zeis weigerde te betalen.

Wat zeg je tegen een kerel met tatoeages van duivelshorens en prikkeldraad?

'Hallo, ik ben Win Liberte,' zei ik in het Portugees.

'Ik ben kolonel Jomba,' zei de man.

'Hoe maakt u het.' Ik stak mijn hand uit, maar liet hem weer langs mijn zij vallen. Ik wist niet zeker of ik hem wel terug zou krijgen.

Hij had scherpe tanden, zoals je bij een haai verwacht. Ik vroeg me af of hij ze opzettelijk bij had laten vijlen. Misschien was het een modegril, zoals de duivelshorens en het prikkeldraad. Of misschien waren de tanden afgesleten door het kauwen op de botten van zijn slachtoffers.

Op de motorkap van zijn jeep was bij wijze van versiering een doodshoofd geschilderd.

Ook een modegril.

Hij sloeg met het rottinkje tegen de zijkant van zijn been terwijl we al lopend praatten. Zijn Portugees was uitstekend, gecultiveerd, beschaafd, beter dan mijn huis-tuin-en-keukendialect.

'Senhor Carmona heeft u in Lissabon over het plan verteld?'

Ik had het goed geraden. Dit was het contact van de bloeddiamantendeal.

'Niet echt. Hij zei dat hij een regeling wilde uitwerken met certificaten voor diamanten die uit gebieden kwamen waar, eh, conflicten zijn geweest.' Ik zei niet dat ik twijfelde of ik er wel op in zou gaan. De kolonel was geen man die je teleurstelde met een weigering of zelfs maar met een lichte aarzeling.

'We staan onder grote druk. Als we te lang wachten, komt er een openlijke burgeroorlog. Als dat gebeurt, zullen Angolese diamanten worden geclassificeerd als conflictdiamanten en geboycot worden. In dat geval zal uw certificatie waardeloos zijn.'

'Ik begrijp het,' zei ik, zonder iets te begrijpen. Waar wilde deze kolonel heen? Hij was een ondergeschikte van Savimbi. En João was *persona non grata* in transacties met Savimbi en de UNITA. Het woord 'coup' kwam bij me op. Ik kreeg het vermoeden dat de kolonel diamanten wilde ruilen voor wapens om die ten eigen bate te gebruiken. Het feit dat het om een schurkenstreek kon gaan was niet bepaald bemoedigend. Dat zou de regering in Luanda ten val brengen en ik zou de UNITA-rebellen van Savimbi op mijn dak krijgen als het misliep.

Kolonel Jomba ging verder. 'De Bey kan ook niet naar Angola komen, tenminste niet openlijk. Hij was Carmona's partner bij de poging om Savimbi te bedriegen. Dus zult u een actievere rol moeten spelen, de taken op u nemen die Carmona en de Bey niet kunnen vervullen.'

'Ik wil niet...'

Hij bleef staan en keek me recht in het gezicht, tikte met zijn rottinkje tegen zijn been. 'We begrijpen elkaar toch, hè?'

'Natuurlijk.' Ik glimlachte. Ik begreep het volkomen. Mijn hoofd zou op de motorkap van de jeep worden gemonteerd als ik hem tegen de haren in streek. João had een paar dingen voor me verzwegen toen hij me in Sintra over de deal vertelde – voornamelijk dat mijn leven gevaar zou lopen. Cross had gezegd dat Savimbi persoonlijk de vrouw en kinderen van een tegenstander had vermoord. Ik wilde er niet eens aan denken wat hij zou doen met een Amerikaan die erop betrapt werd dat hij een complot tegen hem smeedde. Jomba zou iemand levend aan het spit hebben gebraden. Om maar te zwijgen over het afhakken van armen.

De uitdrukkingen 'levend gevild worden' en 'de marteling van duizend snijwonden' gingen door mijn hoofd terwijl ik peinsde over mijn eigen potentiële lot.

'Ik kom terug om de specifieke regelingen te bespreken.'

Hij keek achterom naar het wachthuis, waar Cross naar ons stond te kijken. 'Heb je je veiligheidsman verteld dat wij zaken met elkaar zullen doen?' Hij vroeg het heel vriendelijk, lokte een verspreking van me uit als ik loog.

'Geen woord. Hij denkt dat u me wilt spreken over onze maandelijkse pacht.'

Hij keek me scherp aan. 'Heel goed. Als ik aan uw woord twijfelde, zou ik hem nu ter plekke doden.'

'Ik zou graag iets willen weten over de totstandkoming van de transactie. Ik weet dat het diamanten zijn voor wapens, maar ik heb geen flauw idee wat mijn rol…'

'Geen flauw idee is precies wat het beste voor u is. Begrijpt u wat ik bedoel?' Hij wierp me een taxerende blik toe. 'Jullie Amerikanen hebben minachting voor de intellectuele capaciteit van mensen uit de Derde Wereld. Dr. Savimbi heeft een doctoraat van een Zwitserse universiteit. Ik ben afgestudeerd in de economie aan een Portugese universiteit. Ik heb ook economie gestudeerd in Londen. Ik weet hoe ik moet tellen zonder mijn vingers en tenen te gebruiken. Maar ik ga op de harde, ouderwetse manier met verraad om. Begrijpt u wat ik wil zeggen?'

Ik bleef staan en keek hem recht in de ogen. 'Ik weet dat u een hoop dreigementen uit tegen iemand met wie u zaken wilt doen. Ik weet dat ik van plan ben mijn kant van de transactie na te komen, maar dat er meer mensen bij betrokken zijn van wie misschien niet hetzelfde gezegd kan worden. Ik weet ook dat ik niet de pineut wil zijn als de boel in het honderd loopt omdat iemand in Lissabon of die Bey niet over de brug komt.'

Jomba grinnikte en knikte met zijn hoofd op de maat van de tikken met het rottinkje tegen zijn been. 'Dan begrijpen we elkaar. U doet wat ú moet doen, en wat er ook gebeurt, u gaat vrijuit. En u zult goed beloond worden voor uw werk.' Hij knikte naar de Blue Ladymijn. 'Veel meer dan u ooit zult krijgen met graven in dat onproductieve gat.'

We namen afscheid, en ik was van één ding overtuigd: de kansen om lang genoeg in Angola te overleven om een grote slag te slaan waren zojuist gereduceerd. Het ging er niet langer om of een twaalfjarige jongen onder invloed van drugs de trekker overhaalde van zijn roestige AK-47 terwijl ik in de baan van de kogel stond. Nu had ik vijanden in hoge kringen. Mannen die barbaarse straffen uitdeelden die Torquemada, het beest van de Spaanse inquisitie, de doodsangst op het lijf gejaagd zouden hebben.

Als een rivierdelver levend gebraden werd omdat hij de boel voor een paar dollar had opgelicht, wat zouden ze dan doen met een Amerikaanse mijneigenaar die een deal met bloeddiamanten verknalde? Of die in de buurt was als de zaak misliep?

Ik had Savimbi niet gezien, maar als Jomba ook maar enigszins op de leider van de UNITA leek, zat ik gevangen tussen twee wilde, wrede demonen. Ik denk niet dat een verzekeringsexpert me een goede kans zou geven om oud te worden – of zelfs mijn volgende verjaardag te vieren.

Eén ding wist ik zeker: João had nog nooit in zijn leven het rechte pad bewandeld. Als het zijn aandeel zou verhogen, zou hij me op bedrieglijke wijze alles afhandig maken wat me toekwam. Als de Bey João's maat was, zou hij diezelfde slinkse manieren hebben. Jomba kon wel zeggen dat ik niets te duchten had als ik mijn taak volbracht, maar ik wilde niet in de buurt zijn als iemand anders hem verneukte.

Toen ik terugliep naar het wachthuis waar Cross stond te wachten, zorgde ik ervoor nietszeggend te kijken. De kolonel had een hoop vragen onbeantwoord gelaten, maar één ding was absoluut zeker – voor mij was het een verlies-verliesscenario. Als ik dat nepcertificaat eenmaal ondertekend had, en gedaan had wat kolonel Jomba verder nog zou willen dat ik deed om hem wapens te bezorgen, zou ik van een noodzakelijke bondgenoot een hoofdgetuige worden van zijn duistere transacties. Die bovendien zou vertrekken met een grote smak geld die hij liever in zijn eigen zak zou steken.

Zoals Cross zou kunnen zeggen, er waren drie mogelijke scenario's voor me in deze wantoestand: dood, dood, dood.

Cross wist hier allemaal niets van en ik was niet van plan hem in gevaar te brengen door hem erbij te betrekken. Al zou hij niet zo stom zijn om een kuil voor zichzelf te graven in Angola.

Toen ik terugkwam keek hij me nieuwsgierig aan. 'Zo, bubba, er steekt meer achter je dan je op het eerste gezicht zou zeggen. En kom nou niet met die onzin aan dat jij en de kolonel het over de pacht hadden – jullie waren de beste maatjes met elkaar. Als die klootzak over geld had willen praten, zou hij dat met Eduardo hebben gedaan; zo subtiel is hij niet.'

'Wil je echt weten wat er gezegd is?'

'Verdomme, nee. Als die krankzinnige idioot terugkomt om iedereen in de mijn af te maken omdat wat het ook is in de soep is gelopen, wil ik naar de hel gaan met de wetenschap dat ik een onschuldige omstander was.'

31

❖

Die avond na het eten klopte ik op Cross' deur. Hij leek niet erg blij me te zien. Hij was bezig zijn koffers te pakken.

'Ga je ergens naartoe?'

'Ik kap ermee, zoals ik je gezegd heb dat ik zou doen. Dat jij vandaag rondliep met de pik van de duivel in je hand was de laatste druppel. Als je hier bent gekomen om me te vragen of ik in dienst wil blijven, verspil je je tijd. Ik verdwijn, *pronto*. Morgenochtend spring ik op mijn paard en rijd de zonsondergang tegemoet.'

'Wat is de ware reden waarom je me in de steek laat? Is het de gewone lulkoek over je armoedige jeugd en de gouden lepel in mijn mond?'

'Ik zei je al, je keus in vrienden bevalt me niet. Zaken moeten doen met de Jomba's van deze wereld is erg, maar het is tenminste alleen maar zakelijk. Als we Savimbi's kornuiten niet moesten betalen, zouden we de schurken aan de andere kant van dit politieke moeras moeten betalen. Te oordelen naar wat ik kon zien van de lichaamstaal van jou en die verdomde gorilla in uniform hebben jullie een ander potje op het vuur staan?

Ik slenterde naar een bijzettafel waarop Cross verschillende flessen drank had staan en schonk een scotch in. Zijn 9mm halfautomatische pistool hing in een holster aan een riem die rond de bedstijl was gehaakt. Praktisch. Hij kon zijn pistool midden in de nacht pakken zonder zelfs maar zijn hoofd van het kussen te tillen.

'Wat voor potje heb ik op het vuur staan?' vroeg ik. Ik ging op het bed zitten en klotste de whisky rond in het glas.

'Ik weet het niet en ik wil het ook niet weten. Maar ik ben een mens en ik ken de slechtheid van de mens, dus kan ik me er wel een beeld van vormen. Kolonel Jomba voert iets in zijn schild. Hij heeft de levensfilosofie van een pitbull, dus is het waarschijnlijk een of ander simpel plan dat moord en roof inhoudt. Wat me doodsbenauwd maakt is de geheimzinnigheid. Deze knapen zijn niet erg subtiel wat betreft het incasseren van de pacht. Wat me doet afvragen of hij er misschien over denkt Savimbi op te lichten. En of jij daarbij betrokken bent.

'Als je denkt dat de kolonel een gemene schoft is, kan ik je alleen maar vertellen dat hij vergeleken met Savimbi een watje is. Als Savimbi jou en een van zijn jongens op diefstal betrapt, stopt hij een hete pook in je kont en laat hij je benzine drinken om af te koelen. In Angola is medeplichtigheid bewezen als je dicht genoeg bij staat om gestrikt te worden als een paar honderd UNITA-gangsters iedereen in de omgeving oppakken.'

'Cross...'

'Nee – nee – nee, vertel me niet wat er aan de hand is, ik wil het niet weten. Maar ik wist dat er smeerpijperij in de lucht zat toen je Carmona's naam liet vallen. Hij heeft een keer geprobeerd Savimbi te belazeren, en zoals ik het zie, heeft hij jou hierheen gestuurd om de deal rond te maken.'

Ik had zo'n idee dat hij gelijk had. De kolonel wilde niet dat er een eind zou komen aan de oorlog, die was veel te lucratief. Vrede betekende dat hij een echte baan zou moeten zoeken. En waarschijnlijk waren er nog heel wat meer in het rebellenkamp die er zo over dachten, die zich ergerden aan het vredesplan waar Savimbi in had toegestemd. Dat gaf João en zijn maatje de Bey de vrije hand om wapens te ruilen tegen diamanten. Cross was niet dom. Als ik hem maar even de kans gaf, zou hij met het antwoord komen dat het om bloeddiamanten ging. Maar ik wilde niet dat hij de waarheid wist tot ik had uitgepuzzeld wat ik moest doen. Bovendien was ik om een andere reden naar zijn kamer gekomen dan om hem te vragen bij mij in dienst te blijven.

Ik bukte me en pakte zijn pistool uit de holster.

'Hé, speel daar niet mee.'

Hij wilde op me afkomen en ik richtte op zijn kruis en zei: 'Ik heb je gezegd dat ik in alles wat ik doe de beste ben. Ook in schieten.'

'Wat haal je je in je hoofd, verdomme. Als je dat verdomde pistool niet een andere kant op richt, stop ik het in je kont.'

'Pak je ruwe diamanten.'

'Wát?'

'Je ruwe diamanten. Ik wil ze zien.'

'Wat kan het jou schelen – o, ik snap het al, je denkt dat ik je besteel, hè?'

'Ik weet dat Eduardo het doet. Ik koester nog een lichte twijfel of jij het ook doet.'

'Klootzak.' Hij pakte een boek, getiteld *The Secret Garden*, van de plank en sloeg het open. Het boek was hol vanbinnen. Hij gooide een buideltje uit het boek op het bed.

'Al die diamanten komen van de rivier. Niet dat jij het onderscheid zult kennen. Op diamanten vind je geen vingerafdrukken, bubba. Je weet niet of ze uit de mijn, de rivier of van de maan zijn gekomen.'

Ik betastte de stenen, wreef ze in mijn hand. Allemaal van verschillende grootte. Een paar waren een karaat of meer, maar de meeste 'kleintjes' waren minder dan een karaat. Sommige waren zelfs van industriële kwaliteit. Zelfs met het blote oog kon ik al zien dat er maar weinig loepzuivere onder waren. En niet één voelde zeperig aan.

'Precies, ze zijn niet olieachtig, ze zijn glad,' zei hij. 'Net als rivierdiamanten. Maar dat wil niet zeggen dat ze niet uit de mijn kunnen komen. Als ze eenmaal in water zijn gekookt om de rotzooi van de smeertafels eraf te wassen, kun je een rivierdiamant niet onderscheiden van een diamant uit de mijn. Tenzij die ouwe heer van je je iets geleerd heeft dat niet in de geologieboeken staat.'

'Dat heeft hij. Niet een hiervan komt uit de mijn.'

Ik stopte het pistool terug in de holster en stond op. 'Jij besteelt me niet. Ik dacht ook niet dat je dat deed, maar ik moest het zeker weten. Eduardo's diamanten hadden het exacte gevoel van ontgonnen diamanten. Hij loog toen hij zei dat ze afkomstig waren van zijn rivierclaims.'

Ik gaf hem de diamanten terug. Ik had het aan moeten zien komen toen hij ze met zijn linkerhand aanpakte. Hij stootte zijn rechtervuist meer dan zeven centimeter in mijn lies, en ik hapte naar lucht. Ik viel achterover op het bed en rolde me op in een foetushouding.

'Ga niet op mijn bed kotsen,' zei hij, 'of ik laat je het weer opmaken met schoon beddengoed.'

Hij vulde een waterglas tot bijna de rand met scotch. 'Wil je nog een slok?'

Ik ging rechtop zitten en hield mijn buik vast, die verdomde pijn deed. 'Ik wil een maag-darmspecialist.'

'Hé, ga nou niet zitten jammeren. Ik heb met opzet op je buik gemikt, om niet je mooie tandjes eruit te slaan. Weet je hoe moeilijk het is om een tandarts te vinden in Angola? Een zonder aids?'

'Bedankt, maat.'

'Ik vond dat je het recht had achterdochtig te zijn.'

'Ik wil niet dat je ontslag neemt.'

'Verrek jij. Waarom niet?'

'Omdat ik je nodig heb. Maar ik ga Eduardo ontslaan.'

'Wie moet zonder hem de mijn runnen? Weet je hoe moeilijk het is om een competente mijnopzichter te vinden?'

'Ik doe het zelf.'

'Shit, de hitte is je naar het hoofd gestegen, of misschien ben je gebeten door een insect waardoor je krankzinnig bent geworden. Eduardo mag dan een klootzak zijn en een dief, wat geen van beide een reden is om iemand in Angola te ontslaan, maar hij heeft ook een diploma van een mijnschool en twintig jaar ervaring.'

'Ik zei niet dat ik de mijn voorgoed zou leiden, alleen maar tot ik een vervanger heb gevonden. En ik weet dat het geen kleinigheid is, maar het is ook niet onmogelijk. Zo gecompliceerd is de mijnexploitatie niet. De helft van het werk draait om het op gang houden van de machinerie. En van machines heb ik meer verstand dan Eduardo.'

'Het lukt je nooit.'

'Het zal wel moeten. Ik kan Eduardo niet in de buurt hebben.'

'Zeg hem dat hij moet ophouden met stelen. En geef hem opslag.'

'Het gaat niet om het stelen. Weet je, ik heb een bepaald gevoel wat die mijn en Eduardo aangaat. Ken je dat oude gezegde: "*There is something rotten in the state of Denmark*"? Er is iets aan de knikker? Die hele toestand stinkt. Het is iets met de mijn, met Bernie die zich tot over zijn oren erin heeft gewerkt, iets meer dan je achterdocht jegens João Carmona en kolonel Jomba. En ik zal er niet achter komen voor ik Eduardo kwijt ben en de mijn in ga en mijn handen vuilmaak en uitzoek wat er precies aan de hand is.'

Cross stak een sigaar op en zoog aan het uiteinde. 'Man, ik ben het niet oneens met je. Ik wist dat Eduardo stal, maar, verrek, dat is gewoon een extraatje voor het werken in dit hellegat van een land. Ik heb nooit gedacht dat hij genoeg stal om de dingen echt te beïnvloeden.'

'Ik geloof niet dat hij dat doet. Hij steelt zo'n duizendje of twee per week, niet genoeg om op de lange duur verschil te maken.'

'Wat denk je dan dat hij in zijn schild voert?'

Ik haalde mijn schouders op en schudde mijn hoofd. 'Ik weet het niet. Maar ik voel de zwendel in mijn botten.'

'Vertel me eens wat je botten je zeggen.'

Ik vertelde hem dat Eduardo probeerde me zover te krijgen dat ik de mijn verkocht. En geen bonus verlangde voor zijn bemiddeling.

'Hij vroeg niet om geld? Holy, shit, bubba, eh, Win, je hebt gelijk. Die lul zou nog geen cent tussen de tanden van een krokodil laten zitten. Ik kan één ding bedenken wat hij van plan kan zijn.'

'De productie belemmeren om de prijs van de mijn omlaag te krikken?'

'Goed geraden.'

'Het is een mogelijkheid. Ik dacht eerst dat ze de waarde van de mijn vervalst en opgedreven hadden om Bernie uit te kleden. Toen ik die opvatting van me af had gezet, was mijn volgende gedachte dat hij leeggeroofd werd. Maar dat is ook niet zo; waarschijnlijk omdat Eduardo jou en iedere andere controleur in de mijn erbij zou moeten betrekken.

'Toen kwam ik op het idee dat hij de productie met opzet laag houdt om de opbrengst van de mijn te verminderen, maar ik heb voormannen gesproken die in andere mijnen hebben gewerkt, en ze gevraagd hoeveel ze eruit haalden. Eduardo schijnt ongeveer gelijk op te gaan ten aanzien van de aarde die ze per manuur ophalen. En we zijn niet op blauwe aarde gestuit, dat is zeker. Je kunt zien dat we nog steeds in de gele aarde graven door te kijken naar wat er op de transportband verschijnt.'

'Maar je denkt toch dat hij iets in zijn schild voert?'

'Hij had tien procent van de verkoopprijs kunnen vragen als vindersloon, vijftigduizend in contanten, zelfs al kreeg hij een bonus van de kopers. Als ik niet dacht dat hij iets van plan is, zou ik hebben toegestemd.'

Cross blies rookkringetjes. 'Ja, hij voert iets in zijn schild. Absoluut. Verdomme, voor zoveel geld zou je bijna mijn loyaliteit kunnen kopen.'

'Ik heb je gezegd, als ík mijn slag sla, doe jij dat ook.'

'Ja, jou vertrouwen? Een knaap die nog nooit in zijn leven een spat heeft uitgevoerd of een cent heeft verdiend? Jij gaat morgen een mijn runnen en ons rijk maken?'

'Cross, je zult één ding moeten leren in het leven: mensen zijn consequent. Verliezers worden nooit rijk. En winnaars hebben succes met alles wat ze ondernemen. Een diamantmijn runnen is niet gecompliceerder dan een zeilwedstrijd winnen.'

'Je bent een nietsnut.'

'Waar. Maar ga eens terug naar die consequentheid. Ik ben een winnaar, in alles.'

'Je wilt me zeker vertellen dat ik altijd een verliezer zal zijn.'

'Nee…'

'Vergeet het, ik wilde juist weer terugvallen in dat gebruikelijke geëmmer over mijn arme jeugd en die gouden lepel in je mond.'

'En, ga je me een handje helpen bij het vuile werk?'

'Waar wil je beginnen?'

'Je gaf me een idee toen je vertelde hoe Savimbi opstandige ondergeschikten behandelt. We zouden een hete pook in Eduardo's reet kunnen steken en hem benzine laten drinken.'

'Daar drink ik op.' Cross slokte de laatste helft van zijn glas whisky naar binnen. Toen veegde hij zijn mond af met zijn mouw en keek me weer vragend aan.

'Oké, wijsneus, hoe weet je dat mijn diamanten niet uit de mijn komen? Ze voelen net zo aan als rivierdiamanten als het vet eraf gekookt is. Wat is het geheim dat je vader je verteld heeft?'

'Eduardo had uitgelezen ruwe diamanten, allemaal meer dan een karaat, allemaal gaaf. Jouw stenen waren een mengelmoes, een paar goeie, een paar slechte, niets echt sensationeels, gewoon het soort dat de *garimpeiros* ophalen met hun schop-en-emmermethode.'

Ik stond op.

'Wat mijn vader me vertelde was dat mensen consequent zijn. Een dief blijft zijn hele leven een dief, zelfs al maakt hij zich er maar één keer aan schuldig. En een eerlijk man steelt niet. Als je één loepzuivere diamant had gehad van meer dan een karaat zou ik geweten hebben dat je die uit de mijn had gehaald. En dan zou ik je linkerbal eraf hebben geschoten.'

32

❖

Cross gebruikte zijn sleutels van de veiligheidsdienst om de deur van Eduardo's verblijf te openen. Onder de deur van de slaapkamer scheen licht naar buiten. We slopen het vertrek door en ik legde mijn oor tegen de deur om te luisteren. Ik herkende de geluiden – het gekreun en gesteun van tweebenige dieren die paren.

Cross was minder bescheiden dan ik en trapte de deur open. Eduardo lag met armen en benen gespreid op het bed en Carlotta lag bovenop hem. Beiden waren naakt. Carlotta gaf een gil en Eduardo schudde haar van zich af, ging met zijn hand onder zijn kussen.

Cross richtte zijn pistool op Eduardo's gezicht. 'Haal je hand eronder uit, langzaam.'

Ik haalde het pistool onder het kussen vandaan terwijl Eduardo en zijn vrouw gillend protesteerden.

'Wist je dat mensen de enige dieren zijn die met het gezicht naar elkaar toe paren?' zei Cross. 'Dat heb ik eens ergens in een boek gelezen.'

'Dit is…'

'Pak je kleren,' zei ik tegen Carlotta, 'en verdwijn.'

Eduardo worstelde zich in zijn broek. 'Dit is een schandaal. Jullie zullen ervoor boeten dat jullie hier zijn binnengedrongen. Ik heb machtige vrienden; morgen zijn jullie dood.'

Gek – in Amerika of Europa zouden mensen dreigen de politie te waarschuwen. In Angola dreigen ze je te vermoorden.

'Ik zal het je in heel simpele bewoordingen duidelijk maken, Eduardo,' zei ik. 'Je hebt van me gestolen, je hebt grote bedragen uit de mijn geroofd. Je hebt de beste diamanten van de smeertafel in je zak gestoken.'

'Krijg de klere!'

'Nee, maat, deze keer ben jij de pineut. Hou hem in de gaten, Cross, terwijl ik rondkijk.'

In de hoek van de slaapkamer stond een metershoge zwarte kluis.

164

'We zullen hem moeten overhalen ons de combinatie van de kluis te geven,' zei ik.

'Vergeet die kluis maar,' zei Cross. 'Daarin vind je nooit iets in Angola. Niemand stopt er iets anders in dan rommel. Bij deze knaap zou ik op zoek gaan naar een geheime bergplaats, grond, muur, plafond.'

Hij had gelijk. Ik vond de schuilplaats onder het aanrecht in de kleine keuken. Ik haalde planken weg uit de bodem van het aanrechtkastje en vond een sigarenkistje vol ingepakte diamanten en een waterdichte buidel met papierwerk.

De blik op Eduardo's gezicht vertelde me dat ik doel had getroffen.

Cross floot toen ik de diamanten uitpakte.

'Die *bastardo* was geen vrek, hè?'

'Loop naar de verdommenis,' zei Eduardo.

Cross sloeg hem op zijn mond. 'Je hebt tijdens mijn diensttijd gestolen, *compadre*. En je hebt zelfs niet aangeboden mij een percentage te geven.'

'Dit zijn eersteklas ruwe diamanten,' zei ik, 'als ze geslepen zijn minstens een karaat, allemaal gaaf of bijna gaaf, minstens vijftigduizend waard, zelfs al krijg je hier maar tien procent.'

Eduardo wilde weer met een dreigement komen, en ik ging naast hem zitten, schudde mijn hoofd, en zei zacht: 'Zo werkt het niet, maat. Kolonel Jomba zal er niet blij mee zijn.'

Eduardo's gezicht werd grauwgroen en zijn ogen puilden uit. 'Jomba heeft hier niets mee te maken, dat weet je.'

'Ik kan het niet voor hem verzwijgen.' Al pratend begon ik de papieren in de buidel te bestuderen. 'Toen hij langskwam, nam hij me apart om over jou te praten. Hij had gehoord dat je de mijn bestal en hem niet zijn aandeel gaf. Een van de voormannen heeft hem de tip gegeven dat je de smeertafel beschouwde als je privé-koekjestrommel. Jomba was niet blij met dat nieuws. Savimbi heeft hem persoonlijk opdracht gegeven die zaak recht te zetten.'

'Jomba is krankzinnig. Hou de diamanten, het kan me niet schelen. Ik ga naar Luanda, naar mijn gezin.'

'Aardig van je om me te laten houden wat je van me hebt gestolen. Hé, wat is dit?'

Ik haalde het afschrift van een Zwitserse bankrekening ertussen uit. 'Meer dan driehonderdduizend dollar.'

Cross schudde zijn hoofd. '*Holy shit*, die knaap is niet mis.'

'Hoe lang is hij al opzichter?' vroeg ik.

'Twee jaar,' zei Eduardo. 'Maar de helft van het geld is afkomstig uit de mijn waar ik hiervóór opzichter was.'

'Oké, dus met vijftigduizend in het kistje en de helft van driehonderdduizend op de bank heb je me voor een paar honderdduizend dollar beroofd. Wat betekent dat je Jomba en Savimbi hebt opgelicht voor honderdduizend. Buiten wat je ze schuldig bent voor je diefstallen in de vorige mijn.'

165

Eduardo zweette peentjes. 'Jomba zal ons allemaal vermoorden als hij erachter komt.'

'Feitelijk heeft hij me een beloning toegezegd, de helft van alles wat ik terugvind.' Ik keek naar Cross. 'Wat denk je dat Savimbi met hem zal doen?'

Cross lachte. 'Je hoeft niet te dreigen. Hij weet het. Nietwaar, Eduardo? Wat denk je? Misschien stukjes afsnijden van je armen en benen, telkens een paar centimeter, en je dan voor de honden gooien? Je tong doormidden snijden omdat je tegen hem hebt gelogen? Als je nog slechts een bloederige stomp bent, zal hij je midden in het stadje ophangen voor de vliegen...'

Eduardo viel slap naar voren en ik ving hem op voor hij tegen de grond sloeg. We zetten hem weer in een stoel en ik schudde hem wakker.

'Ik zal je vertellen wat we gaan doen, Eduardo. Als de banken in Zwitserland morgen openen, maak je een telefonische overboeking en schrijf je alles van jouw rekening over op mijn rekening. En dan geven we je een voorsprong voor we het kolonel Jomba vertellen.'

We bonden Eduardo vast, zodat hij nergens heen kon en verlieten het vertrek. Cross zou in de zitkamer slapen om erop toe te zien dat Carlotta Eduardo niet hielp ontsnappen.

Toen we buiten gehoorsafstand van Eduardo waren, vroeg Cross: 'Ben je echt van plan het aan Jomba te vertellen? Hij zal een enorm percentage eisen als je dat doet.'

'En als ik het niet doe, ben ik degene die zijn aandeel inpikt. Hoe groot schat je de kans dat Jomba iemand in de mijn op zijn loonlijst heeft staan of zo doodsbang heeft gemaakt dat hij hem op de hoogte houdt?'

'Het is wel zeker dat iemand in de mijn verslag aan hem uitbrengt.'

'En, Cross.' We bleven staan en keken elkaar aan. 'Jij krijgt tien procent van wat er over is nadat Jomba zijn percentage heeft geïncasseerd. De rest wordt besteed aan de exploitatie van de mijn.'

'Dank je. En, weet je, ik geloof dat je gelijk hebt wat Eduardo betreft. De diamanten die hij van de mijn heeft gestolen waren niet voldoende om uiteindelijk veel verschil te maken. Dat betekent dat hij iets anders in zijn schild voert.'

Ik hield het stapeltje papieren op. 'Ik zal deze vanavond bekijken. Misschien heeft hij er een spoor in achtergelaten.'

33

❖

Eduardo en zijn liefje gingen weg nadat ik toezicht had gehouden op de overschrijving van het geld van zijn Zwitserse bankrekening naar mijn bank in New York. Het leek of er iets smerigs uit de mijn was geveegd. Met het dreigement van Jomba op de achtergrond dacht ik dat het wel lange tijd zou duren voor we iets van hen zouden horen.

Mijn eerste officiële daad was de promotie van de voorman die me les had gegeven in de diamantontginning. Ik belastte hem met het toezicht op de dagelijkse gang van zaken in de mijn, en liet hem rechtstreeks aan mij verslag uitbrengen.

Ik dronk koffie met Cross op de veranda van het woonverblijf.

'Ik vond de rekening van een geoloog tussen Eduardo's papieren, iemand uit Kaapstad,' zei ik. 'Er is geen rapport, alleen een rekening.'

'Het is niet ongebruikelijk dat een Angolese mijn gebruikmaakt van een Zuid-Afrikaanse geoloog. Was het voor de mijn of voor een andere plek?'

'Voor de mijn.'

Cross haalde zijn schouders op. 'Waarschijnlijk heeft het niets te betekenen. De mijn vraagt nu en dan een geologisch onderzoek aan om de richting te bepalen waarin de schachten gegraven moeten worden.'

'Ik weet het, ik heb ze in de archieven van de mijn gezien. Maar er zijn twee dingen die ongewoon zijn aan de rekening. Hij is niet van de firma die vroeger onderzoek heeft gedaan. Belangrijker nog is dat de rekening officieel voor de Blue Lady was, maar dat Eduardo hem uit eigen zak heeft betaald.'

Cross snoof. 'Eduardo was zo'n vrek dat hij de begrafenis van zijn moeder nog niet zelf zou betalen.'

'Nog iets, hij had de rekening verstopt bij zijn voorraad diamanten. Het moet heel erg belangrijk voor hem zijn geweest. En iets dat hij geheim wilde houden.'

'Bel de geoloog en laat je een kopie van het rapport sturen.'

Ik schudde mijn hoofd. 'Nee, beter van niet. Eduardo beweerde dat de mensen die de mijn willen kopen een groep Zuid-Afrikaanse zakenlieden zijn. Hij kan hebben gelogen, maar hij kan ook onder één hoedje spelen met die geoloog en de Zuid-Afrikaanse groep. Ik wil eerst een onderzoek instellen naar die geoloog, een detective in de arm nemen, zien of die man legaal is, wat zijn reputatie is, misschien hem zelfs een onverwacht bezoek brengen in Kaapstad. Het is moeilijker om nee te zeggen of tegen iemand te liegen als je hem persoonlijk spreekt.'

'Ik heb een vriend die hoofd is van de beveiliging in een Zuid-Afrikaanse mijn. De mijnbouw is een kleine wereld. Misschien weet hij iets over die knaap.'

'Kijk wat je te weten kunt komen. Zorg intussen dat je Jomba te pakken krijgt. Eduardo en Carlotta zullen nu wel in Luanda zijn als ze een charter hebben gehuurd. We moeten hem Eduardo's papieren laten zien en met hem afrekenen. Ik wil niet dat hij het idee krijgt dat we langzaam zijn met betalen.'

'Eh, bubba, niet meteen kijken, maar ik denk dat er iets aan de hand is.'

De voorman van de ploeg mijnwerkers kwam naar ons toe gerend. Cross en ik stonden op en gingen hem tegemoet tot onder aan de trap. Hij was zo opgewonden dat hij in de Afrikaanse taal verviel.

'Portugees,' zei ik. 'Spreek Portugees.'

'Hij zegt dat er een probleem is in de mijn,' zei Cross.

'Langzaam. Wat is het probleem?'

'Er komt water in de schachten.'

'Waarvandaan?' Een stomme vraag, water uit ondergrondse rivieren en beken was een constant probleem in de mijn.

Hij brabbelde weer zo snel in het Portugees en een Angolees dialect dat ik hem niet kon volgen.

'De schoft,' zei Cross.

'Wie?'

'Eduardo ging de mijn in voor hij wegging en liet de nachtploeg de grendels verwijderen van alle waterdichte deuren. Hij heeft ze onder water gezet.'

'Wat? Wat moeten we doen?'

'We? Hoezo "we"? Jij bent de nieuwe mijnopzichter. Begin met je werk.'

DEEL 5

MARNI

34

❖

Met het klembord in de hand keek Marni toe terwijl Angolese arbeiders een truck uitlaadden in een pakhuis van de VN-hulp in het kleine stadje 9 de Outubro. De naam 9 oktober luidde vroeger 28 de Julho, 28 juli, naar de dag waarop het bevrijd werd van de Portugezen tijdens de onafhankelijkheidsoorlog, maar was een paar jaar geleden hernoemd toen de UNITA de naam verwisselde voor de datum waarop zij het 'bevrijdden'.

Een arbeider liet een zak rijst van zijn schouder vallen. De zak scheurde open toen hij op de bumper van de vrachtwagen viel en de rijst verspreidde zich over de grond. Een menigte vrouwen en kinderen die naar het uitladen stond te kijken vloog erop af om handenvol rijst bijeen te schrapen.

'Verdomme!' Marni gooide haar klembord op de grond. 'Dat is de derde zak die jullie hebben laten vallen. Ik heb het wel gezien, het gebeurde met opzet. Klootzak!'

Ze rende weg naar de watercontainer die in de schaduw van een boom stond. Ze bette het zweet van haar gezicht met haar zakdoek en goot er koud water op om haar hals af te koelen.

Michele LaFonte, een ander hulpverlener, raapte het klembord op en ging naast Marni in de schaduw staan. Ze lachte toen ze Marni het bord overhandigde.

'Ik zie dat je het opleidingshandboek volgt hoe je met inheemse arbeiders moet omgaan.' Micheles Engels had een sterk Frans accent. Ze was Marni's supervisor en docent.

'Staan woede-uitbarstingen niet in het handboek? Soms is het de enige taal die ze begrijpen.' Ze knikte naar de vrachtwagen die werd uitgeladen. 'Ze hebben met opzet zakken op de scherpe rand van de bumper laten vallen, zodat ze zouden scheuren. Dat voedsel wordt van de andere kant van de wereld gestuurd om ze te eten te geven en hun eigen mensen saboteren het. De mensen die het oprapen spannen samen met degenen die het laten vallen.'

'Laat me eens raden. Ze vroegen meer geld voor het uitladen, begonnen te laat, treuzelden...'

'Alle drie. En ze willen geen bevelen aannemen van een vrouw.'

'Dat betekent verlies van status voor hen.'

'Zo is het begonnen. Ze vroegen alleen meer geld omdat ik een vrouw ben en ze gingen de boel saboteren toen ik weigerde. Ik had graag gewild dat er iets van de realiteit had gestaan in die handboeken die ik heb gelezen over hulpverlening aan de Derde Wereld voordat ik hier kwam. De handboeken vergaten het verhaal over de vlooien die lelijke wonden achterlaten op je enkels, het voedsel dat je maag in een vulkaan verandert tot je lava kotst, de muggen die dorstiger zijn dan een vampier. Ze vermelden niet eens het tijdverschil. Er is hier geen enkel begrip van tijd, in ieder geval niet iets wat ík begrijp. Deze mensen komen en gaan wanneer ze willen, werken wanneer ze er zin in hebben, en je kunt ze alleen met zekerheid verwachten als het tijd is om uitbetaald te worden.'

'Zeg tegen ze wat ik tegen mijn ploeg heb gezegd – de prijs van elke gescheurde zak zal van hun loon worden afgetrokken.'

'Goed idee!'

In een mengelmoes van Portugees, Umbundu en de internationale gebarentaal, wist Marni tot ze door te laten dringen dat ze de gescheurde zakken van hun loon zou aftrekken. Een honend gejoel ging op onder de arbeiders, maar ze keerden terug naar hun werk en gingen zorgvuldiger om met de zakken, nadat ze gedreigd had het hele stel te ontslaan.

'Goed gedaan!' zei Michele toen ze terugkwam in de schaduw.

'Ik leer nog steeds bij. Ik wou dat ik de taal zo goed sprak als jij om met die mensen te kunnen communiceren. En dat ik jouw lef had.'

'O, dat komt wel. Dat is een kwestie van oefenen. En van overleven.' Micheles gezicht kreeg een ernstige uitdrukking. 'We hebben bericht ontvangen uit het zuiden dat twee van onze mensen en tien Angolese arbeiders van een voedselkonvooi gedood zijn in een hinderlaag.'

'O, nee!'

'De namen zijn nog niet bekendgemaakt. Ik bid dat geen van mijn vrienden zich onder de doden bevindt.'

'Jezus, wat een afschuwelijke manier om te sterven. Vermoord worden terwijl je hier kwam om te helpen. Weten ze wie het gedaan heeft?'

'Nog niet, maar meestal is er weinig over bekend. O, de regering stuurt er patrouilles op af, of Savimbi's UNITA stuurt ze, er zal wat gevochten worden en er zal een aankondiging komen dat afvallige regeringstroepen of afvallige rebellen of struikrovers het hebben gedaan en gestraft zijn, maar we weten nooit wie de waarheid spreekt. Een tijdje blijft alles rustig en dan over een maand of twee komt er een nieuwe overval, en worden voedsel en vrachtwagens geroofd en sommigen van ons gedood.'

'Je bent bewonderenswaardig fatalistisch, Michele. Het soort fatalisme dat het verlangen bij me wekt mijn koffers te pakken en naar huis te gaan.'

'Het is een paradox, hè? VN, Rode Kruis, missionarissen, we komen allemaal hier om de mensen te helpen die zo geleden hebben onder de oorlog, en voedsel en medicijnen worden gekaapt om op de zwarte markt te worden verkocht door sommigen van dezelfde mensen die we komen helpen.'

'Voeg daar nog maar aan toe afschuwelijk ongedierte, vreselijke ziektes, onduldbare levensomstandigheden... verdraaid, ik ga mijn koffers pakken!'

Beide vrouwen lachten.

'Het is ontmoedigend,' zei Marni. 'Ik heb een bad nodig, een koele frisdrank, een diner met een man die niet zo stinkt als ik, misschien een paar tedere momenten met hem tussen schone witte lakens...'

'Je mag mijn vibrator hebben!'

'Ik heb liever je man als hij weer in de stad is.'

'Hij is er nooit, daarom heb ik een vibrator.'

Micheles man was een helikopterpiloot die hulpverleners en voorraden naar geïsoleerde gebieden bracht.

Marni wiste met een zakdoek het zweet van de achterkant van haar hals. 'Het was zo heel anders toen ik naar de universiteit ging in Californië. Lezen over de ellende in boeken, kijken naar documentaires, praten met mensen die in het veld zijn geweest – het bereidt je gewoon niet voor op de werkelijkheid.'

Michele knikte. 'Je weet nooit hoe verschrikkelijk het feitelijk is tot je ziet dat een kind met aids wordt opgevreten door de vliegen, of iemand wiens armen zijn afgehakt, die moet leren hoe ze zich moeten schoonvegen als ze naar de wc zijn geweest. Maar je bent te hard voor jezelf. Je bent pas een paar maanden in Angola en je hebt nu al de reputatie dat je dingen voor elkaar weet te krijgen en weigert toe te geven, ongeacht of je te maken hebt met luie arbeiders of corrupte ambtenaren.'

'Wat me verbaast is dat we allemaal blijven functioneren in weerwil van dreigementen en chaos. Je vertelde me net dat een paar van onze collega's een paar honderd kilometer hiervandaan zijn vermoord. Maar behalve dat we een paar tranen plengen als we een of meer van hen persoonlijk kennen, blijven we functioneren en zorgen dat het werk gedaan wordt.'

'*Oui*, dat doen we.'

'En jij en je man doen dit al jaren.'

'We zullen sterven in het zadel, zoals jullie cowboys zeggen. Hopelijk pas over een heleboel jaren. Mijn enige wens is dat als het zover is, mijn man en ik tegelijk zullen doodgaan. Heel snel.'

'Hemel, praat niet zo.' Marni huiverde.

'Het is een feit. Alles is mogelijk als je in een oorlogsgebied werkt.'

'Soms lijkt het zo hopeloos. Als je voedsel uitdeelt, mensen inent, dan zie je onmiddellijk resultaat. Ik vraag me af of wij enig verschil maken, als het al mogelijk is verschil te maken in deze zee van ellende.'

'*Ce n'est pas la mer à boire.*'

'Het is niet de zee leegdrinken,' zei Marni, Micheles geliefde uitdrukking vertalend. 'Oké, het is niet onmogelijk, maar misschien zullen we verdrinken in menselijke ellende.'

Michele kneep even in haar arm. 'Je bent zo gevoelig, zo idealistisch, misschien wel te erg. Je kwam hier om de mensen van Angola te redden, maar ontdekte dat een hoop mensen het niet waard zijn om gered te worden, omdat ze een deel zijn van het probleem. En de rest is zo onderdrukt, zo gebroken en geslagen dat ze het niet kunnen helpen dat ze vaak deel van het probleem worden omdat ze de hand bijten die ze voedt.

Ik heb een dikkere huid,' ging Michele verder, 'mijn idealen zitten dieper begraven. Ik doe dit al langer dan twintig jaar, in de Congo, Sierra Leone, Rwanda, Bosnië en de Palestijnse kampen. Ik weet dat ik de wereld niet kan redden en ik probeer het ook niet, ik help alleen maar zoveel mogelijk mensen in de hoop dat het op de lange duur verschil zal maken. Bovendien betaalt het goed.'

Marni moest zo hard lachen dat ze begon te hoesten. 'Het salaris kan niet slechter,' bracht ze er hijgend uit, 'en de arbeidsomstandigheden zijn een doffe ellende, maar ik vind je gedeeltelijk moeder Theresa, gedeeltelijk Jeanne d'Arc met een beetje Simon Legree.'

'Simon Legree?'

'Een plantageopzichter, letterlijk een slavendrijver. Hij is een figuur uit een boek. En leer me nu nog wat meer Umbundu-vloeken waarmee ik de arbeiders aan het werk kan krijgen.'

Op dat moment zwaaide en gilde een hulpverleenster, een vrouw van Marni's leeftijd, naar hen toen ze naar de weg liep.

'Ik zie dat Rita het uniform van de dag draagt,' zei Marni.

Michele keek vol afkeer naar de minirok van de vrouw. 'Ik heb op elke hulpverleningsmissie een Rita ontmoet. Er is altijd wel een vrouw die in hyperkorte rokjes en een tanktop zonder beha eronder over de markt loopt, als een bevestiging voor de mannen hier, allemaal zwijnen waar het vrouwen betreft, dat westerse vrouwen allemaal hoeren zijn.'

'Ze gaf me een paar grafische details over het mannelijke geslachtsdeel van de Angolese militaire commandant met wie ze naar bed gaat. Ze noemt het een zwarte mamba. Ik heb de commandant rond zien rijden met een paar plaatselijke hoeren in zijn jeep. Ik zou zeggen dat Rita een risico loopt.'

174

'Ik vraag me altijd af of het werkelijk seks is dat een Europese vrouw als Rita in bed doet springen met de plaatselijke mannen in de landen waar ik heb gewerkt, van de Balkan tot het Verre Oosten. Ik vermoed dat de mannen thuis Rita nooit het respect hebben betoond dat ze nodig heeft – waarschijnlijk omdat ze te gemakkelijk was. De Rita's van deze wereld zoeken hun bevrediging in het bed van een man. Daar vind je die niet, ongeacht wie de man is. En hier riskeert ze haar leven.'

Marni schudde haar hoofd. 'Het is triest, maar ze zal leren dat er twee dingen zijn waartegen je niet kan worden ingeënt: domheid en aids.'

Toen de vrachtwagen was uitgeladen, liep Marni de lange tent binnen waar voedsel en medicijnen werden opgeslagen voor ze gedistribueerd werden. Met Venacio, haar Angolese assistent, begon ze te tellen. Het controleren van de voorraden was de helft van haar werk, het gemakkelijke deel. Proberen zoveel mogelijk ervan in handen te krijgen van de mensen voor wie ze bestemd waren, was het moeilijke deel. Voedsel en medicijnen konden plotseling spoorloos uit het pakhuis verdwijnen, vrachtwagens konden aankomen met minder goederen dan waarmee ze waren uitgereden. Erger nog dan gewone diefstal was de schaamteloze roof door corrupte regeringsambtenaren, krijgsheren van de rebellen, zwarthandelaars en roversbenden.

Landen zijn net als mensen, dacht Marni. Ze krijgen persoonlijkheid en emotionele pijn, net als individuen. Ze kunnen schizofreen worden zoals Duitsland onder de nazi's, paranoïde zoals Rusland onder Stalin. Angola zag ze als een geslagen kind, gegeseld en uitgehongerd, verkracht en gemarteld, tot het niet meer wist wat een normaal bestaan was. Het getraumatiseerde land gedroeg zich psychotisch, verwondde vaak zichzelf en degenen die een helpende hand reikten.

Ze moesten de ellende vastleggen, dacht ze, verzamelen en oppakken en door de strot duwen van de maatschappijen en mensen die de oorlogswaanzin voedden met olie- en diamantdollars. Hongersnood, ziektes, dood en verwondingen door bommen, granaten en landmijnen, plunderingen, kapingen, hinderlagen, verkrachtingen, ontvoeringen, moord – het zou een accountantsverslag van de hel worden, dacht ze.

'*Menina*,' zei Venacio, haar aansprekend met het Portugese woord voor 'miss', 'ik heb net zesentachtig zakken tarwe geteld en u hebt rijst opgeschreven.'

'Sorry, ik was er niet bij met mijn gedachten.'

'Uw hoofd is zo vol van al uw taken dat er geen ruimte meer is voor uw eigen gedachten.' Hij nam het klembord van haar over. 'Ga een eindje wandelen, ga lekker eten en naar een film.'

175

Ze moesten allebei lachen om die grap.

'Oké, ik heb een beetje frisse lucht nodig. Maak de telling af. Als je me laat weten hoeveel er gestolen is tussen het vliegveld in Luanda en hier, lieg dan tegen me, zodat ik me wat beter kan voelen.'

Ze verliet de tent en het kleine kampement van de VN, liep over de onverharde weg langs de rivier. Vrouwen boden voedsel aan – sinaasappels, maïskolven, kleverige ballen zoete aardappel – en vervuilde dranken voor de chauffeurs van de vrachtwagens en bussen die langsreden. Ze wist dat sommige vrouwen ook vleselijke geneugten aanboden, en dat aids niet alleen een dodelijke ziekte was voor deze mensen, maar een onontkoombaar feit. Net als armoede, misdaad en gewapende conflicten.

En toch glimlachten deze vrouwen zo vaak en genoten ze van de kleinste dingen. En ook waren ze vaak edelmoedig en goed voor elkaar. De enige kwaadaardigheid die opviel was de arrogantie van de mannen die automatische wapens hadden en zich meer gedroegen als bandieten dan als soldaten.

In de schaduw van een eucalyptusboom bleef ze even staan en keek naar de *garimpeiros* die in de rivier zochten naar diamanten. Er brak onenigheid uit tussen de rivierdelvers toen één man een stuk hout gebruikte om anderen weg te jagen van wat hij beschouwde als zijn claim. Het was meer geschreeuw en gespetter dan bloedvergieten.

Ze wendde zich af van de ruzie en richtte haar blik op een jongen die zijn vader hielp naar diamanten te zoeken in een dieper deel van de rivier. De oudere man dook omlaag met een emmer in de hand en een plastic buis in zijn mond. De jongen hanteerde een blaasbalg die verbonden was met de buis om voor lucht te zorgen. Tenminste, dat was de theorie – de duiker kwam geregeld boven om naar lucht te happen, dus vroeg ze zich af hoe goed de geïmproviseerde zuurstoftoevoer werkte.

Zonder Gods genade is het met ieder van ons gedaan, dacht ze. Ze had de uitdrukking overgenomen van haar grootvader van moeders kant, Jack Norton, een man die ze pas als volwassene had leren kennen. Hij gebruikte die uitdrukking altijd als hij iemand zag die er slechter aan toe was dan hijzelf.

'Het toeval van de geboorte,' zei ze hardop tegen zichzelf. Daarom was zij niet een van de vrouwen die met een baby op de rug gebonden in het modderige water van de rivier op jacht waren naar diamanten, of in een hut aan de kant van de weg op hun rug lagen om eten te verdienen voor haar kinderen met het bevredigen van de seksuele behoeften van vrachtwagenchauffeurs – terwijl ze langzaam en pijnlijk doodgingen aan hun ziekte. Ze dankte God dat zij niet een van hen was.

Ze draaide zich af van de rivier en leunde tegen de boom, starend naar de rij hutten langs de weg. Verderop richtte een man zijn woede op een vrouw die sinaasappels verkocht. Ze kende genoeg van de taal om te weten dat het iets met geld te maken had, waarschijnlijk het geld dat de vrouw had geïncasseerd voor de verkoop van het fruit. Haar kennis van de Angolese taal was niet zo nuttig geweest als ze gedacht had. De taal verschilde bijna van dorp tot dorp.

Terwijl Marni naar de bewegende lippen keek van de boze man, kreeg ze een beeld van haar eigen vader. En van haar moeder.

Ze was geboren in San Jose, de hoofdstad van Silicon Valley, een uur rijden van San Francisco. Haar vader was een ruimtevaarttechnoloog die zichzelf had omgeschoold tot computerdeskundige toen de defensie-industrie implodeerde en de computerindustrie explodeerde.

Haar vader heette Brian. Haar moeder Rebecca. Er was een tijd geweest dat haar moeder Becky werd genoemd, maar toen ze getrouwd waren, stond mijn vader erop dat mijn moeder uitsluitend bij haar echte naam genoemd werd.

Ze trouwden in Salt Lake City. De hoofdstad van de mormonenwereld.

35

❖

Salt Lake City, 1961

Jack Norton, de vader van de bruid, stond te wachten bij de mormonentempel in het centrum van Salt Lake City. De tempel was de grootste en meest prestigieuze in de mormonenwereld. Jack was zijn leven lang mormoon geweest, geboren uit ouders die zelf kinderen waren van de Mormon Utah Pioniers. Ondanks zijn afkomst werd hij niet toegelaten in de tempel om te participeren in of getuige te zijn van het huwelijk. Zijn dochter Becky, de bruid, stond een eindje bij hem vandaan, naast haar moeder, nerveus wachtend op de uitnodiging om binnen te komen. Huwelijksproblemen met zijn vrouw hielden hen gescheiden.

Zijn dochter liet haar moeder in de steek en liep naar Jack toe. Ze gaf hem een zoen op zijn wang. 'Het spijt me, papa, ik wou dat je binnen kon komen voor de plechtigheid.'

'Dat zou ik ook willen, alleen om bij jou te kunnen zijn en naar mijn kindje te kunnen kijken op de belangrijkste dag van haar leven.'

'Als je alleen maar…'

'Dat heeft geen zin, Becky, ik ben wat ik ben. Ik probeer een goed mens te zijn. Als dat niet goed genoeg is voor mijn familie en mijn kerk…' Hij haalde zijn schouders op. 'Wat kan ik eraan doen?'

Ze legde haar vingers op zijn lippen. 'Je hebt beloofd me geen Becky te noemen.'

'O, dat vergat ik, het is nu Rebecca.'

'Brian zegt dat bijnamen voor kinderen zijn, dat ik nu een vrouw ben.'

Jack glimlachte, hij had zo zijn eigen ideeën, voornamelijk over de bevelen van de man die straks zijn schoonzoon was. Hij was twee keer zo oud als Brian en haatte het gevoel dat hij op moest staan en salueren als de jongeman de kamer binnenkwam. Brian was een sterke persoonlijkheid, maar behandelde de mensen om hem heen alsof hij een hopman was en zij de welpen. Jack verdroeg het met opeengeklemde kaken ter wille van zijn dochter.

Er was een gezegde over mensen met een geest als een stalen klem, met de implicaties dat net als de getande kaken van een klem die om de poot van een dier sluit en niet kan worden afgeschud, sommige mensen zich vastklampen aan ideeën en daar niet meer van afwijken, wat anderen ook zeggen of hoe verkeerd die ideeën ook zijn. Brian Jones was zo'n man – in bijna alles. Hij zat vastgeklonken in zijn eigen wereld. En wat hij zag was een slordige wereld waarin de mensen in het gelid moesten worden gebracht – in de volgorde die hij voorschreef. Hij was extreem netjes en geordend. Toen hij pas zijn bul van de technische universiteit had, leek hij zijn eigen leven te leiden volgens de streepjes op een lineaal en van plan was hetzelfde te doen met het leven van Jacks dochter.

Toen Becky haar vader alleen liet om vrienden te begroeten die arriveerden voor de plechtigheid, kwam haar moeder naar Jack toe om met hem te praten. Ze was kwaad en stak haar gevoelens niet onder stoelen of banken.

'Besef je wel hoe je vandaag iedereen in verlegenheid brengt? Ik vind het niet erg dat je mij voor schut zet, maar je hebt je dochter vernederd omdat je op de belangrijkste dag van haar leven niet bij haar in de tempel kunt zijn.'

'Gek,' zei Jack, 'dat ik niet bij mijn eigen dochter kan zijn in mijn eigen kerk. Ik drink niet veel, rook niet, heb nooit iemand vermoord of iets gestolen. Ik kan geen enkele zonde bedenken die me tot een slecht mens zou maken.'

'Je weet wat je hebt gedaan. Ik ben niet van plan daarover met je te gaan redetwisten. En je drinkt alcohol.'

'Een beetje wijn, ja. Ik ben van mening dat als het goed genoeg was voor Jezus, het goed genoeg is voor mij.'

'O, ja, ik weet het, toen het aanbod van brood en water werd gedaan in de kerk, zei je tegen Rebecca dat Jezus water veranderde in wijn, en het enige wonder van het mormonisme is dat ze erin geslaagd zijn wijn weer in water te veranderen.'

'Terwijl je nadenkt over al mijn denkbeeldige zonden, denk je ook wel eens aan de man die je je dochter hebt opgedrongen?'

'Brian is een gerespecteerde jongeman, hij is nu al een succesvol ingenieur.'

'Het is een huwelijk dat in de hel wordt gesloten. Wat Becky mist aan zelfverzekerdheid, overcompenseert Brian met arrogantie. Hij zal haar leven tot een hel maken en ze zal het allemaal verdragen zonder terug te vechten.'

'Ik weiger naar je te luisteren en aan te horen hoe je een voortreffelijke jongeman belastert. Je hoort je zorgen te maken over je eigen gedrag, niet over dat van Brian.'

Ze liet hem in de steek en liep naar haar dochter en vrienden. Het was tijd voor de plechtigheid.

179

Jack wachtte buiten, liep op en neer door de straat om de tijd te verdrijven. Ja, hij wist wat hij had gedaan, maar daar dacht hij niet aan. Hij vroeg zich af wat er van zijn dochter terecht zou komen. Brian Jones was een man aan wie geen schroefje loszat – hij had alles stevig vastgeklonken, er was geen ruimte in zijn hoofd voor iets anders dan zijn eigen kijk op de wereld.

Terwijl hij rond de grote tempel liep, dacht hij aan de Kerk, waarin hij, zijn vrouw en zijn kinderen waren grootgebracht.

De religieuze beweging van de mormonen was ongeveer honderdvijftig jaar geleden begonnen in het westen van de staat New York. In een tijd van intense godsdienstige opleving in Amerika beweerde een tweeëntwintigjarige boerenzoon dat een engel, genaamd Moroni, hem 'gouden schotels' had gegeven die religieuze onthullingen bevatten. De schotels waren veertienhonderd jaar begraven gebleven. De jongeman, Joseph Smith, beweerde dat hij aan de hand van openbaringen het geschrevene op de schotels had vertaald in wat *The Book of Mormon* zou gaan heten. Volgens Smith waren de schotels teruggegeven aan de engel.

The Book of Mormon, dat door de mormonen wordt geaccepteerd als een heilige schrift in aanvulling op de bijbel, verhaalt dat een 'verloren' stam van de Hebreeuwen, aangevoerd door de profeet Levi, van Jeruzalem naar Amerika migreerde, ongeveer zeshonderd jaar voor de geboorte van Christus, meer dan tweeduizend jaar voordat Columbus op het continent stuitte toen hij op weg was naar Indië. Daar de mormonen het Amerikaanse continent beschouwen als het ware land van het oude testament, ligt volgens de mormonen het paradijs ergens in de buurt van de huidige stad van de Onafhankelijkheid, Missouri.

Op het oude Amerikaanse continent vermenigvuldigden de Hebreeuwen zich en verdeelden zich uiteindelijk in twee groepen: de deugdzame, hardwerkende, nijvere Nefrieten, en de zondige, heidense Lamanieten. De Nefrieten ging het een tijdlang goed, ze bouwden grote steden en werden zelfs onderwezen door Jezus, maar uiteindelijk werden ze uitgeroeid in oorlogen met de Lamanieten. Meer dan tweehonderdduizend Nefrieten sneuvelden in de laatste grote strijd tussen de twee machten.

Volgens de overlevering van de mormonen waren de Lamanieten, die hun geloof verloren en heidenen werden, de voorouders van de Amerikaanse indianen.

De mormoonse beweging, die elementen van joodse en christelijke mystiek combineerde, groeide onder Smith, die periodiek meer openbaringen onthulde.

Een van de hoofdpunten van het vroege mormonisme was de polygamie. Van Smith zelf werd gezegd dat hij met meer dan vijftig vrouwen getrouwd was. Hij werd gearresteerd toen hij de drukpers van een krant in een door hem opgerichte stad had vernietigd nadat de krant hem bekritiseerd had. Er ontstond een vijandige houding jegens de beweging en Smith en zijn broer werden door een menigte uit de gevangenis gehaald en gelyncht.

Het was meer dan eens bij Jack opgekomen dat de grootste aantrekkingskracht van het mormonisme in die tijd het verlangen van sommige mannen was om meer dan één vrouw te hebben en de bereidheid van sommige vrouwen om huishoudelijke slavinnen te zijn.

Een andere volgeling van hem, Brigham Young, voerde een migratie aan naar Great Salt Lake (het grote zoutmeer) in Utah. De mormonen gedijen in de woestijn, en uiteindelijk werd Utah de enige staat die gedomineerd werd door een bepaalde religieuze sekte.

Een gedeukte, rokende VW-camper die knallend door de straat reed, onderbrak Jacks gedachten. De achterkant van de camper was beplakt met bumperstickers. Een ervan trok zijn aandacht: EEN OPGERUIMD BUREAU IS EEN TEKEN VAN EEN OPGEPROPTE GEEST.

Met betrekking tot zijn nieuwe schoonzoon beschouwde hij die woorden als profetisch.

36

❖

In de tempel liep Rebecca zenuwachtig met haar moeder en vriendinnen naar de zaal waar het huwelijk zou worden voltrokken. Net als haar ouders en de man met wie ze trouwde, was ze geboren en grootgebracht in de leer van de Kerk. Al had ze niet de intense toewijding aan religieuze zaken van Brian en haar moeder, ze was geneigd tot gehoorzaamheid uit een enorm verlangen om anderen een genoegen te doen. Haar leven leiden op een manier die de goedkeuring zou wegdragen van haar moeder en aanstaande echtgenoot was belangrijk voor haar. Ze maakte zich snel zenuwachtig over iets, gaf ontwijkende antwoorden en had gebrek aan zelfvertrouwen. Dat was een van de redenen waarom ze zich aangetrokken voelde tot Brian. Hij had alles om zich heen onder controle. Vanaf het moment dat ze elkaar leerden kennen, vertelde hij haar wat ze moest doen en hoe ze zich moest gedragen. Behalve dat hij erop stond dat ze met haar echte naam werd aangesproken, liet hij haar van haardracht veranderen en zich conservatiever kleden om haar afstandelijk en volwassen te doen overkomen.

Ook veel van haar religieuze hartstocht was erop gericht om goedkeuring te oogsten. Diep in haar hart had ze weinig belangstelling voor godsdienst. Maar de kerk was belangrijk voor de mensen om haar heen en dat maakte de leer en goedkeuring van de Kerk belangrijk voor haar.

Vrouwen in de Kerk werden opgevoed tot goede echtgenotes en moeders. Een carrière buitenshuis werd niet aangemoedigd, maar wél hard werken om een heilzame omgeving te scheppen voor het gezin. Veel kinderen verwekken, die het aantal volgelingen van de Kerk vergrootten, was een plicht die mormoonse meisjes werd ingeprent. Dat, en de plicht jegens de Kerk.

Ze kende de geschiedenis van de Kerk, kon die waarschijnlijk uit haar hoofd opzeggen, maar het maakte niet méér indruk op haar dan wat ze wist over de Amerikaanse Revolutie of andere belangrijke periodes uit de geschiedenis. Alleen haar vader en Brian kenden de kerkgeschiedenis goed, en hun ideeën en opvattingen waren met elkaar in strijd.

Ze was de dag ervoor in de tempel geweest, had een ander ritueel ondergaan voor jonge mensen die waren grootgebracht in de mormoonse leer, en voor nieuwe bekeerlingen. Het was een soort inwijding, 'initiatie' genaamd, waar de persoon in kwestie ritueel wordt gewassen, gezalfd met heilige olie, en gekleed in tempelkleren, waarna ze een dramatische voorstelling bijwonen van het scheppingsverhaal, geheime codes en handdrukken leren en een geheime naam krijgen.

Joseph Smith was vrijmetselaar geweest, en veel van de initiatierituelen waren gelijk aan die van de vrijmetselaars. De kledingvoorschriften waren simpel: witte hemden en broeken voor de mannen, lang witte jurken voor de vrouwen, en witte slippers voor beiden.

Rececca's initiatie tot lid van de Kerk had de dag vóór de huwelijksvoltrekking in een twee uur durende plechtigheid plaatsgevonden. Brians initiatie kwam vlak voordat hij op een tweejarige 'missie' naar Duitsland vertrok om het mormonisme te verspreiden onder de mensen in dat land. Brian, als man, was de geheime naam meegedeeld die Rebecca tijdens de initiatie had gekregen. Rebecca zou de zijne nooit te weten komen.

Rebecca en Brian betraden de 'bezegelingskamer' van de tempel. Deze speciale kamers werden gebruikt om een huwelijk voor de eeuwigheid te bezegelen volgens de riten van de Kerk en kinderen eeuwig aan hun ouders te verbinden.

De initiatie, huwelijksvoltrekking en andere plechtigheden van de Kerk werden uitgevoerd door mannelijke functionarissen. Daar de Kerk geen professionele geestelijkheid had, steunden ze op de mannelijke leden om de traditionele functies van de geestelijkheid uit te oefenen. Op twaalfjarige leeftijd werden alle eerzame mannelijke leden diakenen in het levitische priesterschap. Ze werden leraar als ze veertien werden en priester bij het bereiken van de zestienjarige leeftijd. Vandaar gingen velen van hen door naar de hiërarchie als bisschop of in andere posities. Vrouwen konden geen geestelijke worden en Afro-Amerikanen werd de toegang tot het lidmaatschap van de Kerk geweigerd.

De gedachte dat haar vader buiten moest wachten flitste door Rebecca's hoofd. Ze wilde dat hij hier bij haar was. Het probleem had te maken met wie toegang werd verleend tot de tempel.

Niet-mormonen en leden die niet in hoog aanzien stonden werden niet in de tempel toegelaten. Teneinde de tempel te mogen betreden en daar in de echt te worden verbonden, moesten Rebecca, Brian en de andere genodigden aanbevelingskaarten voorleggen van hun bisschoppen. Die kaarten werden overhandigd na een jaarlijks interview waarin duidelijk werd gemaakt dat de ondervraagde een actief lid was en de heffing had betaald die door de Kerk werd verlangd.

Rebecca's vader werd de toegang tot de kerk voor de huwelijksplechtigheid geweigerd omdat hij was gestopt met het geregeld bijwonen van de diensten in hun plaatselijke kerk. Toen zijn vrouw en kinderen hem vroegen naar de bestemming van zijn ziel, antwoordde hij: 'Ik geloof in God, maar ik geloof niet dat ik voor de hemel een paspoort nodig heb dat gestempeld is door stervelingen.'

Op momenten dat Rebecca's moeder vriendelijker gestemd was, zei ze dat haar man een midlifecrisis doormaakte. Als ze minder edelmoedig was, zei ze dat hij bezeten was door de duivel.

37

❖

San Jose, Californië, 1968

'Deze gang is niet in orde. Hij is zo uit balans dat ik duizelig word als ik ernaar kijk.'

De zevenjarige Marni zat in een hoek van de zitkamer en keek naar haar vader, Brian Jones, die met de aannemer sprak die hun huis gebouwd had. Ze at chocoladepudding uit een plastic bakje terwijl ze luisterde.

Haar vader sprak op dezelfde toon tegen de oudere man als hij tegen haar en haar moeder sprak. Hij verhief zijn stem niet, maar er lag een zekere arrogantie in die de luisteraar duidelijk maakte dat hij geërgerd was – en superieur.

De aannemer, een oudere man met een rood, door de zon gerimpeld gezicht, schudde zijn hoofd. Hij probeerde de irritatie uit zijn stem te weren toen hij zei: 'Meneer Jones, er is een afwijking van tweeënhalve centimeter op twee meter tien muur. Dat is binnen de gebruikelijke toegestane afwijking…'

'Niet in mijn huis. Dit is geen doorsnee huis, dit is een op bestelling gebouwd huis.' Hij zei het op een manier of hij een kind onderwees. 'Als ik dat soort afwijkingen, zo'n onzorgvuldigheid in mijn eigen werk duldde, zou ik de laan uitgestuurd zijn.'

Een werknemer van de aannemer, een jongeman met een baard en lang haar, tikte met de kop van een hamer op de palm van zijn hand terwijl haar vader sprak. De jongeman keek met onverholen woede naar hem.

Haar vader besefte niet of bekommerde zich er niet om dat hij de aannemer en zijn medewerker tegen zich in het harnas joeg. Hij draaide hen de rug toe en liep door de zitkamer naar de plaats waar Marni's moeder, Rebecca, zat.

Marni hoorde de jonge knecht tegen de aannemer zeggen: 'Ze moesten de ballen van die vent kraken.' De jongeman grijnsde naar Marni en knipoogde en begon toen zijn baas te helpen met het slopen van het stapelmuurtje en de lijsten die verantwoordelijk waren voor de afwijking van de paar centimeter.

Haar broertje van vier, Brian jr., lag te slapen op de bank naast haar moeder, die zwanger was van haar derde kind en al in een gevorderd stadium verkeerde. Haar moeder was lichamelijk niet sterk en de spanningen van het huwelijk, het gezin en haar huidige zwangerschap hadden haar gezicht getekend. Elke zwangerschap was moeilijk geweest en de problemen waren iedere keer groter geworden. Brian had weinig medeleven getoond met de ellende van haar zwangerschap. 'Ik moet elke dag naar mijn werk, of ik wil of niet. Jij hebt je plichten zoals iedere andere vrouw. Jouw probleem is dat je denkt als een verliezer, dus ben je een verliezer.'

Marni at haar chocoladepudding op en zette het bakje opzij. Toen pakte ze haar pop en knuffelde die. De lepel in het nu lege bakje viel eruit en de chocola maakte een vlek op het beige tapijt.

Haar vader praatte met haar moeder over zijn plannen voor de achtertuin toen hij de gevallen lepel op het tapijt zag.

'Rebecca! Je dochter heeft het nieuwe kleed vuilgemaakt.'

Haar moeder stond haastig op van de bank en liep de kamer door, terwijl de woorden van haar man haar als mokerslagen volgden.

'Je moet leren een georganiseerde huishouding te voeren en je kinderen bij te brengen dat ze zich behoorlijk moeten gedragen en niet als verwende kleine dieren!'

Marni had hem toe willen schreeuwen: 'Laat haar met rust,' maar ze durfde niet. Toen haar moeder naar haar toekwam, keek ze zo bedrukt en verslagen dat Marni begon te huilen.

Twee jaar later kwam Marni's grootmoeder over uit Utah om bij hen te logeren en te helpen toen Rebecca zwanger was van haar vierde kind. Marni was nu negen, haar broertje Brian jr. was zes, haar zusje Sarah bijna twee. De meest recente zwangerschap was onverwacht geweest. Rebecca was nog niet hersteld van de problemen die ze had gehad tijdens haar vorige zwangerschappen. Ze had rust nodig, maar haar plichten stonden dat niet toe.

'Het zit allemaal tussen je oren,' zei Rebecca's moeder tegen haar.

Rebecca, die Sarah de borst gaf, knikte zwijgend. Het was een uitdrukking die ze vaak gehoord had van Brian. Haar gelaatstrekken weerspiegelden de tol die het leven van haar geëist had.

Marni en haar broertje zaten in de buurt op de grond en speelden met een puzzel die hun grootmoeder voor hen had meegebracht, terwijl de twee vrouwen met elkaar praatten.

'Ik weet het, moeder, ik weet het.' Het zou weinig uithalen om haar moeder te vertellen dat het er niet toe deed of de ziekte in haar hoofd of in haar grote teen zat – ze was depressief en voelde zich emotioneel en fysiek verslagen door de dagelijkse routine die veel vrouwen gemakkelijk aankonden. Een buurvrouw had geopperd dat ze een psychiater moest raadplegen. Toen Rebecca het aan Brian voorstel-

186

de, was hij razend geworden. Hij vroeg zijn schoonmoeder om op bezoek te komen en te helpen Rebecca's geest op het juiste spoor te brengen.

'Je hoeft niet naar een psychiater,' zei haar moeder. 'Je moet jezelf alleen maar voorhouden dat je je plicht moet doen ten opzichte van je man en kinderen en het dan gewoon doen. Je komt uit een sterk geslacht. Er is geen enkel excuus voor de rommel in je huis, en kijk nou eens, je hebt al in dagen je haar niet gewassen. Hoe verwacht je dat je man je respecteert en je behoorlijk behandelt als je jezelf niet respecteert?'

Soms dacht Rebecca wel eens dat Brian beter met haar moeder had kunnen trouwen in plaats van met haar. Haar moeder was de perfecte mormoonse vrouw die Brian verlangde – hardwerkend, nooit klagend, netjes, met respect voor het gezag van haar man en de Kerk. De mormoonse levenswijze was gezond, met een vitaal gezinsleven, gevuld met kinderen die tot sterke en gezonde mensen werden opgevoed.

Het enige wat er mis was met haar gezin was haar onvermogen om te doen wat er van haar verwacht werd. En dat was niet meer dan verwacht werd van andere mormoonse vrouwen. Ze wist dat ze een mislukkeling was en haatte zichzelf daarom. Maar toen ze steeds meer haar best deed om te voldoen aan de verwachtingen van haar man faalde ze steeds meer, raakte achter met haar huishoudelijke werk, was nauwelijks in staat de diensten van de Kerk bij te wonen. Ze had geen verlangen om wat dan ook te doen.

Ze had niet nóg een kind gewild. En ze wist dat de gezinsuitbreiding niet zou stoppen na haar laatste bevalling. Brian wilde zes kinderen – een aantal, zei hij, dat hem de voldoening zou geven dat ze hun plicht jegens de Kerk waren nagekomen.

'Ik begrijp je niet, Rebecca. Je zussen zijn allemaal gelukkig en hun gezinnen maken het uitstekend. Je man heeft meer succes dan een van hun mannen, en toch laat je jezelf gaan en hang je vol zelfmedelijden rond in huis. Je doet me steeds meer aan je vader denken.'

Haar vader had geen plaats meer in hun leven. Brian vond dat de nonchalante houding van haar vader ten opzichte van de Kerk en het leven in het algemeen een slechte invloed had op Rebecca en verbood haar elke communicatie met hem.

'Geen wonder dat je man klachten over je heeft. Kijk eens hoe je oudere zussen met hun gezin omgaan, hun kinderen nemen voortdurend deel aan de kerkelijke activiteiten die je zussen organiseren.'

'Ik ga naar de kerk, moeder.'

'Je komt in de kerk, ja, maar Brian zegt dat je ernaartoe gaat als een zombie. Je doet niet mee aan evenementen, organiseert ze niet, en als je de taak krijgt toebedeeld om toezicht te houden op een of andere bijeenkomst doe je dat met zo weinig enthousiasme dat de anderen hun geduld met je verliezen.'

'Je hebt gelijk, je hebt gelijk,' zei Rebecca.

Marni keek op van haar puzzel terwijl haar grootmoeder haar moeder kleineerde. Rebecca's gezicht en ogen waren uitdrukkingsloos geworden. Alle spanning in haar leek in haar handen te zijn gestroomd, die een luier ineendraaiden.

Marni had de vorige zomer in Utah gelogeerd bij haar grootouders van vaders kant. Toen ze daar was, had ze gezien hoe haar grootvader een kip de nek omdraaide voor het avondeten. Nu ze naar haar moeder keek, moest ze denken aan haar grootvader en de kip.

38

❖

San Jose, 1971

'Jij kunt ook niks goed doen!'

Marni zat op de bank in de zitkamer en keek naar de keuken, waar haar vader tegen haar moeder stond te schreeuwen. Marni's knieën trilden. Ze wilde altijd huilen als haar vader tegen haar moeder tekeerging, maar haar vader zei dat een kind van tien niet huilt. Maar de baby die op de tafel naast haar moeder lag kende de regels niet en huilde als haar vader zijn stem verhief. Brian jr. en Sarah zaten op de grond in de zitkamer naar tekenfilms op de televisie te kijken.

'Je brengt elke minuut van je leven in dit huis door en je kunt nog steeds niks goed doen. Je kunt geen boodschappen doen, niet koken, niet voor je kinderen zorgen of de dingen doen die mij het leven gemakkelijker kunnen maken.'

Het gezicht van haar moeder was volkomen uitdrukkingsloos. Haar gelaatstrekken waren mat, haar ogen donker en hol en levenloos. Ze stond deeg te kneden terwijl haar man tegen haar uitvoer. Ze kneedde het deeg steeds opnieuw, haar knokkels zagen wit. De baby hield niet op met huilen.

'Kijk eens naar die kinderen, ze zien er niet uit, je kunt niet eens voor ze zorgen, ze zijn smerig, je voert ze junkfood en zet ze voor de televisie om ze door de tv te laten opvoeden. Als ik had geweten dat je zo weinig deugt, zou ik nooit met je getrouwd zijn. Ik ga op in mijn carrière en in plaats dat jij me helpt, moet ik je meeslepen. Zelfs je moeder en zussen begrijpen je niet. Mijn moeder zegt dat ik je met de riem ervan langs moet geven, dat je, als je je als een kind gedraagt, ook moet worden behandeld als een kind. Als je jezelf niet in de hand neemt en je begint te gedragen als een volgroeide, verantwoordelijke volwassene stuur ik je terug naar je moeder om te worden opgeleid tot vrouw en moeder!'

Haar vader verliet het huis, smeet de voordeur achter zich dicht.

'Melk,' zei de driejarige Sarah.

Marni stond op en ging naar de keuken om haar kleine zusje melk

189

te geven. Toen ze tien was zorgde Marni voor haar jongere broertje en Sarah. Haar moeder besteedde steeds minder aandacht aan hen. Ze wist dat haar moeder ook geen aandacht schonk aan haar nieuwe baby. Als de baby huilde, vertelde Marni haar dat het tijd was om hem te voeden. Haar moeder was lusteloos en besteedde uren met dom naar de tv te staren. Ze hoorde haar steeds vaker in zichzelf praten, mompelen dat ze zo'n slechte moeder en vrouw was. Naarmate het gemompel van haar moeder vaker begon voor te komen, begreep Marni er steeds minder van. Soms klonk het of haar moeder met iemand praatte buiten zichzelf, iemand die haar vertelde dingen te doen die haar moeder niet wilde doen.

Marni pakte de melk uit de ijskast en schonk een glas in voor Sarah. Ze zette het pak terug in de ijskast en ging terug naar de zitkamer.

Haar moeder zat nog aan de tafel. Ze was opgehouden met deeg te kneden en deed nu iets met de baby. Marni ving de beweging op uit haar ooghoek en draaide zich om.

De handen van haar moeder lagen om het halsje van de baby. Ze draaide het kind de nek om. Haar moeder liet de baby los en het kind viel op de grond. Daar bleef het levenloos liggen. Marni zag dat haar moeder ernaar keek met ogen die niet langer dof maar koortsachtig waren. Haar moeder stond op en stak haar handen naar haar uit. Marni gilde. Ze liet het glas uit haar hand vallen en holde weg.

DEEL 6

AFRIKA

39

❖

Gomez, de vrachtwagenchauffeur die de voorraden afleverde, reed me naar Lurema om een generator vrij te kopen die uit een transport van Luanda naar de mijn was gekaapt. De generator kopen van de politie, waarschijnlijk de oorspronkelijke dieven, was een stuk goedkoper dan een nieuwe bestellen en weken wachten tot hij aankwam. Waarschijnlijk zou hij de tweede keer ook zijn bestemming niet hebben bereikt.

Soms schudde ik mijn hoofd en vroeg Cross hoe het land kon functioneren in zo'n chaos. Het antwoord was altijd hetzelfde – dat kon het niet.

De Blue Lady hield stand met mij aan het roer, al leek het of God elke dag de horden wat verzette om me een beetje hoger te laten springen. Ik leerde iets van het ritme waarin ik met de mensen om moest gaan. In de Verenigde Staten werkte alles volgens de klok. Eén uur betekende één uur of een paar minuten ervoor of erna. De tijd kreeg een totaal andere betekenis in equatoriaal Afrika. De mensen, de commercie en het transport waren niet allemaal radertjes in dezelfde gigantische tijdmachine die de westerse wereld regeerde. Er waren veel verschillende opvattingen over de mogelijke betekenis van een afspraak om één uur. Een afspraak om één uur wilde zelfs niet zeggen dat die op de vastgestelde dag zou worden gehouden.

Over het geheel genomen voelde ik me voldaan over mezelf. Mijn kennissen in New York – ex-kennissen – zouden erop gewed hebben dat ik nooit de leiding van de mijn op me zou nemen of dat het een mislukking zou worden omdat het gewoon niet leuk was. Het was niet leuk, maar het was een uitdaging, en zoals Cross zei, het bracht brood op de plank. Ik genoot van de uitdaging – niets zo goed als een overstroming of instorting in de mijn om je adrenaline door je bloed te laten stromen, maar de nachten waren saai – en eenzaam. En frustrerend. Er was absoluut geen sprake van dat ik een vrouw zou aanraken in een land waar aids een epidemie was. Cross beweerde dat een man zelfs voorzichtig moest zijn met onaneren.

De jeep ontweek de gaten in de weg bij een hulpverleningscompound van de VN, toen ik een vrouw tegen een boom bij de rivier zag leunen, en nog eens goed keek.

'Stop,' zei ik tegen Gomez.

Ze draaide zich om toen ze mijn voetstappen hoorde naderen.

'O, mijn god, niet te geloven, de playboy van de Westerse Wereld in Angola.' Marni klapte in haar handen. 'En in werkkleding. Of is die vuile kaki broek een nieuw soort vrijetijdspak?'

Ik hief mijn handpalmen op. 'En met eelt op mijn handen.'

'Van de golfclubs?'

'In Angola? Waar de zandbunkers uit drijfzand bestaan? En je wordt opgegeten door een leeuw als je de wildernis inloopt om je bal te zoeken?'

Ik omhelsde haar. 'Goed je weer te zien. Ik kan je niet zeggen hoe... hoe...'

'Hoe wat?' vroeg ze.

'Hoe geil ik ben.'

Ze moest lachen.

'Wat doe je hier?' vroeg ik.

'Voedsel en medicijnen distribueren. Tenminste, het deel ervan dat niet wordt gestolen en op de zwarte markt eindigt. Soms vergeet ik voor wie ik werk – de hulpverlening of de plaatselijke dieven. Wat doe jij hier?'

'Apparatuur terugkopen van de politie die de boel heeft gestolen.'

We lachten.

Een rij jeeps reed langs en er werd getoeterd. Kolonel Jomba grinnikte en zwaaide met zijn rottinkje toen hij langskwam in zijn jeep met chauffeur en doodshoofdversiering.

Marni huiverde. 'Die man is een monster. We betalen hem onder tafel om ervoor te zorgen dat onze voedseltrucks niet worden beroofd. En dan betalen we hem voor het teruggeven van de voorraden als ze toch worden geroofd. Ken je hem?'

'Vaag.' De kolonel keek erg verheugd. Dat mocht ook wel – hij had de helft geïncasseerd van Eduardo's appeltje voor de dorst. Reken maar dat Jomba dat als een extraatje beschouwde dat hij niet hoefde af te dragen aan zijn UNITA-bazen.

'Een van onze hulpverleensters gaat zelfs met hem uit.'

Ik haalde mijn schouders op en liet niets merken. Denkend aan de prikkeldraadketting om zijn hals en de horens op zijn hoofd kon ik me zo ongeveer voorstellen wat voor tatoeages hij kon hebben op de plaats waar de zon niet doordrong.

Marni bestudeerde mijn gezicht, pakte mijn kaak vast en bewoog mijn hoofd heen en weer. 'Hmmm. Je bent veranderd.'

'Hoezo? Het is pas een paar maanden geleden.'

'Je ziet er ouder, wijzer, serieuzer en introspectiever uit. Je hebt iets van je onschuld verloren.'

194

'Klinkt serieus,' zei ik. 'Het moet van het water komen. Of wat erin zwemt. Als de microben je niet te pakken krijgen, doen de krokodillen dat wel. Jij bent ook veranderd. Je was altijd al serieus, maar het was een soort scholastische ernst, de bijziende docent of professor die nauwelijks uit zijn konijnenhol naar buiten kijkt. Nu heb je zweetplekken in plaats van academische spinnenwebben. Je ziet eruit als een veteraan van de echte wereld.'

'Van een oorlog, zul je bedoelen, een oorlog die ik heb verloren.' Ze wees naar haar slobberige legerbroek en stoffige laarzen. Haar witte blouse was besmeurd met iets donkers. 'Chocola van een reep die ik aan een kind heb gegeven. Het was waarschijnlijk de eerste keer in zijn leven dat hij iets van snoep proefde. En over een paar maanden zal hij gestorven zijn aan aids.' Ze streek haar haar naar achteren. 'Ik zie er vreselijk uit. Ik moet een bad hebben en…' Ze begon te lachen en eindigde met huilen.

Ik nam haar in mijn armen. Ze probeerde zich los te rukken, maar ik hield haar stevig vast.

'Christus, elk uur van elke dag moet een hel voor je zijn. Ik begrijp niet hoe je je verstand kunt bewaren te midden van al die menselijke ellende.'

'Zie ik eruit of ik mijn verstand heb bewaard?' vroeg ze snikkend.

'Je ziet eruit als een vrouw die de hele wereld op haar schouders draagt. Is het wel eens bij je opgekomen dat gewone stervelingen niet kunnen wat jij doet? Ik zou waarschijnlijk het kind hebben laten vallen en er als een haas vandoor zijn gegaan als ik wist dat het aids had.'

We zaten op een boomstronk en ik hield haar hand vast.

'Soms wordt het me te veel. Vandaag hoorden we dat er in het zuiden hulpverleners zijn vermoord. Misschien waren er zelfs wel vrienden bij.'

'Vreselijk. Je moet zelf elke dag gevaar lopen.'

'Vermoord worden kan ik aan, tenminste als het snel zou gebeuren. Maar het omgaan met armoede, hongersnood, ziekte, verminkingen, en dan nog de gevaren en… en… ik ben niet sterk.'

'Jij niet? Ik zou nog geen vijf minuten volhouden wat jij doet. Ik zet metalen oogkleppen op als ik uit de mijn kom, alleen al om niet gek te worden. En ik ga nooit de mijn uit zonder een gewapende bewaker. Ik heb me verscholen in mijn veilige hol terwijl jij man-tegen-man hebt gevochten aan het front.'

'Nee, ik ben een zwak mens. Ik dacht dat ik alles aankon, maar de ellende vreet aan me. Alles wat we doen wordt weer ongedaan gemaakt. We proberen mensen te helpen, en als hun leiders ze niet belazeren, belazeren ze zichzelf omdat ze niet beter weten. Maar er zijn hulpverleners die dit al jaren doen. Die zitten niet in hun eigen armen uit te huilen.'

'Dan zijn ze ertegen gehard. Ik denk dat ze een paar flinke huil-

buien hebben gehad voordat ze eelt op hun ziel kregen. Dit land verandert iedereen die ermee in contact komt. Kijk naar mij: ik ben een
ander mens geworden. Ik maak zelfs geen grapjes meer over honger
en oorlog.'

Ze stond op en stak me haar hand toe. 'Genoeg zelfmedelijden. Ik
moet weer aan het werk. Mijn voedsel gaat waarschijnlijk sneller
door de achterdeur naar buiten dan het door de voordeur naar
binnen komt. Het is mijn werk om ervoor te zorgen dat het in de
juiste monden terechtkomt.'

Ik pakte haar hand en trok haar tegen me aan.

'Ik geef je geen hand om dan weer weg te rijden.'

'Win…'

'Nee, dit is Lissabon niet. Hier kun je niet een restaurant uitlopen
en in een taxi stappen. Wij zijn de enige twee Amerikanen hier, ik vind
jou aardig, jij vindt mij aardig, we hebben allebei wat liefde en aandacht nodig. Bovendien, heb je wel eens een diamantmijn gezien?'

'Heb ik je niet verteld dat diamantontginning…'

'Ja, ja, ik weet het, diamantmijnen zijn slecht. Ik zal je de kans geven dat tegen de mijnwerkers te zeggen die zich in het zweet werken
om hun gezin en alle anderen in hun buurt te eten te geven. Je kunt
het ook aan die arme sloebers vertellen die hun dagen in de rivier
doorbrengen om genoeg diamanten uit de modder te halen om in leven te blijven. Voor het geval je het nog niet geleerd hebt in Angola:
de diamanten zijn niet slecht, de mensen zijn slecht.'

Ze keek me diep in de ogen. 'Ik weet het niet. Wat is je bedoeling,
meneer Liberte?'

'De verloren tijd inhalen.'

40

❖

Cross uitte een paar vloeken die ik niet meer gehoord had sinds de middelbare school.

'Ik haat je. Jij krijgt je lul gemasseerd terwijl ik eelt krijg van het kastijden van mijn vlees.'

'Dat komt omdat ik goed leef – gezond eten, veel slapen en alcohol vermijden.'

'Je bent een enorme klootzak.'

'Ja, maar ik ruik lekker.'

Ik sprenkelde wat extra eau de cologne op mijn nek en schouders. Ik was in de kamer van Cross om me op te knappen. Ik had mijn kamer aan Marni afgestaan zodat ze zich op kon frissen na het bezoek aan de mijn. Er waren drie dagen voorbijgegaan sinds ik haar bij toeval ontmoet had bij de rivier omdat ze eerst de inventaris wilde opmaken voor ze bereid was te komen. Ten slotte ging ik haar halen en nam haar mee naar de mijn.

De drie dagen gaven me de tijd om een vliegtuig naar Luanda te sturen voor champagne en eten dat niet naar mijnvoedsel smaakte en om mijn kamer schoon te laten maken en te schilderen. Ja, het was een overdreven vertoon van luxe, maar verrek, dit was de eerste beschikbare vrouw in meer dan duizend kilometer. En het bleek ook nog een vrouw te zijn op wie ik echt gesteld was.

'Bovendien stuur je me naar Luanda omdat je bang bent dat ze mij maar hoeft te zien om jouw magere reet het bed uit te schoppen.'

'Ik ben ook bang dat de mijn verdrinkt als we die waterpomp niet gaan halen in Luanda. Zorg ervoor dat je bij de vrachtdeur van het vliegtuig staat als hij wordt uitgeladen en verlies de pomp geen seconde uit het oog voordat hij in de mijn is geïnstalleerd.'

Cross hief zijn handen op en riep de hemel aan. 'Hebt u dat gehoord, God? Die klootzak die van niks wist tot ik het hem leerde, wil mij vertellen hoe ik voor beveiliging moet zorgen.'

Ik klopte op de deur van mijn kamer. Toen Marni opendeed gaf ik haar een helm.

'Waar is die voor?'

'Voorschrift van de mijn. Je gaat omlaag.'

'De mijn in?'

'Wil je zien hoe het er in een mijn toegaat? Beneden gebeurt het echte werk.'

'Ja, maar... krijg ik een röntgenonderzoek als we eruit komen?'

'We zullen zien. Soms fouilleren we.'

Ik nam haar mee door de beveiligingscontrole naar de mijnlift. Ze staarde verbaasd om zich heen. En glimlachte naar iedereen.

'Is het gevaarlijk beneden?' vroeg ze.

'Vergeleken met wat jij hebt doorstaan is het een fluitje van een cent. Je moet wél uitkijken voor de gigantische diamantwormen. Ze maken gaten in de vloer van de schacht en eten je op als je erin valt.'

Ze stelde intelligente vragen in de mijn, wilde weten hoe alles functioneerde. Ik was aanvankelijk een beetje neerbuigend, zelfingenomen dat ik haar iets kon leren. Ze keek naar een explosie, en we volgden het puin tot het bovenkwam, waar het werd bewerkt en de diamanten eruit werden gehaald.

'Die mannen werken zo hard,' zei ze. 'Het is vreselijk dat hun harde werk zo gebruikt en misbruikt wordt door de regering en de rebellen.'

Toen we weer op de bovenste verdieping stonden wees ik naar een diamant op de transportband die uit de pletmachine kwam.

'Verbaast het je niet dat een ruwe diamant er zo simpel uitziet?'

'Het verbaast me, ja. Ik dacht dat ze uit de grond kwamen in de vorm van een diamant, zoals je bij Tiffany's in de etalage ziet.'

'Je houdt me voor de gek,' zei ik.

'Ja.'

Ik dacht na over haar woorden toen we de operatie volgden tot aan de smeertafel. 'Ik deed zelfingenomen en arrogant beneden.'

'Dat weet ik, maar dat doet er niet toe. Ik vind het geweldig dat je eindelijk iets nuttigs doet met je leven – tot ik mezelf eraan herinner dat je een derdewereldland berooft van zijn kostbare hulpbron.'

'Kostbare hulpbron? Heb je wel eens geprobeerd een diamant te eten? Je mag de westerse wereld of de westerse ondernemers niet de schuld geven van al het kwaad in de onderontwikkelde landen. Kwaad en onderdrukking waren hier al duizenden jaren geleden aan de orde van de dag, voordat wij kwamen.'

Ze begon me te beleren over de economie van de Derde Wereld, een onderwerp waarvan ik heel slecht op de hoogte was, en ik viel haar in de rede.

'Die speech moet je bewaren voor kolonel Jomba,' zei ik. 'Ik heb begrepen dat hij een graad in de economie heeft van de universiteit in Londen – en een hoge graad, de derdewereldsoort, waar je lijken telt in plaats van cijfers in de grootboeken. Is dat niet het soort economie dat je in het grootste deel van de Derde Wereld vindt?'

'Juist als ik ga denken dat het veilig is om je aardig te vinden…'

Ik bleef staan en zoende haar op haar mond. Ze verzette zich niet. 'Je hebt gelijk, ik ben nog steeds een zwijn, maar in ieder geval ben ik nu een hardwerkend zwijn.' Ik liet haar mijn eeltplekken weer zien.

Toen we bij de smeertafel stonden zei ik dat ze een handvol vet op moest pakken.

'Weet je zeker dat ik geen diamantworm te pakken krijg?'

'Moet je aan alles twijfelen wat ik vraag?'

'Ben je te vertrouwen?'

Die vraag liet ik gaan.

Ik nam het vet van haar over in mijn eigen hand en porde erin met mijn vinger.

'Wat is dat?' Ik haalde er een ruwe diamant uit, groter dan een erwt. 'Laten we naar de sorteerzaal gaan om te zien wat we hier hebben.'

We stonden erbij terwijl een sorteerder de diamant schoonmaakte en zorgvuldig bekeek.

'Het is een "d",' zei de sorteerder.

Ik onderzocht hem aandachtig met mijn eigen loep en liet toen Marni door de loep kijken.

'Verbluffend, ik wist niet dat een diamant zoveel vuur bevatte.'

'Je hebt een goede smaak,' zei ik. 'Hij is loepzuiver. Hij zal gegradeerd worden als een "d".'

'Niet meer dan een "d"? Geen "a"?'

Ik lachte. '"D" is de hoogste gradatie voor een diamant. Dit is een perfecte diamant, kleurloos, met een zweem van blauw. Als hij geslepen wordt tot meer dan een karaat zal hij voor een topprijs verkocht worden. Op Fifth Avenue zou hij evenveel kosten als een kleine auto. Het is een uitzonderlijk goede diamant.' Ik gaf hem aan haar. 'Hij is van jou, een geschenk van de diamantworm.'

'O, maar dat kan ik niet aannemen.'

'Natuurlijk wel. Het is een kwestie van geluk. Je had ook weg kunnen lopen met een handvol modder.'

Dat was niet helemaal waar. Ik had het bewerkstelligd. Ik had de beste diamant geselecteerd die we in langer dan een week uit de mijn hadden gehaald. Ik had hem verwisseld voor de industriële diamant die Marni had opgepakt.

'Heeft dat je een andere kijk gegeven op de diamantwinning?' vroeg ik toen we terugliepen naar de beveiligingspost.

'Ja, het is hard werk, en ik weet zeker dat de mijnwerkers elke cent verdienen die ze krijgen, dubbel en dwars. Maar de mijneigenaren zijn toch partners van de oliebandieten die de ondergang van Angola bewerkstelligen.'

'Daar ga je weer. Je struikelt weer over die extreme opleiding van je. Je wijt de toestanden in de onderontwikkelde landen en de oorlogen op elk continent, aan olie en diamanten. Realiseer je je niet dat mensen elkaar niet alleen vermoorden uit hebzucht, maar ook om principes? De IRA doodt niet voor diamanten, India en Pakistan vechten niet om diamanten, de Israëli's...'

'Wat bedoel je precies?'

'Ik zeg het je voortdurend. De mensen zijn slecht. Niet de diamanten, niet de olie. Het is niet de schuld van Amerika dat mensen in de Derde Wereld worden geregeerd door dictators. Bestaat er één democratie in de Derde Wereld? Kun je er één noemen? Is dat onze schuld? Wij hebben deze wereld niet geschapen.'

Ze begon te lachen.

'Wat is er voor grappigs aan?'

'Besef je wel dat we staan te discussiëren over economie en politiek in een diamantmijn in equatoriaal Afrika? Heb je als kind enig idee gehad dat je dit later zou gaan doen?'

'Ik heb nooit gedacht dat ik zo lang zou leven.'

'Wat? Waarom zeg je dat?'

Ik haalde mijn schouders op. 'Mijn moeder is jong gestorven, mijn vader een paar jaar later. Ik dacht gewoon dat ik nooit oud zou worden.'

'Vreemd, mijn moeder is ook jong gestorven.'

Iets in haar stem zei me dat dit niet het moment was om naar details te vragen.

We bleven staan bij het röntgenapparaat.

'Ga je me röntgenen?'

'Ja.'

'Ik dacht dat je een grapje maakte.'

'Je hebt de keus – een röntgenopname of een fouillering van de lichaamsholten.'

'Wie doet dat onderzoek?'

'Dat is het privilege van de mijneigenaar,' zei ik grijnzend.

'Ik kies voor de röntgen.'

'Sorry, ik herinner me net dat het apparaat kapot is.'

41

❖

De volgende ochtend lagen we in bed, Marni's lichaam behaaglijk tegen het mijne. Ik voelde me warm en comfortabel.

Ik had geen waarderingssysteem voor de vrouwen met wie ik seks had gehad, maar met Marni was het anders dan met andere vrouwen. Het was niet dat mijn bloed verhitter was, of zelfs maar het aantal keren dat ik hem omhoogkreeg en we klaarkwamen. Het was iets anders. In de warme, knusse schemering tussen slapen en waken, probeerde ik te doorgronden wat het precies was.

Toen drong het tot me door. Rust en vrede. Ik voelde me volmaakt rustig, alsof het samenzijn met Marni een diepere behoefte bevredigde dan ooit met enige andere vrouw.

Ze bewoog zich naast me en kneep in mijn penis. 'Hoe gaat het met mijn diamantworm?'

Ik voelde hem weer stijf worden. 'Hij maakt zich op om je weer aan te vallen.'

We ontbeten op de patio.

'Dit is de eerste keer dat ik goed geslapen heb sinds ik in Angola ben,' zei ze.

'Je raakt te geobsedeerd door het land.'

'Ik weet het. Mijn vriendin, Michele, zegt dat als je je hart openstelt voor de verschrikkingen, ze je ziel zullen verslinden. Ik denk dat wat me het meeste aangrijpt is om baby's te zien sterven door honger en ziektes, terwijl die griezel van een kolonel Jomba rondrijdt om protectiegeld te incasseren, en leeft als een dikke, rijke patser.'

Jomba was geen onderwerp waar ik Marni te diep op in wilde laten gaan. Als ze erachter kwam dat ik betrokken was bij een bloeddiamantentransactie met hem zou ze mijn diamantenworm er liever afhakken dan erop zuigen.

Ik werd gered van een diepgaander gesprek over de kolonel toen de telefoon ging. Het was Cross die belde uit Luanda.

'Ik hoop dat ik stoor,' zei hij.

'Niet echt, we discussiëren over de sociodemografie van op de vraag gerichte economische funderingen van de Derde Wereld en...'

Ik nam de telefoon van mijn oor toen Cross een obsceen geluid maakte. Ik gaf de telefoon aan Marni.

'Zeg Cross maar goedendag.'

Ik weet niet wat hij tegen haar zei, maar toen ze me de telefoon teruggaf, bloosde en giechelde ze.

'Luister, *bwana*,' zei Cross, 'ik heb interessante informatie voor je over die geologierekening die je in Eduardo's papieren hebt gevonden. Het land grenst niet alleen aan de Blue Lady, maar jij bent de eigenaar ervan. Het is een van de stukken grond die bij de mijn horen, maar het ligt in de tegenovergestelde richting van de plaats waar de meeste schachten zijn gegraven.'

'Je zei toch dat je iemand kende in Zuid-Afrika? Kun je die geoloog nagaan, te weten komen wat voor reputatie hij heeft?'

'Het hoofd van de beveiliging in een diamantmijn van De Beers is een gabber van me. We gaan aan de zwier in Kaapstad als ik daar een paar dagen ben om wat afleiding te zoeken. Ik heb hem gebeld, maar hij is met vakantie. Ik blijf het proberen.'

Toen ik ophing, vroeg Marni: 'Moeilijkheden?'

'Ik weet het niet zeker. De mijnopzichter heeft niet alles erg koosjer behandeld. Hij jatte niet alleen uit de kas, hij sprong er tot aan zijn nek in. Ik stootte onder de tafel tegen haar voet. 'Wat zei Cross tegen je?'

'Sorry, ik heb hem geheimhouding moeten zweren. Maar hij liet me weten dat er grotere vissen te vangen waren.'

'Als je op de vismarkt rondhangt, denk er dan aan dat het niet op de grootte van de vis aankomt maar op de smaak.'

We lagen weer in bed op een vistocht toen Cross terugbelde.

'Mijn vriend weet wie die geoloog is. Een mijningenieur met een grillige reputatie. Hij heeft een systeem ontwikkeld waarvan hij beweert dat het de blauwe aarde beter kan opsporen dan iets anders. Sommige mensen zeggen dat hij een kwakzalver is, anderen vinden hem een genie. Over één ding zijn ze het allemaal eens – hij is excentriek. Hij heeft ruzie met een paar van de grote mijnbouwondernemingen en wil niet dat ze zijn apparatuur gebruiken.'

'Doe nog één ding voor me,' zei ik. 'Check het vluchtschema naar Kaapstad.'

Ik hing op.

'Er gaat iets gebeuren,' zei ik tegen Marni. 'Als ik vroeger meedeed aan een race, kreeg ik altijd dat gevoel als ik op het punt stond me van de anderen los te maken en de leiding te nemen. Hetzelfde gevoel dat ik nu heb.'

'Ga je naar Kaapstad?'

'We gaan naar Kaapstad.'

'Ik kan niet op stel en sprong…'

'Ja, dat kun je wél, je vertelde me dat je recht had op verlof.'

'Je begrijpt het niet, ik heb een baan, verplichtingen…'

'Vertelde je me niet dat je tegen iedereen snauwt? Als je niet versuft rondloopt? Je moet er een paar dagen tussenuit. Winkelen, dansen, eten in een Frans restaurant, vrijen op een warm strand.'

'Oké, je hebt me overtuigd.'

'Nee, ik vind dat je nog meer overtuigd moet worden. Kom onder de dekens. Ik heb wat voor je.'

42

❖

Kaapstad, Zuid-Afrika

'Kaapstad is een van de mooiste steden ter wereld,' zei Marni toen het vliegtuig landde in de hoofdstad bij de punt van Afrika. Haar gids lag op haar schoot. 'Het zeewater is ijskoud omdat het uit de zuidpool komt, maar de stranden zijn warm en schilderachtig.'

Ik boog me voorover en keek omlaag naar bergen met platte toppen en bijna verticale kliffen en stranden en liet een beleefde reactie horen. Mijn gedachten waren bij andere dingen tijdens de vlucht van een paar duizend kilometer vanaf de mijn. Ik had Cross' Afrikaanse veiligheidsman betaald om snel een dossier samen te stellen over de ingenieur die ik ging opzoeken. Ik keek de informatie voor de derde keer na.

Marni zag de naam van het onderwerp van het rapport. 'Christiaan Kruger, is dat de geoloog die je wilt bezoeken? Klinkt als een Afrikaanse naam.'

'O?'

'Mensen met een oorspronkelijk Nederlandse achtergrond. Ze hebben ongeveer honderd jaar geleden een oorlog uitgevochten met de Engelsen, en de Engelsen kregen heel Zuid-Afrika in hun bezit. Maar de Boeren, die nu Afrikaners worden genoemd, zijn nog steeds de machtigste blanke groep in het land. Ze staan bekend als onbuigzaam, dragen geweren, zijn heel religieus en hebben een hekel aan zwarten en andere blanken. Ze hebben hun eigen taal, het Afrikaans, en hun eigen cultuur. De hele bevolking van blanken in Zuid-Afrika, Afrikaners, Engelsen en anderen, bedraagt nog geen vijftien procent van de bevolking.'

Ik gaf haar een zoen. 'Hoe kom je zo slim?'

'Ik heb de gids gelezen. Het hotel dat je hebt uitgezocht, het Nellie – officieel het Mount Nelson Hotel – is van wereldklasse. Je hebt een goede smaak.'

Ik haalde bescheiden mijn schouders op. Feitelijk was het Cross die me verteld had waar ik moest logeren.

'Ik wil een ritje maken met een Tuk Tuk en naar het strand.'

'Wat is in godsnaam een Tuk Tuk?'

'Een driewielige taxi die om een motorfiets heen is gebouwd. Hij heeft zijn naam te danken aan het geluid dat de motor maakt. Tuk, tuk, tuk…'

Ik wijdde mijn aandacht weer aan mijn papieren.

Kruger kwam op me over als een typisch voorbeeld van een stijf- koppige opstandige Afrikaner. In het begin van zijn carrière werd hij geoloog-mijnbouwingenieur bij De Beers. Hij verliet de grote maat- schappij en werkte onafhankelijk in het Kimberley-gebied. Hij vroeg een aantal patenten aan voor uitvindingen met betrekking tot de goud- en diamantwinning, en raakte vaak verstrikt in processen over onbevoegd gebruik van zijn werk. De afgelopen tien jaar was hij in een rechtszaak verwikkeld met een onderneming die volgens hem inbreuk pleegde op zijn gepatenteerde methode om blauwe aarde te vinden.

Het rapport vermeldde dat Kruger gearresteerd was omdat hij de advocaat van de tegenpartij een opstopper had gegeven en een an- dere keer omdat hij de apparatuur van het bedrijf in het veld in be- slag had genomen – onder bedreiging met een vuurwapen.

Gehoor gevend aan een van de voorwaarden voor zijn vrijlating na de arrestatie wegens zijn gewapend optreden, verliet hij het mijn- gebied en verhuisde naar Kaapstad.

Onder aan het rapport stond een met de hand geschreven notitie: *Idealistische klootzak – principes belangrijker dan geld.*

Ik sloot mijn ogen en dacht erover na tijdens de landing. De vraag hoe ik Kruger moest benaderen had me niet losgelaten sinds Cross me zijn naam had onthuld. Ik had hem niet gebeld om hem te laten weten dat ik kwam – het was te gemakkelijk voor iemand om nee te zeggen aan de telefoon of haastig de stad te verlaten. Ik zou hem een onverwacht bezoek brengen, zonder enige waarschuwing voor zijn deur staan. Het feit dat hij een liefdesrelatie had met vuurwapens maakte mijn zelfvertrouwen er niet groter op.

Maar de notitie onder aan het rapport bracht me op een idee.

43

❖

We installeerden ons in een suite van het Nellie. Marni bewonderde de elegantie en het pittoreske van het luxehotel. 'Het is uit de tijd dat de Oriënt-Express van Europa naar Azië reed en mannen als Cecil Rhodes en Barney Barnato streden om een imperium in diamanten.'

'Geweldig,' zei ik en trok haar tegen me aan. 'Laten we in bed eten.'

'Nee, nee, dit is mijn kans om in een echt restaurant te eten, waar ik niet bang hoef te zijn voor het water, voor vlooien die in mijn enkel bijten of een verdwaalde kogel.'

We dineerden in het beste Franse restaurant in Kaapstad. En genoten van het dessert in bed.

De volgende ochtend namen we een taxi naar het centrum, naar een diamanthandelaar die Cross me had aanbevolen. Ik liet Marni een paar minuten buiten wachten terwijl ik naar binnen ging om een paar ruwe diamanten te verkopen. Toen ik weer buitenkwam, stopte ik een dikke bundel rands in haar tas.

'Waar is dat voor?'

'Exotische doorkijklingerie, betoverend parfum – verdraaid, koop een jas van tijgerbont of zo.'

Ze gaf me het geld terug. 'Ze hebben leeuwen in Afrika, geen tijgers, en ze zijn een beschermde diersoort.'

'Dat ben jij ook. Ik neem het geld niet terug. Gooi het in een bus voor de armen als je er zo'n moeite mee hebt. Ik zie je over een paar uur in het hotel.'

'Het is te veel geld.'

'Maak je geen zorgen, het is niet mijn geld. Ik heb het gestolen.'

Kruger woonde in wat Zuid-Afrikanen een kleurlingenwijk noemen. 'Kleurling' was volgens mijn taxichauffeur de officiële benaming voor mensen van gemengd Europees en Afrikaans bloed. 'Dat is de helft van ons in Kaapstad,' zei hij.

Toen we stopten voor een klein, onopvallend huis met een metalen omhening vroeg ik de chauffeur: 'Hoe zou u deze buurt noemen? Arm, middenklasse?'

Hij dacht even na en spuwde uit het raam voor hij tot een conclusie kwam. 'Nee, niet arm, geen middenklasse. Misschien beter dan arm, niet zo goed als middenklasse.'

Dat was zo ongeveer mijn eigen schatting geweest. Wat een interessant punt naar voren bracht – waarom woonde een succesvolle ingenieur-geoloog, met een hoop uitvindingen op zijn naam, in een vervallen huis in een vervallen buurt? Ik meende het antwoord te kennen. Zo niet, dan zou hij me waarschijnlijk zijn huis uit jagen.

'Blijf wachten,' zei ik tegen de taxichauffeur. 'Als je hoort schieten, bel dan de politie.'

'Als ik hoor schieten, bel ik ze vanuit mijn huis.'

Er zat geen slot op het hek, maar ik keek goed om me heen in de tuin voor ik naar binnen ging. Metalen omheiningen betekenden meestal dat er een hond aanwezig was. Ik bereikte de voordeur zonder te zijn aangevallen door Cujo, en klopte aan. Na nog een paar keer te hebben geklopt werd er opengedaan door een zwarte vrouw van in de veertig of begin vijftig. Te aantrekkelijk om een huishoudster zijn, dus nam ik aan dat ze Krugers vrouw was.

'Ja?'

'Goedemiddag. Ik kom voor meneer Kruger.'

Ze fronste haar wenkbrauwen terwijl ze me aandachtig opnam. 'Meneer Kruger ontvangt niemand zonder afspraak.' Ze had een Afrikaans accent.

'Het is onbeleefd van me om zo binnen te komen vallen, maar ik weet zijn telefoonnummer niet. Ik heb informatie voor hem over zijn blauwe-aarde-onderzoekssysteem.'

Mijn antwoord bracht haar in een lastige situatie. Wat mijn bedoeling was. Ik had ook kunnen zeggen dat Ed McMahon me met een miljoen dollar stuurde van een loterijbedrijf, en dan zou ze de deur voor mijn neus hebben dichtgeslagen. Maar ik zei de magische woorden.

'Wacht.'

Ze deed de deur dicht. Een minuut later werd hij weer geopend door een man van middelbare leeftijd. Kruger was klein van stuk, met blozende wangen en een permanente frons.

'Wie bent u? Wat wilt u? Ik ben bezig.'

'Ik kan u helpen met uw strijd om uw blauwe-aarde-techniek.'

'Hoe?'

Ik hield een ruwe diamant van vijf karaat op. Hij was niet van zo'n prima kwaliteit als de diamant die ik Marni in de mijn had gegeven, maar duizenden Zuid-Afrikaanse rand waard.

'Ik vraag vijf minuten van uw tijd, omdat ik denk dat we elkaar kunnen helpen. Ik zal weggaan als blijkt dat ik het verkeerd zie, of u kunt me eruitgooien. Hoe dan ook, u mag de diamant houden.'

'Hoe kunt u me helpen?'

'Vijf minuten,' zei ik.

Hij aarzelde. Op dat moment stak een grote rottweiler of een ander gevaarlijk uitziend ras dat Cujo de stuipen op het lijf zou hebben gejaagd zijn kop tussen Krugers been en de deurlijst.

'Vijf minuten,' zei Kruger. 'Dan stuur ik Hannah op je af.'

Ik hoopte dat Hannah zijn vrouw was.

Ik volgde hem naar een kamer vol apparatuur, boeken en stof. De hond volgde me.

Hij ging op een kruk zitten naast een bureau dat bezaaid was met papieren en boeken. Ik bleef staan. De hond ook.

'Ik ben eigenaar van een mijn in Angola, de Blue Lady. U hebt een rapport uitgebracht over een stuk grond naast de mijn, dat ook mijn eigendom is. Degene die het rapport aanvroeg was mijn opzichter, Eduardo Marques. Ik wil dat rapport zien.'

'Als dat rapport van u is, moet u het hebben.'

'Ik heb het niet. Ik denk dat Marques me wilde oplichten door achter mijn rug om een rapport te laten opmaken en dan te proberen de mijn goedkoop in handen te krijgen.'

'Als het rapport betaald is door Marques, is het van hem. Vraag het aan hem.' Hij stond op. 'Dit heeft niets te maken met het proces waarin ik verwikkeld ben in verband met mijn uitvinding.'

'Dat heeft het wél, om twee redenen. Ten eerste ben ik, net als u, bedrogen door iemand die ik vertrouwde. Ik heb hard gewerkt voor wat ik heb,' ik stikte bijna in mijn leugen, 'en Marques probeert het me afhandig te maken. En ik heb het geld nodig om de strijd voort te zetten. Als blijkt dat u me kunt helpen, als er geld verdiend kan worden, ben ik bereid u daarin te laten delen. U vecht al jaren tegen dieven. Ik ken uw persoonlijke omstandigheden niet, maar u hebt geld nodig voor die strijd.'

Ik kende zijn omstandigheden wél – hij had een systeem ontworpen dat hem rijk had moeten maken en in plaats daarvan leefde hij ergens tussen arm en 'middenklasse'. Ik wachtte terwijl hij over mijn woorden nadacht. Het was duidelijk dat zijn eerste opwelling was me eruit te gooien of Hannah op me af te sturen, maar ik hoopte dat ik op de juiste knop had gedrukt. Hij was idealistisch en fanatiek wat betreft de techniek die hij had uitgevonden. Naar ik begrepen had werd hem genoeg aangeboden om zijn rechtszaken te schikken, maar hij weigerde – in tegenstelling tot ondergetekende was hij niet bereid zijn ziel aan de duivel te verkopen. Hij eiste waarheid en gerechtigheid. Meer dan hem geld te bieden, bood ik hem een mogelijkheid om de strijd voort te zetten.

'Ik begrijp uw verzoek niet. U zegt dat u het rapport wilt zien. Er staat in het rapport wat erin staat. Mij geld bieden verandert niets aan de resultaten.'

208

'U hebt gelijk. Het rapport kan vermelden dat het niets oplevert. Maar de huidige mijnwinning levert ook niets op – en er wordt een poging gedaan om me uit de mijn te verdrijven en die over te nemen. Ik voel aan mijn water dat er meer te vinden is daar.'

'Ik beschouw mijn werk voor cliënten als vertrouwelijk. U bent niet degene die me betaald heeft, u bent niet mijn cliënt.'

Ik haalde een paar papieren uit mijn binnenzak. 'Dit is een kopie van de regeringsdocumentatie dat het stuk grond bij de Blue Lady hoort en dat ik de eigenaar ben. Ik vecht tegen een dief die geen recht heeft op mijn eigendom – net als u.'

Hij zette zijn bril op en bestudeerde de papieren.

'Weet u wat?' zei ik. 'Deze hele zaak kan worden beklonken als ik een snelle blik in het rapport kan werpen. Ik neem aan dat het een positieve conclusie bevat over de aanwezigheid van diamanten. Zo niet, dan verspil ik onze tijd.'

'Ik kan u het rapport niet laten zien.'

'Oké, verrek dan maar. Als u boeventuig wilt helpen, ga uw gang.'

'Ik kan het u niet laten zien omdat ik het niet heb. Hij heeft het meegenomen.'

'Hij?'

'Uw mijnopzichter. Hij was hier gisteren.'

44

❖

Marni sleepte plastic draagtassen naar de lift. Een aardige man hield met een glimlach de deur voor haar open en informeerde naar de etage.

'Bovenste verdieping,' zei ze.

'Daar ga ik ook heen,' zei hij.

Hij leek tot het nerveuze type te behoren, glimlachend, maar een beetje hyper. Ze dacht dat hij in Angola een mesties zou worden genoemd – half Afrikaanse, half Europese voorouders. In Zuid-Afrika, dankzij een wet die bedoeld was om te discrimineren, was hij een kleurling.

'U lijkt de winkels te hebben leeggekocht,' zei de man.

Ze lachte. 'Niet helemaal. Maar in een paar ervan heb ik wel een gat geslagen. Ik ben een tijdje in het binnenland geweest, en ik ben bang dat ik uit mijn dak ging toen ik planken en rekken vol kleren zag.'

'U bent Amerikaanse.'

'Ja. U hebt een licht accent dat bijna lijkt op wat ik in Angola hoor.'

'Ik ben Angolees.'

'Echt waar? Wat een toeval. Ik ben gisteren aangekomen.'

'Voor zaken? '

'Mijn vriend is hier voor zaken, hij is eigenaar van een mijn, en ik heb een paar dagen vrijgenomen van mijn werk voor de Wereldvoedselorganisatie.'

Hij hield de deur voor haar open toen de liftdeuren opengingen op de verdieping van het penthouse.

'Een waardevolle organisatie. Ik heb uw staf vaak voedsel zien uitdelen.'

Hij pakte een van de tassen die uit haar hand begon te glijden.

'Hier, laat mij die voor u dragen.'

'O, dank u.'

Hij volgde haar de gang door, met de tas.

Ze bleef staan voor de deur van haar suite, zette haar tassen neer, en haalde de sleutelkaart uit haar handtas.

'Dank u, ik kan het verder zelf wel af,' zei ze. Ze bedoelde het als een afscheid, toen ze de deur openduwde en een paar tassen binnenzette. Maar hij bleef staan en overhandigde haar de rest van de tassen. Toen zij ze had neergezet en zich omdraaide, liep hij naar binnen en smeet de deur achter zich dicht.

En haalde een pistool uit zijn jaszak.

45

❖

Ik staarde naar Kruger alsof hij me zojuist verteld had dat ik kanker had.

'Eduardo Marques was hier?'

'Op de plek waar u staat, meneer Liberte.'

'Hebt u hem mijn rapport gegeven?'

'Ik heb hem zijn rapport gegeven. Hij heeft ervoor betaald.'

'Die verdomde smeerlap.'

Hannah gromde. Misschien hield ze niet van scheldwoorden.

'Oké, geef me een kopie.'

'Hij heeft me een bonus betaald om hem het origineel te geven en geen kopie te bewaren. Hij vertelde me dat er een proces zou komen over het stuk grond en dat het beter voor me zou zijn als ik geen kopie had. Ik heb bijna al mijn spaargeld in de laatste dertig jaar opgemaakt aan rechtszaken. Het idee dat ik niet als getuige in een proces zou hoeven optreden beviel me wel.'

'Er komt geen proces. Marques was slechts een mijnopzichter, hij heeft nergens recht op. Hij heeft iemand met geld achter zich die probeert het rapport geheim te houden om de prijs van de mijn omlaag te krijgen. U hebt geen kopie meer?'

'Nee. Ik heb honderden, wel duizend rapporten opgesteld in de loop der jaren. Als ik die moest bewaren, zou ik een extra kamer nodig hebben om ze op te slaan.'

'En ik neem aan dat u de resultaten ook niet in uw hoofd kunt opslaan. U weet niet wat uw exacte bevindingen waren?'

'Natuurlijk niet, het was een lang, gecompliceerd onderzoek.'

'Oké, het spijt me dat ik...'

'Maar ik kan u een algemene indruk geven.'

Ik keek op. 'En die is?'

'Niet afdoend. Maar ik heb een paar aanwijzingen gevonden dat er blauwe aarde aanwezig zou kunnen zijn.'

'Waar hebt u die gevonden?'

Hij schudde zijn hoofd. 'Ik kan u niet veel vertellen. Het rapport was niet waterdicht. Ik had niet alle materiaal dat ik nodig had om een volledige analyse te maken. Ik neem aan dat u als mijneigenaar weet hoe de speurtocht naar blauwe aarde in zijn werk gaat.'

'Ik heb de mijn min of meer geërfd.'

'Ik heb mijn eigen techniek en apparatuur om het materiaal te analyseren, maar geologen gebruiken allemaal dezelfde grondstoffen voor het onderzoek. Ik onderzocht monsters van de oppervlakte van de grond en bodemmonsters uit boringen tot drie meter diep. Ik zocht naar "indicators", aanwijzingen dat er blauwe aarde in de omtrek is.

'Om een indicator te onderscheiden, moet je weten hoe diamanten in de aarde worden gevormd. Alle diamanten die ooit op aarde zullen bestaan zijn miljarden jaren geleden diep in de aarde gevormd. Maar,' hij stak zijn hand op, 'op hetzelfde moment dat er diamanten werden gevormd en omhooggeduwd in kimberlietlagen, ontstonden er andere materialen die samen met de diamanten omhoog werden gestuwd. Kimberlietlagen zijn niet opvallend omvangrijk en zijn moeilijk te vinden.'

Kruger pakte een glazen pot die een aantal diamanten bevatte.

'Zoeken naar deze kleine deposito's in de uitgestrekte grondgebieden zou zijn als het zoeken naar de spreekwoordelijke speld in de hooiberg – tenzij we aanwijzingen hebben. Die aanwijzingen zijn dat er andere mineralen zijn ontstaan en verspreid op dezelfde manier als diamanten worden gevormd en omhooggestuwd.

'We noemen die materialen "indicators" omdat ze kunnen "indiceren" dat er diamanten zijn in hetzelfde gebied. Daar een aantal van die indicators veel wijder verspreid zijn dan diamanten, zijn ze gemakkelijker te vinden.'

Hij pakte een paar diamanten uit de pot.

'Sommige indicators hebben deze groene verchroomde dioptrische facetten... en hier zijn granaten in allerlei kleuren, roze, paars, groen, geel, oranje. Deze stenen zijn verwant met diamanten, ze zijn tijdens dezelfde catastrofale convulsies van de aarde ontstaan als diamanten. Maar ze zijn niet zo zeldzaam of zo hard als diamanten, en evenmin hebben ze de schittering van een diamant. Volgens mij is de indicator die ons de beste aanwijzingen verschaft voor het bestaan van een kimberlietlaag in het gebied een steen die wordt aangeduid als g-ten, de kwalificatie voor een granaat die "pyroop" genoemd wordt.' Hij zocht in de pot en haalde er een donkerrode steen uit. 'Dit is een pyroop. De naam is afgeleid van een oud Grieks woord voor "vuurrood oog".'

'Hebt u pyropen gevonden toen u mijn grond onderzocht?' vroeg ik.

'Er waren indicators aanwezig. Het rapport was niet onweerlegbaar omdat ik tegen Marques zei dat ik meer grondstoffen nodig had, dat er meer geboord zou moeten worden voor bodemmonsters. Dat was meer dan een jaar geleden. Hij zei dat er een nieuwe partner bij-kwam en hij contact met me zou opnemen. Ik heb nooit meer iets van hem gehoord tot gisteren. Net als u stond hij plotseling voor mijn neus, zonder afspraak.'

De 'nieuwe partner' was waarschijnlijk Bernie. João haalde Bernie over de diamantmijn te kopen, maar Bernie moest op de een of an-dere manier lucht hebben gekregen van het onderzoek dat Eduardo instelde. Het was niet iets dat Eduardo diep geheim kon houden – boren vereiste grootschalige apparatuur.

Ik had wel een idee hoe Bernie erachter was gekomen dat Eduar-do boorde naar bodemmonsters. In Angola kun je niets doen zonder vergunning – en zonder het betalen van een licentie en steekpennin-gen. Bernie zou onderzoek hebben laten doen in Luanda voor hij de mijn kocht. Dat onderzoek zou aan het licht hebben gebracht dat er vergunning was aangevraagd voor de boringen. Met die wetenschap kon hij Eduardo hebben geconfronteerd, al was het maar per tele-foon, en gehoord hebben dat er indicators waren. Voorzover ik kon nagaan was Bernie naar Angola gegaan en had hij Eduardo gespro-ken.

'U zult begrijpen,' zei Kruger, 'dat er meer werk moet worden ver-richt, meer proefnemingen worden gedaan, voordat een definitief re-sultaat kan worden verkregen. Als er blauwe aarde wordt gevonden, kan blijken dat u vanuit de huidige mijn een schacht erheen kunt gra-ven, of dat u van voren af aan moet beginnen en een heel nieuwe mijn moet graven. Tijdens dat hele proces zult u deskundige ingenieurs en geologisch advies nodig hebben.'

'Kunt u naar Angola komen om het onderzoek te leiden?'

'Ik zou voor geen goud ter wereld naar dat hellegat komen.'

'Ik boor niet naar goud, maar ik denk dat diamanten minstens zo-veel, zo niet meer waard zijn. U wilde niet naar een oorlogsgebied. Er is nu vrede, in ieder geval een onderbreking van de oorlogshandelin-gen. Het is een prachtkans.'

'Voor wie van ons beiden?'

'Voor ons allebei. Eduardo Marques is niet dom. Hij heeft zijn le-ven lang mijnen beheerd. Het zit in hem in het bloed, hij kan ze rui-ken. U hebt bevestigd dat er waarschijnlijk diamanten zijn, het is een kwestie van het vinden van de juiste plek. U bent mijningenieur en geoloog. U kunt het kimberliet vinden en de beste manier om erbij te komen.'

Ik nam de pot met mineralen van Kruger over en zette hem op zijn bureau. Ik wilde zijn volle aandacht. Hannah gromde toen ik me vooroverboog naar haar meester.

'Stil jij,' zei ik tegen Hannah. 'Luister, Christiaan, je staat met je rug tegen de muur en je bent bijna failliet door je juridische gevecht met die schoften die je procédé gestolen hebben. Zij hebben de goudmijn en jij hebt de schacht. Kom naar Angola, dan zullen we als een stel dwaze Texaanse speculanten op eigen houtje gaan proefboren en met een laag diamanten te voorschijn komen die de top van de berg zal blazen. Dan kom je hier terug en geeft dat stel dieven een trap tegen hun kont – en we leven allebei nog lang en gelukkig. Wat vind je ervan?'

Hannah gromde toen ik met stemverheffing sprak.

'Stil!' zei Kruger tegen haar.

46

❖

In een goede stemming kwam ik terug in het hotel. Kruger was inge-lijfd. Over een maand zou hij naar Angola komen. Intussen gaf hij me een lijst van de apparatuur die ik moest aanschaffen. Ik bleef bij de receptie staan en liet de lijst naar Cross faxen, naar de mijn.

Toen ik met de lift naar boven ging en door de gang liep, huppelde ik bijna. Alles liep op rolletjes. Ik deed breed grijnzend de deur van de suite open.

Mijn grijns verdween toen ik Eduardo zag en het pistool in zijn hand.

'Doe de deur dicht,' zei hij. 'Ik wil de andere gasten niet storen als ik je moet neerschieten.'

Ik deed de deur dicht.

Marni zat in een stoel bij het raam.

'Alles goed met je?' vroeg ik.

Ze knikte. 'We hebben over je zitten babbelen. Voornamelijk over het feit dat hij je zo onaardig vindt.'

'Je hebt mijn leven verwoest,' zei Eduardo. 'Maar nu ga je het weer voor me opbouwen.' Hij gebaarde met het pistool naar papieren op het bureau. 'Om te beginnen teken je die documenten waarmee je de mijn verkoopt. Je zult zien dat de prijs van de mijn is gedaald tot één rand.'

Het leek Eduardo niet al te goed zijn gegaan sind ik hem voor het laatst had gezien. Zijn pak en hemd moesten verschoond worden, zijn ogen waren bloeddoorlopen van te weinig slaap of te veel drank. Erger nog, zijn handen trilden – geen goed teken als hij een pistool op mij gericht hield.

'Dat is nog geen cent waar ik vandaan kom. Ik zou wel gek zijn om je de mijn tegen die prijs te verkopen.'

'Nee, nee, niet gek, je wist de fouten van je verleden uit. Ik zou nu dood zijn als ik het land had verlaten voordat je vriend kolonel Jom-ba me te pakken kreeg. Denk maar niet dat ik niet weet wat jullie

tweeën in je schild voeren. Of dat je mij uit de weg wilde hebben zodat niets je plannen in de weg zou staan. En die *puta* met wie je je
plannen smeedt; ik weet wat jij en zij en haar man van plan zijn.'

'En als ik je die mijn niet wil verkopen?'

'Dat zou me heel erg veel plezier doen, heel erg veel. Ik zou je
eerst in je voet schieten, in de bovenkant, waar alle botjes zitten. Dan
zou ik je in je knieschijf schieten...'

'Ik begin het te snappen. Waar moet ik tekenen?'

'Zo eenvoudig gaat het niet, senhor. U zou het document kunnen
tekenen en dan zodra ik weg ben de politie bellen en beweren dat u
onder dwang getekend hebt.'

Die gedachte was inderdaad bij me opgekomen.

'Herinnert u zich nog dat u een pistool tegen mijn hoofd hield en
me verplichtte mijn bank te bellen en al het geld dat ik had naar u
over te maken? Herinnert u zich dat nog, senhor? Herinnert u zich
dat ik u al het geld heb gegeven dat ik in mijn leven gespaard had?'

'Ik herinner me dat ik het geld heb teruggenomen dat je van me
gestolen had.'

'*Exactamente!* Dat is het precies. En nu neem ik het geld terug dat
u van mij hebt gestolen!'

Hij kwam dichterbij en duwde met zijn pistool tegen mijn arm.
Zijn ogen waren wijd opengesperd. Zijn bewegingen getuigden van
een nerveuze spanning, alsof hij dwangmatig handelde.

Plotseling hoorde ik het geluid van brekend glas – een opwindend,
verbijsterend lawaai.

Eduardo en ik verstarden. Marni had met de stoel een groot raam
ingeslagen. De stoel verdween uit het gezicht, langs twaalf verdiepingen op weg naar beneden.

Ik was de eerste die weer bij mijn positieven kwam. Ik greep zijn
hand met het pistool bij de pols. Het pistool ging af en een kogel
boorde zich in de vloer. Marni schreeuwde uit het raam – 'Brand!' –
terwijl we vochten. De man was pezig en sterker dan ik vermoed had.
Ik probeerde het pistool uit zijn hand te wringen en het ging weer af.
Ik stootte met mijn voorhoofd tegen zijn gezicht, beukte tegen zijn
neus en draaide de man rond tot hij op de grond viel, waarna ik met
mijn knie in zijn maagstreek stootte. Plat op zijn rug, terwijl het bloed
uit zijn neus gutste en hij naar adem snakte, duwde de schoft de nagel
van zijn duim in mijn oog. Ik deinsde achteruit en voelde zijn hand
met het pistool aan mijn greep ontsnappen...

Marni sloeg hem met het voetstuk van een lamp op zijn hoofd. De
klap kwam onverwacht en een seconde lang verslapte hij en ze sloeg
hem opnieuw. Hij bleef roerloos liggen. Ik pakte het pistool uit zijn
hand. Hijgend zei ik: 'Geef me iets, een das, dan zal ik hem vastbin-
den. En bel de politie.'

'Ik denk niet dat dat nodig is.'

Ze had gelijk – het geluid van het ingeslagen raam was waarschijnlijk door de schepen op zee te horen geweest.

Die avond aten we op onze kamer – na een andere kamer te hebben gekregen.

De politie had Eduardo meegenomen. De rest van de dag tot vroeg in de middag waren we bezig met het afleggen van verklaringen en het ondertekenen van papieren, inclusief een belofte om terug te keren naar Kaapstad als het voor de juridische gang van zaken nodig was.

Toen Eduardo bijkwam vervloekte hij me – en sprak vervloekingen over me uit – in diverse Portugees-Angolese bewoordingen en zinnen die je ziet op wc-muren. Toen hij Marni een *puta* noemde, gaf ik hem een trap in zijn maag.

'Hij is vastgebonden,' zei Marni.

'Ja. Maakt het gemakkelijker hem een trap te geven.'

Ik wist niet zeker of ze zou gaan lachen – of huilen. Feitelijk deed ze het allebei.

'Wat is er voor grappigs?' vroeg ik.

'Ik was zo blij dat ik in Kaapstad was waar ik niet vermoord zou worden.'

Tijdens het eten die avond was ze stil en melancholiek.

'Denk je nog steeds aan Eduardo?' vroeg ik.

'Nee, ik dacht aan de dood. Je vertelde dat je je moeder op jonge leeftijd verloren hebt. Ik ook. Mijn moeder pleegde zelfmoord, nadat ze mijn jongste broertje, een baby nog, had gewurgd en ze heeft ook geprobeerd om mij te doden.'

Ik was verbijsterd. 'Jezus.' Ik wist niet wat ik moest zeggen.

Marni haalde haar schouders op. 'Ze was gek, geestesziek, misschien daartoe gedreven door mijn vader. Hij was erg veeleisend en kritisch, zij was onderdanig en had gebrek aan zelfvertrouwen. Vreemd als het lijkt, ze doodde niet uit boosaardigheid. Ik denk dat ze er niet meer tegenop kon en haar kinderen wilde doden omdat ze niet wilde dat ze zo zouden lijden als zij had gedaan.'

'Marni, ik vind het zo erg voor je…'

'Dat hoeft niet. Het is iets dat ik moet verwerken, voornamelijk door alle contact met mijn vader te vermijden.'

'Misschien maakt het je bang voor een relatie met een man.'

'Is dat wat wij hebben? Een relatie?' vroeg ze.

'Ik weet niet wat er tussen ons is; soms weet ik niet wie ik zelf ben. De dood van mijn ouders heeft me fatalistisch gemaakt ten opzichte van het leven, ik dacht dat ik het moest vullen met plezier maken, zoveel mogelijk pleziertjes en vreugde eruit peuren voordat de man met de zeis kwam aankloppen. Nu weet ik het niet meer. Je dagelijkse werk doen en het resultaat ervan zien maakt dat ik me afvraag of ik niet iets blijvenders wil presteren dan profiteren van het moment.'

Die nacht lag ik in bed met haar hoofd op mijn schouder, haar zachte, warme adem tegen mijn hals. We waren geen van beiden in de stemming voor wilde, hartstochtelijke seks. We lagen gewoon knuffelig dicht tegen elkaar aan.

Ik probeerde me de verschrikking voor te stellen als je ziet hoe je moeder je broertje vermoordt en dan probeert jou te vermoorden. Het Medea-syndroom, noemde Marni het, naar de godin in het toneelstuk van Euripides en uit de Griekse mythologie, die haar kinderen vermoordde om haar man Jason, de leider van de Argonauten die op zoek was naar het Gulden Vlies, te straffen omdat hij haar had verlaten voor een andere vrouw. De versmade Medea doodde hun kinderen uit wraak.

Ik probeerde mijn gevoelens voor Marni te analyseren. Was het wellust? Sympathie? Was ik, nu ik gekregen had wat ik wilde, 'mijn lul gemasseerd was', zoals Cross zou zeggen, gereed mijn geluk elders te zoeken?

Er volgde geen grote onthulling, maar één ding bracht me in verwarring. Ik wilde bij haar zijn, niet alleen voor het moment. Ik wilde ervoor zorgen dat ze trots op me was en haar beschermen. Zo had ik me nooit eerder gevoeld.

47

❖

Twee dagen later vlogen we terug naar Luanda.

Het feit dat ze bijna vermoord was had een lichte domper gezet op Marni's verlof. Aanvankelijk dacht ik dat ze zich getraumatiseerder voelde dan ze wilde toegeven, en dat ze hypergevoelig en nerveus was na de onthulling van haar familiegeheim; we zaten al in het vliegtuig toen ik erachter kwam wat haar werkelijk dwarszat.

'Win, wat bedoelde Eduardo, toen hij zei dat je met kolonel Jomba ergens bij betrokken was?'

'Ik heb hem een aandeel gegeven van het geld dat ik Eduardo gedwongen heb terug te geven. Het is een vorm van belasting betalen. Als ik het niet had gedaan, zou Jomba me aan een vleeshaak hebben opgehangen en me hebben gebruikt als versiering op de neus van zijn jeep.' Dat was de waarheid. Tenminste, een deel ervan. Het andere deel was dat Eduardo lucht had gekregen van de deal met Jomba, maar Marni zou me op 38.000 voet uit het vliegtuig hebben gegooid als ze wist dat ik betrokken was bij een ruil van diamanten voor wapens.

'Het leek me dat hij iets anders bedoelde, iets waar Eduardo niets mee te maken had.'

'Ik betaal de UNITA het gebruikelijke protectiegeld zoals alle mijneigenaars doen. Jomba is de geldophaler.' Ook dat was waar. Tot zover was ik erin geslaagd haar vragen netjes te ontwijken door verklaringen die onweerlegbaar waren.

'Eduardo zei ook iets over een vrouw met wie je iets had, hij gebruikte het Portugese woord voor "hoer" om haar – en mij – te beschrijven.'

Ik gaf haar een zoen op haar hand. 'Ik stel geen vragen over jouw verleden.'

'Ik vraag niet naar je verleden. Hij deed het voorkomen of er iets aan de hand was. Ik weet dat je in Lissabon hebt gelogeerd bij João Carmona. Zijn vrouw, Simone, is invloedrijk in een Portugees-Angolese hulporganisatie omdat haar man daar geld aan geeft, maar iedereen weet dat Carmona betrokken is geweest bij de bloeddiamanthandel.' Ze hield mijn arm vast en keek me ernstig aan. 'Je zou toch nooit aan iets dergelijks meedoen, hè? Je weet hoeveel leed, hoeveel verschrikkingen die bloeddiamanten in Afrika hebben veroorzaakt.'

Ik zoende haar wang en beroerde haar lippen met de mijne. 'Schat, Eduardo was onder invloed van drugs en hallucineerde.' Weer een briljant omzeilen van de waarheid. Ik had advocaat moeten worden.

Ze schudde haar hoofd. 'We naderen Luanda. Vertel me nu de waarheid. Op het moment dat we uit dit vliegtuig stappen ben je vergeten dat je me zelfs maar gekend hebt. Ik ga terug naar de rimboe om voedselpakketten uit te delen, en jij gaat terug naar New York waar vrouwen niet naar een antimuggenmiddel ruiken.'

'Nooit.' Ik kuste haar neus. 'Ik heb nog nooit voor een vrouw gevoeld wat ik voor jou voel.' Dat was de waarheid.

We stapten uit het vliegtuig en liepen naar de terminal. Daar wachtte me een verrassing. Een vrouw hield een zakdoek omhoog met de naam WIN LIBERTE in lippenstift erop geschreven.

Het was Simone.

O, shit. Ik dacht dat ik het binnensmonds mompelde, maar het kwam er hoorbaar uit. 'Ik kan het uitleggen,' zei ik tegen Marni.

De uitdrukking op haar gezicht zei me dat ik het op geen enkele manier zou kunnen uitleggen.

'Hallo, vergeef me mijn kleine grapje.' Simone gaf mij en Marni een hand. Tegen mij zei ze: 'Het spijt me dat ik zo onverwacht op kom dagen. Ik heb geprobeerd je te bereiken, maar je man in de mijn zei dat je de stad uit was. Er hebben zich een paar dingen voorgedaan in verband met onze deal met kolonel Jomba die onmiddellijke aandacht vereisen.'

'Ik kom zo bij je.'

Ik begeleidde Marni naar een taxi. Ik gebaarde naar een van de gehuurde bewakers en gaf hem geld om met Marni mee te rijden naar de stad.

'Je bent met haar naar bed geweest, hè?'

Het was geen vraag.

'En je bent betrokken bij een smerig handeltje.'

Ik kon er niets op zeggen.

Ze ging kwaad en gekwetst weg. Terwijl ik de vertrekkende taxi nakeek, kwam Simone naast me staan.

'Heb ik iets verkeerds gezegd?'

'Je bent een loeder.'

Ze gaf me een zoen op mijn mond. 'Natuurlijk ben ik dat. Maar ik ben er tenminste goed in. Het is de enige manier waarop een vrouw kan omgaan met mannen die denken dat ze de wereld beheersen.'

'Waarom ben je hier? Kom je op je bezem aanvliegen om mijn leven te verwoesten?'

Ze lachte. 'O, nee, alsjeblieft, vertel me niet dat de charmante en aantrekkelijke Win Liberte verliefd is – en nog wel op een idealistische boekenwurm. Je zou me tenminste in de steek kunnen laten voor een filmster.'

'Ik kan niet iemand in de steek laten die ik nooit gehad heb.'

We stapten samen in een taxi.

'Maakt het de zaak gecompliceerder als ik in hetzelfde hotel logeer als jij en Marni?' vroeg ze.

'Marni heeft een afspraak met vrienden van haar werk en vliegt vanmiddag terug naar het diamantengebied.'

'Goed zo. Ik was al bang dat ik je avond zou verknallen.'

'Dat doe je niet. Ik breng je naar je hotel en zet je daar af. Ik ga vanmiddag met een charter naar het binnenland.'

Ze legde haar hand op mijn dij. 'Je bent boos op me. Het spijt me echt.'

'Laten we terzake komen. Waarom ben je hier?'

'Oké.' Ze sprak zacht, zodat de chauffeur en de bewaker ons niet konden horen. 'Het tijdschema voor de ruil is vervroegd. De politieke omstandigheden in het land verslechteren. Savimbi en de regering vliegen elkaar voortdurend naar de keel; het vredesverdrag kan elk moment in rook opgaan.'

'Wat kan het jou schelen? Die mensen zullen toch kogels nodig hebben om elkaar te vermoorden.'

'Als er een openlijke oorlog uitbreekt, zullen Angolese diamanten gekwalificeerd worden als conflictdiamanten en zal de certificatie nutteloos zijn.'

'Wat is Jomba precies van plan?'

Ze haalde haar schouders op. 'Oorlog, een coup, een revolutie, wie zal het zeggen? Die mensen hebben zoveel manieren om elkaar te vermoorden. Onze deal is uitsluitend met Jomba. We kunnen geen deal sluiten met Savimbi zonder Jomba, die erop uit is om de UNITA over te nemen. Veel UNITA-leiders denken er net zo over als Jomba – ze hebben genoeg van Savimbi's leiderschap. Als het vredesproces volledig ten uitvoer wordt gebracht, moeten de rebellen ontwapenen. En verliezen ze het geld van hun diamanten.'

'Dus bewapenen we Jomba, zodat hij Savimbi kan vermoorden en het land in een bloedbad veranderen. Komt het daar zo ongeveer op neer?'

Ze gaf me een klopje op mijn arm. 'Wat is er, Win? Heeft je vriendin van de Verenigde Naties je verteld hoe verschrikkelijk het is om diamanten te ruilen voor wapens? Ben je nog niet lang genoeg hier om te weten hoe het werkt in dit land? Als we deze mensen geen tanks en geweren verschaffen om elkaar mee te vermoorden, zouden ze het met speren doen.'

222

'Heb je Bernie wel eens ontmoet?'

'Hè?'

'Bernie – de man die ik mijn oom noemde, die mijn erfenis in de mijn heeft gestoken – heb je hem wel eens ontmoet?'

'Nee, ik geloof het niet. Ik kan het me niet herinneren.'

Ze was een goede actrice, maar ik kon zien dat ze loog. Mijn vraag bracht haar in verwarring.

'Wat is er zo belangrijk aan deze deal dat jij en João bereid zijn meer geld te steken in een bloeddiamantendeal die kan mislukken? Te oordelen naar de manier waarop je leeft, schijn je je geen zorgen te hoeven maken waar je volgende maaltijd vandaan zal komen.'

'De vuurdiamant.'

'De vuurdiamant?' Ik wist waar ze het over had. Mijn vader had me verteld dat een robijnrode diamant van hem gestolen was, maar ik deed net of ik van niets wist. Dat was niet moeilijk in dit spel waar puzzels waren verpakt in raadsels en omgeven door geheimzinnigheid.

'Het Hart van de Wereld, een diamant die robijnrood is, heel zeldzaam, misschien wel de waardevolste diamant ter wereld die zich niet in een museum bevindt. João heeft je verteld dat hij in financiële moeilijkheden kwam bij de transactie die je oom failliet deed gaan. Maar hij heeft je niet verteld dat de Bey zijn vuurdiamant hield als onderpand voor de schuld. Er zal een ruil komen in deze deal met Jomba. De Bey geeft Jomba wapens voor diamanten, en de Bey zal ons de vuurdiamant geven. Maar de Bey is niet te vertrouwen.'

'Het Hart van de Wereld is meer waard dan die hele diamantentransactie. João is bang dat de Bey zal proberen hem te houden, of dat Jomba het bestaan van die diamant ontdekt. In welk geval hij hem in handen zal zien te krijgen.'

'Wat let Jomba en de Bey om samen te spannen en achter João's rug om een deal te sluiten?'

'Ze kennen elkaar niet. Jomba weet niet wie de wapens levert en de Bey weet niet aan wie hij ze levert. João wil zelfs de tijd en plaats pas op het allerlaatste moment bekendmaken.'

'Geen eer onder dieven?' Het ging er steeds meer naar uitzien dat ik het in mijn eentje zou moeten opknappen. En met lege handen zou achterblijven.

'Misschien kun je me iets uitleggen.' Ik telde op mijn vingers af. 'Jomba krijgt de wapens, de Bey krijgt bloeddiamanten, João krijgt de waardevolste diamant ter wereld en ik…'

Ze kneep in mijn bovenbeen. Ik had een afkeer van die vrouw en wantrouwde haar, maar haar aanraking joeg mijn testosteronpeil omhoog. Wat zijn mannen toch stommelingen.

Ze zei: 'Ik heb informatie die je misschien zal verbazen. De man die vroeger je mijn beheerde – hoe heette die ook weer?'

'Marques, Eduardo Marques.'

'Ja, die. Hij was onlangs bij João om over de mijn te praten, vroeg zijn hulp om hem te kopen.'

Ik vertrok geen spier van mijn gezicht, al kostte het me moeite. Mijn onmiddellijke reactie was dat ze onder één hoedje speelden met Eduardo. João zou van alle walletjes willen eten.

'Win, je zit op een goudmijn, zoals jullie Amerikanen zouden zeggen. Marques had een geologisch rapport waaruit bleek dat er een kimberlietlaag is op het grondgebied.' Ze aarzelde. God, wat was ze een goede actrice! Maar ik was geen goed acteur. 'Aan je gezicht te zien geloof ik dat je weet waar ik het over heb.'

'Ik weet dat Marques iets in zijn schild voert. Hij probeerde de mijn te kopen voordat ik hem ontsloeg wegens diefstal. Hij beweert dat hij een Zuid-Afrikaanse groep achter zich heeft. Hij heeft onlangs nóg een bod gedaan op de mijn, wilde lood ruilen voor diamanten.'

'Lood voor diamanten?'

'Hij had een geweer. Waarom hebben jij en João me niet verteld dat Marques een dief was toen ik in Lissabon was?'

'Dat wisten we niet. Hij heeft João een paar dagen geleden gebeld. João weigerde natuurlijk. João was een vriend van je vader en is nu je partner in een diamantenruil. Hij zou jullie relatie niet willen bezoedelen.'

Het werd steeds moeilijker om mijn gezicht in de plooi te houden. Niet alleen vond mijn vader João een eersteklas dief, maar João had de vuurdiamant van hem gestolen. Het zou me niets verbazen als hij achter de deal zat om me de mijn te ontfutselen. Ik verwachtte van de Zuid-Afrikaanse advocaat te horen dat João een van Eduardo's partners was.

We stopten voor het hotel.

'Ben je uitgepraat?' vroeg ik.

'Niet helemaal. Ik heb je verteld dat het tijdschema vervroegd is. Je moet over drie dagen in Istanbul zijn om de overeenkomst af te ronden.'

'Sorry, maar ik moet iets aan mijn oren hebben. Zei je dat ik over drie dagen in Istanbul moet zijn?'

'De Bey wil je ontmoeten. Hij houdt er niet van om zaken te doen met iemand die hij nog nooit gezien heeft. Hij wil je bekijken. En hij en João moeten de definitieve regeling treffen voor de levering van de wapens en het op de markt brengen van de diamanten.'

Istanbul. Ik probeerde me voor de geest te halen waar het precies lag. Portugal lag aan de zee-engte aan één kant van de Middellandse Zee, Istanbul, Turkije, dacht ik aan de andere kant, de oostkant. Ja, ik was ook niet vaak present geweest in het aardrijkskundelokaal.

Haar hand ging weer naar mijn dij en kneep erin. 'Sorry, Win, maar het is noodzakelijk. Als een van ons ervoor zorgt dat die deal niet doorgaat, ben ik bang dat zowel de Bey als kolonel Jomba wraak zal nemen.'

Ze noemde João niet, maar waarschijnlijk zou hij de meute aanvoeren, grommend naar mijn hielen happen als ik vluchtte voor de helhonden.

Ze leunde tegen me aan en zoende me. Haar lippen waren warm en vochtig.

'Wat kan ik doen om dat alles goed te maken?' vroeg ze.

Ik begon te lachen. Ik bleef lachen toen ze uit de taxi stapte en het portier dichtsmeet. Ze wilde weglopen, maar draaide zich toen weer om, sprak tegen me door het open raam.

'João zal je instructies voor Istanbul naar de mijn telegraferen.' Ze aarzelde. 'Haat me niet.'

Kreng.

48

❖

Simones telefoon ging over toen ze haar kamer binnenkwam.

'Está.'

'Ik ben het,' zei João. 'Heb je onze vriend verteld waar hij naartoe moet?'

João sprak in code, omdat hij ervan overtuigd was dat een telefoon in een kamer in een Angolees hotel niet veilig was.

'Bedankt dat je vraagt hoe het met me gaat.'

João grinnikte. 'Hoe gaat het, liefje? Heb ik je al verteld dat ik je mis? Dat ik de uren aftel?'

'Je bent een verrekte ouwe leugenaar. Hoe gaat het met Jonny?'

'Waarschijnlijk werkt ze iedere jongen in Lissabon af. Ze heeft de moraal van een straatkat. Net als haar moeder.'

'Doe maar geen moeite om enige verantwoordelijkheid te nemen voor de opvoeding van je dochter. En, ja, ik heb het onze vriend verteld.'

'Hoe beviel het hem?'

'Hou zou het jou bevallen?'

'Niet dus.'

Ze dacht even na. 'Ik weet ook niet zeker of hij het zal doen.'

'Denk je dat hij komt voor de ontmoeting?'

'Vast wel. Momenteel heeft hij geen opties. De vraag is in hoeverre je hem onder controle zult kunnen houden als hij wél een optie heeft.'

'Heel simpel, liefje. We zorgen ervoor dat hij die nooit krijgt.' Er kwam een ijskoude klank in João's stem. 'Ik denk dat er in de nabije toekomst een moment zal komen waarop al dat gedoe over het moderne leven onze vriend Win op het idee zal brengen dat het leven niet langer de moeite waard is.'

Geen van beiden zei iets, maar toen vroeg João: 'Heb je onze vriend, de kolonel, gesproken?'

'We hebben elkaar ontmoet – even.'

'En?'

'Hij staat erop dat we ons aan het nieuwe tijdschema houden.'

'En dat zullen we, dat zullen we, als dat nodig is om onze baby terug te krijgen.'

Hij stak het niet onder stoelen of banken dat de vuurdiamant belangrijker voor hem was dan Jonny of Simone.

Hij ging door. 'Ik heb iets interessants gehoord over tatoeages en de kolonel. Behalve de bizarre die zichtbaar zijn, vertelde een lid van het Angolese ambassadepersoneel dat de kolonel de reputatie heeft dat zijn penis zo getatoeëerd is dat die een leeuw met manen lijkt als de voorhuid wordt teruggetrokken.' Hij zweeg even. 'Heb jij leeuwenvlees gegeten toen je in Luanda was?'

'Is dat wat je wilt?'

'Liefje, je weet dat ik je nooit zeg wat je moet doen. Maar pas op je tellen. Onze man verlangt een groter aandeel.'

Er werd op haar kamerdeur geklopt.

'Er is iemand aan de deur. Ik bel je morgenochtend voor ik naar de luchthaven ga.'

Ze deed open. Een kamermeisje overhandigde haar een envelop. Hij bevatte een kamersleutel.

Ze kleedde zich uit en nam een bad, daarna een douche en bracht vervolgens een geparfumeerde body lotion aan. Toen ging ze naakt voor de spiegel zitten en maakte zich verder op. Ze smeerde haar vagina in met een voorbehoedmiddel, trok een witkanten slipje en beha aan. De kleur contrasteerde mooi met haar koperkleurige huid.

Voor ze zich aankleedde, poseerde ze voor de lange kleedspiegel. En zuchtte. Mannen zouden haar beschrijven als sexy en sensueel, maar zoals de meeste vrouwen was Simone haar eigen grootste critica.

Ze koos een rode, strapless katoenen jurk, mooi genoeg voor de avond, maar minder provocerend dan ze voor een cocktailparty zou hebben aangetrokken.

Toen ze klaar was met haar voorbereidingen, verliet ze de kamer en ging met de lift twee verdiepingen hoger. In plaats van de kamersleutel te gebruiken die haar was bezorgd, klopte ze op de deur.

Cross deed open. Zonder te glimlachen deed hij een stap opzij en liet haar binnenkomen.

'Zal Win zich niet afvragen wat je uitvoert?' vroeg ze.

Hij schudde zijn hoofd. 'Ik heb een bericht achtergelaten dat ik naar de rivier ging om een claim te bekijken. Dat doe ik geregeld.'

Ze ging op de bank zitten.

'Wat wil je drinken?' Hij wees naar een blad vol flessen.

'Nada. Vertel me wat Win heeft gezegd over Eduardo.'

'Hetzelfde wat ik João aan de telefoon heb verteld. Win heeft me gebeld uit Kaapstad, zei dat Eduardo met een pistool op hem afkwam en hem een document wilde laten ondertekenen.'

'Om de mijn te verkopen.'

'Zoiets, ja. Eduardo zit in de gevangenis. Gezien het feit dat hij een buitenlander is, zal hij daar wel een tijdje blijven omdat hij een vluchtrisico is als hij op borgtocht wordt vrijgelaten.'

'Is dat alles wat hij je verteld heeft?'

Cross ging op de armleuning van de bank zitten en grinnikte naar haar terwijl hij het ijs en de whisky in zijn glas liet ronddraaien. 'Wat is er? Bang dat Eduardo Win zal vertellen dat jij en je man samen met hem de mijn wilden ontfutselen?'

Simone keek glimlachend naar hem op. Haar lippen waren vriendelijk, maar haar ogen waren koud en berekenend. 'Laat je verbeelding niet met je aan de haal gaan, Cross. João en ik kunnen ons niet inlaten met het bezit van een mijn in Angola, niet zolang Savimbi leeft.'

'Wél als je een Zuid-Afrikaanse lege onderneming neemt als dekmantel.'

'Zoals ik al zei, laat je verbeelding niet met je aan de haal gaan.'

'Dat is al gebeurd.' Hij bukte zich en zoende haar op haar mond. Hij liet zijn lippen langs haar hals glijden en ademde de bloemrijke geur tussen haar borsten in.

'Hmmm. Je ruikt zoals een vrouw hoort te ruiken.'

Ze beantwoordde zijn zoen, deze keer gretig. Hij stond op van de armleuning en ging op de kussens liggen. Hij trok haar jurk omhoog, bukte zich en zoende haar witte slipje.

'Wil je een Portugees kutje?'

Zijn gezicht ging weer omhoog. 'Wat denk je? Ik heb al een stijve. Voor ik je kutje lik, moeten we iets bespreken... zolang ik mezelf nog in de hand heb.'

Hij ging weer op de armleuning zitten.

'João zei dat je een groter aandeel wilde.'

'Nee, dat is niet de juiste manier om het uit te drukken. "Wilde" klinkt alsof ik het vraag. Ik vraag niks, meid. Het begint een hachelijke deal te worden. Toen ik erin stapte, wist ik niet dat Jomba zich tegen Savimbi zou keren. Dat is zoiets als een langzame manier om zelfmoord te plegen – zoals je eigen tenen afhakken met een machete en geleidelijk hogerop gaan.'

'Savimbi is maar een mens; hij beantwoordt niet aan zijn reputatie.'

Cross gilde bijna. 'Schat, je hebt kennelijk niet lang genoeg in Angola gewoond. Savimbi is krankzinnig en hij heeft een leger waarvan de helft gek is van de drugs en de andere helft gewoon gek is. Hoe groot denk je dat Jomba's kansen zijn om hem te verslaan?'

'Dat gaat je niks aan. Wij leveren de wapens, krijgen de diamanten en laten de honden vechten om hun botten.'

'Dat doe jij, bedoel je. Niemand zal merken dat jij hier niet thuishoort. Maar als Savimbi lont ruikt, zal hij onmiddellijk uitkijken naar degenen die vluchten. Ik zal van de straat worden geplukt en voor zijn deur worden gesmeten als ik probeer te ontsnappen.'

'Waar wil je naartoe? Hoeveel?'

'Onze afspraak was een kwart miljoen om jullie te helpen de deal met Jomba erdoor te krijgen.'

'En ervoor te zorgen dat onze vriend senhor Liberte zich niet terugtrekt of ons probeert te belazeren.'

'En Win voor jullie te bespioneren. Ik wil een half miljoen.'

'Oké. Ik zal João laten weten dat het nu een half miljoen is.'

Ze stond op en pakte het glas uit zijn hand en zette het neer. Zittend op de armleuning van de bank spreidde hij zijn benen en ze kwam ertussen.

'Zijn we klaar met het zakelijke gesprek?' vroeg ze.

'En als ik eens een miljoen gevraagd had?'

'Waar heb je het over?'

'Ik vroeg me alleen maar af waarom je zo snel toestemde, zonder enige tegenspraak, nada.'

'Geld genoeg. Hoe zeggen jullie Amerikanen het ook weer? Je moet een gegeven paard niet in de bek kijken.'

'Ja, nou ja, het verwondert me altijd als iemand te gemakkelijk is. Er zijn beloftes en er zijn beloftes, en die worden niet altijd nagekomen. Ik vraag me af of jij en die man van je werkelijk van plan zijn me uit te betalen. Ik zou hier vastzitten in Angola als de zaak misloopt. Maar dan zit jij in Lissabon.'

Ze knoopte zijn hemd los, nam zijn tepel in haar mond. 'Ik wil dat je met me neukt.'

Ze hoorde de deur van de slaapkamer opengaan en draaide haar hoofd om. Degene die binnenkwam was jong, had een blanke huid, kort blond haar en droeg slobberige kleren.

Simone vroeg: 'Wie is dat?'

'Iemand die ik heb geïmporteerd uit Amsterdam. Je kunt de kutjes in Luanda niet vertrouwen.'

Simone fronste haar wenkbrauwen. 'Is het een jongen of een meisje?'

Cross lachte. 'Dat is de grap. We zullen het samen ontdekken.'

49

❖

Istanbul

Ik huurde een speedboat die me via de Bosporus naar de Zee van Marmara bracht, en door de Dardanellen naar het stadje Canakkale aan de Aziatische kant van Turkije. Ik haalde de auto op die ik had gehuurd en ging eerst langs mijn hotel voor ik aan de rit begon die een uur duurde. Ik was op weg naar de ruïnes. Daar aangekomen stapte ik uit en liep naar de rand van een oude muur langs een klif en staarde over de Dardanellen naar Europa.

Hier, op de muur in de stad Troje, hadden Odysseus, Hector, Achilles en Paris gevochten om de wispelturige en mooie Helena.

Istanbul was een van de grote steden van oost en west, een fascinerende, mysterieuze, opzwepende stad op het kruispunt van de geschiedenis. Het was een stad van politieke intriges en samenzweringen, van botsende culturen en ambitieuze imperiums. Maar het was tot deze ruïnes aan de andere kant van de zee-engte, een weinig indrukwekkende plaats van grauwe stenen, gehavend door oorlog en tijd, dat ik me aangetrokken voelde.

Het was een plaats waar mannen waren gestorven in hevige veldslagen, waar een vrouw vastbesloten was haar hart te volgen, zelfs al betekende het dood en verwoesting en de ondergang van koninkrijken. Er waren weinig plaatsen op aarde waar mannen zo heldhaftig waren gestorven en zoveel was geschied in naam van de liefde.

Ik dacht aan Odysseus die Troje na de oorlog verliet, door een kwade god verdoemd, gedwongen zich in te schepen voor een gevaarlijke reis, door gevaarlijke wateren. Zo voelde ik me ten aanzien van mijn New York-naar-Lissabon-naar-Afrika-naar-Istanbul-waagstuk. Verdoemd door de goden. En de eenogige cycloop was João. Ik had zijn intriges van mijn vader geërfd als een genetisch gebrek. En ik was er vrijwel zeker van dat Bernie aan dezelfde ziekte was overleden.

Ik had Marni gebeld vlak voordat ik naar Istanbul vertrok. Ik had haar gevraagd met me mee te gaan. Het was een krankzinnig verzoek. Hoe had ik ooit kunnen uitleggen dat ik de samenzweerders in een bloeddiamantendeal zou ontmoeten? Ze zei 'Nee', en hing op.

Ik denk dat ik belde omdat ik wist dat ze nee zou zeggen. Het was een zwakke poging om net te doen of ik me uit de deal kon terugtrekken. Ja, terugtrekken. Maar zelfs ter wille van mijn eeuwige zielenheil kon ik niet beweren dat het was omdat ik me zorgen maakte over de vraag wat Jomba met de wapens zou doen. Ik had Simones houding ten opzichte van Angola – als ze elkaar niet vermoordden om de ene reden of op de ene manier, zouden ze een andere vinden. En vijf miljoen dollar kon mijn geweten aardig sussen. Verdraaid, ik zou zelfs een donatie geven aan een Angolese hulporganisatie.

Nee, het was niet een plotseling geval van moraliteit – het was de mogelijkheid dat de Blue Lady een goudmijn was – metaforisch gesproken. Als Kruger meer indicators vond in de proefboringen die we van plan waren, zou de vijf miljoen dollar die ik kreeg – en waarschijnlijk zou ik niet eens lang genoeg leven om ervan te genieten – een zakcentje zijn. Als het geld uit mijn eigen legitieme mijn kwam, zou ik zo veilig zijn als de spreekwoordelijke kip met de gouden eieren.

Het leven was zo verdomd gecompliceerd. Behalve dat ik João de cycloop en een Angolese kolonel met een prikkeldraadketting en een doodshoofd op zijn auto van me af moest houden, had ik me moeten neerleggen bij het feit dat Marni nooit deel zou uitmaken van mijn leven.

Kort gezegd: ik was een klootzak. En ze wist het.

Toen ik over de smalle zee-engte staarde die Azië en Europa scheidde en aan Marni dacht, kon ik me niet meer herinneren wat er met Helena gebeurd was aan het eind van de Trojaanse oorlog. Maar ik herinnerde me wél dat Paris vermoord werd.

'Vanaf hier heb je een goed uitzicht op de Sultanahmet,' zei de Bey.

De Bey en ik stonden op een balkon van zijn huis. Voor ons lagen de smalle zee-engten de Gouden Hoorn en de Bosporus, samen met het oude, ommuurde deel van Istanbul.

De Bey was klein van stuk, niet langer dan een meter vijf- of zevenenzestig, en tenger. Hij woog waarschijnlijk niet meer dan zestig, drieënzestig kilo. Kaal, zonder zelfs een zweem van geschoren haar rond de zijkanten, geen wenkbrauwen, geen rimpels in zijn gezicht – ik had geen idee hoe oud hij kon zijn. Toen ik João en Simone in Lissabon had opgezocht voor ik naar Angola ging, had Simone me verteld dat de Bey ex-KGB'er was, maar João had spottend gelachen. 'Dat gebruiken ze allemaal als een subtiel dreigement,' had hij gezegd.

Ik was er niet zo zeker van. De dreigementen van de Bey hadden weinig subtiels. Ik werd van het hotel opgehaald door een limo. De chauffeur en de gewapende man naast hem zagen eruit of ze bij het tanden krijgen hadden gekauwd op pistolen en lange halters. Verspreid over het terrein zag ik er nog meer, twee met grote buldoggen aan korte riemen. Mijn indruk van de Bey was dat hij een voorzichtige man was die vijanden had.

Simone en João dronken een borrel met vrienden van de Bey in een ander deel van het huis.

De Bey leek me meer Russisch dan Turks, alleen omdat hij een lichtere huid had en ik hem eerder had horen beweren dat hij geboren was in Georgië. Het gesprek tijdens het diner ging over de val van de Sovjet-Unie en de onafhankelijke status van sommige van haar voormalige republieken. Simone zag mijn vragende gezicht en legde uit dat Georgië een klein land was aan de Zwarte Zee tussen Turkije en Rusland in. Niemand gaf een verklaring waarom hij 'de Bey' werd genoemd, en ik vroeg er niet naar. Ik wist trouwens toch niet wat een 'bey' was. Bovendien geloof ik dat João me verteld had dat de Bey ergens anders vandaan kwam. Ik kwam tot de conclusie dat de achtergrond van de Bey wisselde met het getij.

'Wat me zo bevalt aan het uitzicht vanaf dit balkon,' zei de Bey, 'is dat je zoveel van de geschiedenis van de wereld ziet. Het grote koepelgebouw van de Aya Sofia, de tweede kerk van het christendom voordat de Zonen van de Islam de stad innamen en de laatste verdedigers in de kerk afslachtten. Het Topkapi-paleis, de zetel van de Ottomaanse sultans, staat links ervan. Koninklijke prinsen werden uit het paleis geweerd omdat veel vrouwen van de sultan probeerden door moord de troon te bemachtigen voor hun eigen zoons. Rechts staat de Blauwe Moskee, een van de grote religieuze bouwwerken van de islam.'

Ik mompelde nietszeggende antwoorden en dronk een wodka-martini. Ik wist niet waarom de Bey me op het balkon had genodigd om me persoonlijk het uitzicht te laten bewonderen, of waarom ik überhaupt naar Istanbul moest komen.

'Ik kan zien dat ik u verveel,' zei de Bey. 'Vóór uw komst hier had ik João gevraagd u uit te leggen dat ik sta op een persoonlijke ontmoeting met mensen in wie ik veel geld investeer. Daarom heb ik u gevraagd hierheen te komen.'

'Ik was me er niet van bewust dat u iets in mij investeerde. Mijn enige rol in deze transactie is de diamanten te certificeren die aan ons worden overgedragen.' Ze hadden me gewaarschuwd Jomba's naam niet te noemen tegen de Bey. João liet hem in onwetendheid om te voorkomen dat de Bey hem het nakijken zou geven en zijn eigen deal zou sluiten.

'Ik had de indruk dat uw rol groter zou zijn.'

Ik rook onraad. 'Hoe bedoelt u?'

'Dat u de diamanten ontvangt van de koper van de wapens en ze

232

overdraagt aan mijn vertegenwoordiger. U weet hoe zoiets in zijn werk gaat, nietwaar?'

'Nee, dat weet ik niet.'

'De ruil zal in stadia plaatsvinden. Drie dagen voor de levering controleert u de goederen van de koper en overtuigt u zich ervan dat ze conform de beschrijving zijn, wat betreft de totale karaten, kwaliteit en kwantiteit. Dan stelt u mij op de hoogte en ik stel het juiste tijdstip vast voor de ruil. Een uur voordat mijn vliegtuigen gaan landen, bevestigt u dat dezelfde diamanten op de landingsplaats zijn. Een paar minuten vóór de ruil controleren mijn verkenningsvliegtuigen het terrein om te speuren naar eventuele valstrikken. Als de feitelijke ruil plaatsvindt, worden de diamanten aan u overgedragen en u overhandigt mijn aandeel aan mijn vertegenwoordiger. Wat u doet met João's aandeel is iets tussen u en uw vrienden.'

'João is mijn vriend niet, dit is strikt zakelijk.'

'Mijn excuses. Ik was in de waan gebracht dat uw relatie met hem en Simone bijna van familiale aard was.'

'Ik vertrouw João evenveel als u.' Ik liet dat even bezinken. 'En ik ken hem minder goed dan u.'

De Bey grinnikte, het hese raspende geluid van een ratelslang. 'Je zegt het recht voor z'n raap, Win, dat mag ik wel.'

'Dan zal ik u de rest laten weten. Mijn aandeel is het certificeren van de diamanten. Voor mij wil dat zeggen dat ik in een prettig, veilig, warm vertrek zit en mijn handtekening zet. Er is niet gezegd dat ik in de vuurlinie zou staan op een open plek in de jungle terwijl uw mensen en de koper overwegen of u zich aan de deal houdt of het met wapens gaat uitvechten.'

'Ik vrees dat je het je onbedoeld zelf op de hals hebt gehaald. Je hebt de man geëlimineerd die toezicht zou houden op de ruil.'

Ik begreep het onmiddellijk. 'U had Eduardo de ruil willen laten doen.'

'Ja, hij was geknipt voor die taak. Net als u is hij een expert op het gebied van diamanten, in de buurt van de plaats van de ruil… en beschikbaar. Tenminste, dat was hij tot je hem had opgesloten in Kaapstad.'

Andere stukjes vielen op hun plaats. 'Ik heb een advocaat in Zuid-Afrika in de arm genomen om Eduardo's partners op te sporen die van plan waren de mijn van me te stelen. Hij vond een Zwitserse corporatie en stuitte op een stenen muur.'

'De Zwitsers zijn heel praktisch in zaken. Zolang je steelt en moordt buiten hun grenzen stellen ze geen vragen over het geld dat je bij hen brengt. Maar je vermoeden is juist. Ik was het geld achter Eduardo's poging om de mijn te kopen.'

'En mij te vermoorden.'

Hij grinnikte opnieuw, weer een doodsgerochel. 'O, nee, beslist niet, al zou ik er geen nacht slechter om hebben geslapen als het gelukt was. Ik ben ook praktisch, vooral ten opzichte van mensen die ik niet ken. Of van mensen als João, die ik maar al te goed ken. Ik wist niet dat Eduardo zou proberen je met een pistool tegen je hoofd over te halen de mijn aan hem over te dragen. Het was een stomme zet. Toen je Eduardo ontsloeg was voor mij de zaak afgedaan. Dat heb ik hem laten weten, wat misschien de reden is waarom hij zo wanhopig werd. Ik had hem geld geleend, een voorschot, snap je…'

'Ik snap het.' Met andere woorden, Eduardo kon het niet terugbetalen omdat ik zijn bankrekening had geplunderd. En hij zou de mannen van de Bey achter zich aan krijgen.

'Ik ben João een excuus schuldig,' zei ik. 'Ik dacht dat hij de man achter Eduardo was.'

'Je bent João niks schuldig. Eduardo ging naar de hoogste bieder. Hij benaderde ons allebei, maar João kon geen garantie geven dat hij het geld kon fourneren dat nodig was om de mijn te kopen en naar meer diamanten te boren. João kwam naar mij toe als tussenpersoon en ik heb hem erbuiten gehouden.'

'God, wat maken we de boel ingewikkeld. Dit plan heeft meer facetten dan een diamant.'

'Het spreekt vanzelf dat ik nu geen interesse meer heb voor de koop van de mijn. Je kent het potentieel ervan, ik wens je er veel geluk mee. Je kunt rijk worden, of tot de ontdekking komen dat het een gat in de grond was waarin je je geld hebt gegooid.'

'Ik waardeer het feit dat ik mijn eigen bezit mag houden, maar ik ben nog steeds niet van plan de hoeder van de inzet te zijn.'

'O, maar je moet. Je schijnt iets te vergeten.'

'Wat dan?'

'Jouw aandeel in de transactie komt van de diamanten die kolonel Jomba zal overhandigen. Ben je van plan om toe te staan dat jouw aandeel in mijn handen komt – of in die van João?'

God, wat een kloteboel.

Ik had een vraag voor hem toen we weer naar binnen zouden gaan.

'Wie heeft mijn oom vermoord?'

Zijn ogen verrieden niets. Ik had hem kunnen vragen hoe laat het was.

'Dat weet ik niet,' zei hij.

Natuurlijk wist hij het. Eén ding had ik geleerd: de Bey wist alles. Ook dat Jomba de koper van de wapens was. Ik voelde aan mijn water dat mijn vermoeden juist was. João had Berni vermoord. Ik wist niet hoe, ik wist niet eens zeker waarom, behalve dat het te maken had met diamanten, maar het wás João, dat stond als een paal boven water.

Na het eten kwamen we bijeen in het midden van de hooggewelfde bibliotheek van de Bey. Het vertrek had de sfeer van een museum. Simone kwam naast me staan toen ik naar een volledig ingepakte mummie keek.

'Het is bekend dat de Bey antiquiteiten verzamelt – en erin handelt. Ik weet zeker dat er douane-inspecteurs zijn van Gizeh tot Angkor Vat die graag een kijkje in deze kamer en de opslagplaats van de Bey zouden willen nemen.'

De Bey verzamelde ons rondom een kleine, met een witte doek bedekte tafel in het midden van de kamer. Terwijl hij sprak flitsten er heldere stroboscooplampen aan boven ons hoofd.

'Zoals jullie weten, vrienden, ben ik een enthousiast verzamelaar van zeldzame schatten. Ik zal jullie laten zien wat ik op het ogenblik beschouw als de crème de la crème van mijn collectie.'

Hij rukte de doek van de tafel, en Simone slaakte een zachte kreet.

Een grote kristallen kom was gevuld met diamanten. Boven op de diamanten, in het midden, lag één enkele diamant, zo groot als een walnoot.

Het Hart van de Wereld.

Met verlichting boven en onder de tafel verspreidde de uitstalling een glinstering in de kamer die het Hart van de Wereld tot leven bracht met vulkanisch vuur.

Ik gaf geen luide kreet zoals Simone, maar bleef met open mond staan. Net als mijn vader zaten ook mij diamanten in het bloed. En, niet als mijn vader, had ik nog nooit een diamant als deze gezien. Diamanten waren omgeven door mythe en mysterie. Ik had een diamant – hard genoeg om door staal te snijden, maar ook verblindend en sensueel op het lichaam van een vrouw – nooit kunnen zien als iets van deze wereld. Nu ik naar deze diamant keek, vond ik dat hij verkeerd benoemd was – het was niet het hart van de wereld, maar het vlammende hart van een ster. Voor een diamantair zou deze diamant begeerlijker zijn dan het bezit van de *Mona Lisa*.

Tegenover me speelden de glinsteringen op het gezicht van João. Het was of je in het gezicht van de duivel keek en de grootste doodzonden belicht zag – hebzucht, moord, wellust. Het was onmenselijk, afschrikwekkend. João staarde naar de vuurdiamant, een geobsedeerd mens. Nu wist ik waarom zijn vrouw de diamant zijn geliefde noemde. Als het om de diamant ging, was hij niet alleen een minnaar, maar een bezeten minnaar, het soort dat zijn vrouw volgde naar het bed van haar geliefde en ze dan beiden vermoordde, de weerzinwekkende scherpe rand van de bijl liet zien voordat hij die liet neerkomen.

Een drama speelde zich af in de kamer. João wendde met moeite zijn ogen af van het Hart van de Wereld en keek op naar de Bey. De twee mannen keken elkaar strak aan, twee roofdieren die tegenover elkaar komen te staan in een jungle, terwijl beiden hun klauwen groeven in het territorium dat ze voor zich opeisten. Nu verscheen er een andere emotie op João's gezicht: haat. Gewelddadige, moordzuchtige, intense haat. Ook ik werd gegrepen door een of andere duivel. Ik dacht aan het feit dat João de diamant had gestolen van mijn vader. Dat hij Bernie had vermoord. En nu probeerde hij de mijn van me te stelen – als hij me niet zou laten vermoorden door Jomba.

'Ik heb begrepen dat je mij als tussenpersoon wilt laten optreden in de ruil.' Ik richtte me tot João. 'Ik zal het doen, maar mijn prijs is gestegen.' Ik draaide me om naar de Bey. 'Ik wil het Hart van de Wereld. Hij is mijn vader ontstolen en ik wil hem terug.'

João staarde me aan of ik zojuist zijn ballen eraf had gesneden. De Bey staarde me aan alsof ik zojuist zijn ogen had uitgestoken. Simone stond ons aan te gapen – bij uitzondering liet ze niet dat lachje van haar horen.

'Dat is de deal. Als die je niet bevalt, kunnen jullie opsodemieteren.'

Ik liep de kamer uit. Ik wist niet zeker of ik het wel zou halen naar de limo die buiten stond te wachten. Er was een kans dat de Bey me zou ophangen aan een vleeshaak en me door zijn gangsters als schietschijf zou laten gebruiken. En João was zo woedend dat hij in staat was uit zijn rolstoel op te staan en me bij de keel te grijpen. Maar het kon me geen donder schelen. Ik had er genoeg van om als een lul te worden behandeld en bedreigd te worden.

Na twee van de gevaarlijkste mannen ter wereld in hun ballen te hebben getrapt, hoefde ik nu alleen nog maar terug te gaan naar Angola en af te rekenen met twee moordzuchtige krijgsheren terwijl ik probeerde diamanten te vinden.

Ik dacht aan die keer dat ik in een bar in New York was en een man ontmoette. Hij praatte over een vreemdsoortige financiële transactie. Hij noemde het een 'viaticale investering'. De man zocht mensen die nog slechts korte tijd te leven hadden en bood aan hun levensverzekering op te kopen tegen een korting. Als de stervende een polis had van $100.000,– kocht hij die voor $50.000,–. Het was een winwindeal – de koper sloeg zijn slag als de verzekerde stierf en de stervende kreeg veel contant geld voor zijn of haar laatste dagen. De transactie liep alleen mis als de stervende op wonderbaarlijke wijze herstelde.

Als ik die viaticale investeerder zou opbellen en hem mijn huidige problemen beschreef, zou hij dansen van vreugde bij de kans om in mijn aanstaande verscheiden te investeren.

50

❖

Angola

Marni staarde naar de mensen die in de rij stonden voor de voedsel-
distributie. De misselijkheid die ze eerder gevoeld had kwam weer
boven. Ze had kort na het opstaan overgegeven. Het enige wat in
haar maag achterbleef was de thee die ze had gedronken om haar
maag tot rust te brengen, maar ze stond nog steeds op het punt om
over te geven. Ik heb iets opgelopen, dacht ze. De vraag was of het
iets was dat haar zou dwingen een paar dagen plat op bed te gaan liggen – of haar dood zou betekenen. De derde mogelijkheid was iets
als een chronische malaria.

Haar taak vanmorgen was toezicht te houden op de arbeiders die
gehuurd waren om toezicht te houden op de mensen die de voedselpakketten kwamen ophalen. De bedoeling was één pakket per
persoon, maar zoals ze zich nu voelde, konden ze wat haar betreft de
opslagschuren opengooien en het voedsel overlaten aan de mensenmassa.

'Er zijn honderd manieren om te bedriegen,' zei ze tegen haar assistent Venacio, 'en deze mensen kennen ze allemaal.' Het was een
onrechtvaardige beoordeling, en dat wist ze. De meeste mensen in de
rij waren eerlijk, zoals de meeste mensen overal ter wereld. Maar
wanhopige omstandigheden maakten dat zelfs de eerlijksten onder
hen probeerden te grijpen wat ze konden.

Eindelijk gaf ze het op en gaf haar klembord aan Venacio. 'Jij hebt
de leiding, probeer ze te beletten de winkel leeg te roven. Ik ga naar
dr. Machado om te zien of hij me iets kan geven tegen die narigheid.'

Ze meldde zich bij het kleine ziekenhuis waar Machado, een mulat uit Luanda, en zijn staf probeerden medische steun te verlenen
met de dungezaaide medische faciliteiten in de regio. Machado zorgde ook voor de gezondheid van de hulpverleners.

Ze liet bloed- en urinemonsters afnemen en ging op een veldbed
liggen terwijl ze wachtte op de resultaten. Een loterij noemden de
hulpverleners de kans om iets op te lopen. Iedereen werd ziek,

meestal meer dan één keer, maar haar ware angst was dat het iets permanents zou zijn.

De vrouw die haar temperatuur opnam zag de ruwe diamant die Marni aan een ketting droeg. 'Mooi,' zei ze. 'Is het een loepzuivere diamant?'

'Ja,' zei Marni.

Ze wist wat de vrouw dacht – het was dom om zoiets kostbaars te dragen. Ze droeg hem omdat ze zich dan dicht bij Win voelde. Ze wreef over de diamant en dacht aan Win. Ze voelde zich triest en eenzaam. Dat ze van hem hield was geen punt. Het was niet moeilijk voor een vrouw om verliefd op hem te worden. Maar ze voelde verraad jegens haarzelf en de mensen in Angola die ze was komen helpen. Bloeddiamanten waren geen abstracte economisch-politieke kwestie voor haar. Ze had te veel van het 'bloed' gezien dat door de intens slechte handel werd veroorzaakt, te veel weeskinderen door de straten zien zwerven, te veel geamputeerden. Ze kon Win zijn onwetendheid vergeven toen hij in New York of Lissabon was, maar hij was lang genoeg in Angola om de afschuwelijke consequenties te kennen van het leveren van wapens voor diamanten. Het was moord, massamoord op grote schaal.

Dr. Machado kwam binnen. Hij fronste zijn wenkbrauwen.

Ze kreunde. 'Vertel me het slechte nieuws, zeg me de waarheid. Ik heb iets permanents opgelopen, een insect dat me levend verslindt.'

'Het is alleen maar permanent als u dat wilt. Ze hebben het condoom uitgevonden voor dit soort dingen.'

'O, mijn god, heb ik aids?'

'Ik geloof dat de ouderwetse uitdrukking is dat u in verwachting bent.'

Ze staarde hem met open mond aan. 'Ik ben zwanger?'

Hij schudde zijn hoofd en klakte met zijn tong. 'Vertel me alsjeblieft niet dat dit weer een onbevlekte ontvangenis is. Of dat u het hebt opgelopen van een wc-bril.'

Ze leunde achterover, haar hoofd op het kussen. 'Mijn god, ik ben zwanger.'

'Een tijd voor vreugde... of voor een abortus.'

'Een abortus? Ik weet het niet, ik heb er niet over nagedacht.'

'Als u dat doet, besef dan goed dat u Angola zo spoedig mogelijk moet verlaten als u besluit het kind te houden. Dit is al geen gezonde omgeving voor de plaatselijke vrouwen die zwanger worden, maar zij hebben in ieder geval weerstand opgebouwd tegen sommige ziekten die in elke drank, elke hap voedsel loeren.'

Er gingen geen betekenisvolle overwegingen aan haar besluit vooraf. Ze zou de baby houden. Ze hield van Win Liberte, met hart en ziel, ook al wilde ze dat niet toegeven. Het kind in haar was een deel van hem.

Ze nam nóg een besluit. Ze zou het hem niet vertellen. Het was geen egoïsme van haar kant. Een man die onbetrouwbaar en een leugenaar was kon niet echt van een kind houden. Ze wist zeker dat haar eigen vader niet van haar had gehouden. Ze zou haar kind niet emotioneel laten misbruiken zoals haar was gebeurd.

51

❖

Ik probeerde Marni te bereiken zodra ik terug was uit Istanbul en kreeg te horen dat ze was teruggekeerd naar de Verenigde Staten. Dat verbijsterde me. Ik veronderstel dat ik diep in mijn hart geloofde dat we toch nog tot elkaar konden komen. Ik denk dat ik haar gevoelens voor mij overschat had – en die van mij voor haar onderschat.

Ik was een week terug uit Istanbul toen ik naar Luanda ging om Kruger van de luchthaven te halen, die uit Kaapstad kwam. We gingen niet de stad in. Ik liet het hotel een gourmetlunch afleveren op het vliegveld, en mijn gecharterde vliegtuig bracht ons naar het diamantgebied. Ik wilde niet dat hij ook maar één moment om zich heen zou kijken in Luanda en met het eerstvolgende toestel zou terugkeren naar Zuid-Afrika.

Het was gevaarlijk voor Kruger om in zijn eentje in het diamantgebied rond te scharrelen. Ik zei tegen Cross dat hij hem niet uit het oog mocht verliezen. Als iemand erachter kwam dat Kruger een systeem had om blauwe aarde te vinden, zouden ze hem ontvoeren en aan de ketting leggen terwijl ze speurden naar diamanten.

Toen er een zending kwam met apparatuur voor Kruger, ging ik die met Gomez halen. Terwijl Kruger zijn apparatuur installeerde, nam ik Cross terzijde.

'Hoe ziet het eruit?'

'Wie zal het zeggen? Het enige wat die kerel doet is rondlopen en in zichzelf praten en de mannen vertellen waar hij zijn apparatuur geplaatst wil hebben. Het zou me niks verbazen als hij een wichelroede te voorschijn haalde zoals die roedelopers gebruiken. Als ik kijk naar die boortoren die hij heeft opgesteld, denk ik dat we straks olie vinden.'

'Daar zou ik geen bezwaar tegen hebben. Hoor eens, we moeten praten.'

Ik vertelde hem over het hele zootje met João, de Bey en Jomba, om te beginnen met de dood van Bernie, tot het moment waarop ik de vuurdiamant had opgeëist en was weggelopen. Cross luisterde met een uitgestreken gezicht. Ik wist niet hoe hij zou reageren. Ik had Cross nodig, hij wist meer over handelen, bedriegen en oplichten in Angola dan ik tijd had om te leren.

'Nou, wat denk je?' vroeg ik.

'Interessant. Als ik een priester was, zou ik je opdragen honderd weesgegroetjes te bidden, en vast gaan bedenken wat ik bij je doden-wake zou zeggen. Als ik een dokter was...'

'Ik snap het. Waar het op neerkomt is dat je een besluit moet ne-men. Je doet óf met me mee als ik probeer de Jomba-situatie te over-leven – óf je pakt je koffers. Als je tot het einde toe bij me blijft, krijg je een deel van de actie.'

'"Je deel krijgen" heeft in equatoriaal Afrika een andere betekenis dan elders in de wereld. Ik zou nog voor geen miljoen in de buurt blij-ven.'

'En voor twee miljoen?'

Dat legde hem het zwijgen op. 'Mijn god!'

'Dat is mijn aanbod. Je blijft in de buurt en helpt me heelhuids door deze rotzooi heen te komen, en als we blauwe aarde vinden, ben je een rijk man.'

Hij liet een hees gegrinnik horen. 'Ik wist dat er een addertje on-der het gras was – en er zijn er meer dan een. Je moet niet alleen in le-ven blijven, maar ook nog heelhuids. En dan is er nog die kleinigheid van het vinden van diamanten.'

Ik keek naar Kruger, die stond te schreeuwen tegen de arbeiders die hem hielpen. 'Kruger heeft iets dat goed genoeg is dat mensen het willen stelen. Deze mijn is goed genoeg dat mensen in de rij staan om hem te stelen. Dat komt op mij over als een lucratieve combinatie.'

'Genoeg om je leven voor te riskeren?'

'Dat is precies wat ik doe. Maar je hebt je nek al ver genoeg uitge-stoken. Als je eruit wilt stappen, kan ik het je niet kwalijk nemen.'

'Je valt hard als je uit een vliegtuig springt zonder parachute. Als ik terugga naar de States zou ik naar L.A. gaan, waar mijn zus nu woont. Ik ben niet bepaald vriendschappelijk uit de oliebusiness gestapt, dus zal het moeilijk zijn een behoorlijke baan te vinden. Zonder geld zou ik gewoon een van die kerels zijn die rondhangen op de hoek van de straat en me afvragen waar mijn volgende fix vandaan moet komen.

Bubba, je hebt me verteld dat de duivel de prijs voor je ziel betaal-de toen João je vijf miljoen bood in een bloeddiamantentransactie. Mijn ziel heeft heel wat meer krassen en deuken opgelopen dan die van jou.' Hij sloeg me op mijn rug. 'Je kunt op me rekenen.'

Hij pakte mijn arm en hield me tegen voor we terugliepen naar Kruger. 'Het lijkt me dat je slimmer bent dan je eruitziet. Er zijn een hele hoop spelers in dit spel, van Kaapstad tot Istanbul. Je hebt toch niet de boel opgelicht en meer dan honderd procent van de mijn verkocht, hè?'

'Je zult me moeten vertrouwen.'

'De pot op met vertrouwen. Je denkt dat João en Jomba gemene schoften zijn. Als je tussen mij en mijn geld komt, ruk ik je hart uit je lijf en voer het aan mijn hond.'

'Wat me het meest aan jou bevalt, Cross, is dat ik altijd weet waar je staat – aan de winnende kant.'

'Had je een plan?' vroeg hij. 'Of was je van plan je aan de genade van de goden over te geven?'

'Wat denk je van Jomba's kansen om Savimbi uit de weg te ruimen met een coup?'

'Ik heb Jomba gezien, Savimbi heb ik niet gezien. Te oordelen naar wat ik over hem gehoord heb, zou Savimbi Jomba met huid en haar opvreten. Savimbi is een nationale held, althans voor de rebellen, en die zijn het grootst in aantal in het binnenland. Jomba is een pitbull met hersens, en hij komt in opstand tegen de wurgketting waar Savimbi aan trekt als hij de kolonels onder controle wil houden.'

'Coups door kolonels zijn berucht succesvol in de wereld.'

'Ja, maar meestal nemen ze een burgerregering over. Savimbi toont zijn schofterigheid misschien niet met tatoeages en versieringen op zijn jeep, hij is te slim om over te komen als een moordzuchtige maniak, maar ik heb gehoord dat hij moordzucht in zijn bloed heeft en zich voordoet als een staatsman. Daarom hebben president Reagan en de CIA zoveel geld in hem gepompt. Ze dachten dat hij een idealistische patriot was. De mensen hier in het land weten beter.'

'Dan is Savimbi onze man.'

'Onze man waarvoor?'

'Om Jomba af te maken.'

'Shit, heeft de diamantkoorts die hersentjes van je doen smelten? Als Savimbi moet kiezen tussen jou en Jomba zal hij om diverse redenen de kant van Jomba kiezen, en niet de minste daarvan is dat jij een buitenlander bent zonder leger.'

'Als Savimbi ontdekt dat Jomba een complot tegen hem smeedt, is Jomba verleden tijd.'

'Misschien, en misschien maak je de fout dat je denkt als een westerling. Bekijk dit scenario eens: Savimbi komt erachter dat Jomba tegen hem samenzweert. Maar Jomba heeft zijn eigen leger. Dus ze gaan samen rond het kampvuur zitten en komen tot een vergelijk hoe ze hun gemeenschappelijke vijand, de regering in Luanda, moeten verslaan, terwijl jij boven de hete vlammen hangt te roosteren.'

'Dan zullen we het wat verleidelijker moeten maken voor Savimbi, hem een goeie reden geven om niet samen met Jomba op te trekken.'

'Wat is die goeie reden?'

Ik haalde mijn schouders op. 'Hij krijgt de wapens die bestemd waren voor Jomba.'

'Hoe wil je dat klaarspelen?'

'We scoren een punt.'

'Bubba, dat kun je alleen maar als je een sprinter hebt die de doelpaal kan bereiken. Als je de bal te vroeg laat vallen, hakken ze je sprintende been eraf.'

'Oké, ik heb nog geen plan. Ik moet wat meer te weten komen over Savimbi.'

'Dat kan ik regelen. Ik heb een maat in Luanda, die vroeger contactman van de CIA was voor Savimbi, in de tijd dat de regering in Luanda communistisch was en Washington dacht dat Savimbi een Afrikaanse George Washington was.'

'Is hij nog steeds bij de CIA?'

'Nee, hij kwam op de invalidenlijst en ging in Luanda wonen met zijn Angolese vriendin.'

'Neergeschoten?'

'Aids.'

Kruger kwam naar ons toe. 'Je hebt in de verkeerde richting gegraven.'

'Dat begrijp ik niet.'

'De schacht in de mijn, we moeten de richting ervan veranderen.'

'Heb je blauwe aarde gevonden?'

'Ik heb dezelfde indicators gevonden die ik al eerder had onderzocht, maar nu weet ik in welke richting ze verspreid zijn.' Hij wees over mijn eigendom heen. 'De kimberlietlaag kan op jouw grond liggen of op de grond ernaast. We weten het als we de schacht hebben gegraven.'

'Bid,' zei ik tegen Cross. 'Beloof Hem wat je maar wilt, maar smeek Hem ons het winnende lot te geven.'

52

❖

Kruger moest terugvliegen naar Zuid-Afrika om de apparatuur te gaan halen die hij nodig had. Ik wilde niet dat hij wegging zonder Cross of mij bij zich. De plotselinge noodzaak voor hem om het land te verlaten kwam goed uit. Cross belde zijn CIA-vriend in Luanda en regelde een ontmoeting voor ons nadat we Kruger op het vliegveld hadden afgezet.

We vlogen samen naar de hoofdstad. Ik overtuigde me ervan dat Kruger veilig in het vliegtuig naar Kaapstad zat voordat ik de terminal verliet.

'Ben je bang dat iemand hem op de luchthaven zal ontvoeren?' vroeg Cross.

'Dit is Angola.'

Cross knikte. 'Dat is waar.'

Op weg naar de afspraak praatten we over Kirk, de ex-CIA-man. De ontmoeting zou plaatsvinden in Kirks appartement. 'Minder kans om gezien te worden dan in een bar of restaurant.'

'Hoe heb je Kirk leren kennen?' vroeg ik.

'Hoosier T-shirt. Ik droeg het in de lounge van het Presidente Meridien in Luanda. Hij komt naar me toe en zegt dat hij net als ik aan de Indiana State had gestudeerd. We wisselden onze ervaringen uit en ontdekten dat we in hetzelfde studentenhuis hadden gewoond, één semester na elkaar.'

'Is Kirk zwart?'

'Wat denk je, bubba? Dat de CIA een witte kont met een zwart gezicht stuurt om zich voor te doen als een Angolees?'

'Je hebt een grote mond. Op een goeie dag trap ik er met mijn voet in. Je zegt dat Kirk op goede voet stond met Savimbi toen de CIA heimelijk in het land opereerde. Denk je dat hij nog steeds op goede voet met hem staat?'

'Hij leverde Savimbi vroeger de wapens en het geld waarmee hij de regering kon blijven bestrijden. Dat is niet iets wat Savimbi zou vergeten. Vooral niet als hij tegen Savimbi zegt dat hij iemand heeft die wil praten over wapens en geld.'

'Waarom blijft hij in Angola?'

'Waarom niet? Voor zijn vrouw en kinderen in Amerika is hij dood. Zolang hij de ziekte onder controle kan houden, kan hij hier een betrekkelijk normaal leven leiden. Zijn Angolese vrouw is geïnfecteerd, net als een miljoen anderen. Hij heeft hier geen last van vooroordelen zoals thuis.'

Cross en ik hadden een verhaal uitgedokterd dat we met Savimbi wilden praten over 'diamanten en wapens'. We dachten dat dat vaag genoeg zou zijn. Ik had Kirk het hele verhaal willen vertellen, hem willen vragen wat hij vond dat we met Jomba moesten doen, maar Cross had gebulderd van het lachen.

'Je bent een naïeve klootzak. Kirk moet overleven in dit land. Als je hem vertelt dat je Jomba bedondert, zou Kirk het aan Jomba vertellen om zichzelf en zijn dame te beschermen.'

'Heb je eigenlijk wel in wie dan ook vertrouwen?' vroeg ik.

'Ja, ik heb vertrouwen in Washington, Lincoln, Jackson en wiens gezicht ook mag staan staat op het honderddollarbiljet – hoe groter het bedrag op het biljet, hoe meer vertrouwen ik heb.'

Kirks flatgebouw, dat gelegen was in een wijk met uitzicht op de haven, werd gerenoveerd. Het eerste wat ik zag was de beveiliging. De portier die me binnenzoemde zat achter een balie met kogelvrij glas. Ik twijfelde er niet aan of hij had een of twee AK-47's onder de toonbank.

We gingen met de lift naar de vijfde verdieping en liepen de gang door naar de deur van zijn appartement. Kirk deed open. Ik had een duplicaat van Cross verwacht, een man met een brede borst en schouders, uit de staalfabrieken van Indiana. Kirk was klein en mager. Ik wist niet of hij gekrompen was door zijn ziekte of dat hij gewoon een klein mannetje was. Hij had een bril met dikke glazen en peper-en-zoutkleurig haar. Hij zag er een beetje uit als een geleerde, helemaal niet het James Bondtype.

De verrassing was dat hij een dubbele amputatie had. Zijn beide armen waren halverwege de elleboog en pols verdwenen. Hij had een prothese aan de rechterkant.

Zijn vrouw Maria was een aantrekkelijke vrouw van midden dertig. Een leuk klein meisje van een jaar of tien stak haar hoofd een seconde lang om de hoek van de deur voor Maria haar volgde en wij gingen zitten om over zaken te praten.

'Cross zegt dat je Savimbi wilt ontmoeten om over zaken met hem te praten. En dat je min of meer een nieuwkomer bent in Angola. Wat weet je van Savimbi?'

'Ik heb gehoord dat hij hard en kwaadaardig is.'

'Dat is hij, en nog veel meer. Een charismatisch politieke leider die geliefd is bij een paar miljoen mensen in dit land. Geëerd in het Witte Huis als staatshoofd toen hij niet meer had dan een leger van in lompen gehulde soldaten. Hij heeft diploma's van universiteiten in Portugal, Zwitserland en China en spreekt een stuk of zes talen. En hij heeft mensen aan het spit gebraden.'

'Schitterende kwalificaties voor een leider,' zei ik. 'Hij moet krankjorum zijn.'

'Dat is hij ook. Om Savimbi te begrijpen, moet je begrijpen waarom dit land bijna twee decennia heeft doorstaan van burgeroorlog, na een onafhankelijkheidsoorlog tegen de Portugezen. Een guerrillaoorlog om onafhankelijkheid te verkrijgen begon rond '61, en duurde veertien jaar, tot de Portugese hegemonie in '75 werd afgeworpen. De Portugese koloniale heersers werden naar huis gestuurd, maar hier in Angola gebeurde hetzelfde als in Mexico en Zuid-Amerika nadat de Spanjaarden eruit waren gegooid. De mestiezen, mensen met gemengd bloed, van wie de meesten in de stad wonen, erfden de regering en de economie. De dorpelingen werden economisch uitgebuit en konden geen politieke invloed uitoefenen. Dat kweekte wrok en een politiek vacuüm.

Savimbi vulde dat vacuüm. Hij werd de voorvechter van de dorpelingen, van miljoenen mensen. Met de steun van Cuba viel de regering Savimbi aan. Hij trok zich terug in de wildernis in zijn eigen "Lange Mars", in navolging van Mao. Daar hergroepeerde hij zijn troepen en bleef een guerrillaoorlog voeren tegen het regime in Luanda. Hij was de zoon van een stationschef en kende het systeem van de Angolese spoorwegen op zijn duimpje. Hij maakte gebruik van die kennis om de spoorwegen te overvallen en de aanvoer van troepen en militaire voorraden te verstoren. En omdat het communistische blok het regime in Luanda steunde, werd Savimbi de lieveling van Washington.

'Het duurde niet lang of de regering van Luanda had Sovjet-MIG's met Cubaanse gevechtspiloten ingezet op jacht-en-vernietigingsmissies tegen Savimbi's troepen, en had Savimbi Stingerraketten om de MIG's neer te schieten. Behalve buitenlandse hulp, financierde de regering de oorlog met de olievelden, en Savimbi veroverde het diamantgebied.

Hij beweert dat hij een vroom christen is, maar als hij enige religie aanhangt, dan is het die van satan. Ik vermoed dat hij in zijn hart een marxist is, maar overhelde naar het kapitalisme toen Washington zijn chequeboek te voorschijn haalde. Hij vertelt graag een mop over de religie in Angola. Hij zegt dat toen eeuwen geleden de missionarissen in Angola kwamen, zij bijbels hadden en Angola het land. Nu hebben Angolezen bijbels en de missionarissen het land.'

'Ik heb gehoord,' zei ik, 'dat het vredesverdrag tussen Savimbi en de regering niet van lange duur zal zijn.'

246

'Het is nu al verscheurd. Het is een kwestie van tijd voor het feitelijke schieten weer begint. De regering zal Savimbi nooit veel macht geven. Vergeet niet dat hij tegenstanders aan het spit braadde, persoonlijk de vrouwen en kinderen heeft vermoord van mannen die zich tegen hem verzetten. Wat denk je dat hij zou doen als hij een machtspositie kreeg in Luanda?'

'De regering overnemen door alle anderen uit te moorden,' zei Cross.

'Precies, en een paar moorden zou hij voor eigen rekening nemen. Denk daar eens over na, een politieke leider van miljoenen mensen, met bloed aan zijn handen. Krankzinnigen als Hitler vermoordden miljoenen mensen, maar nooit eigenhandig. Ongeveer de enige moordenaars onder regeringsleiders die ik me zo gauw kan herinneren zijn Dzjengis Khan, Stalin en Saddam.'

Ik zei: 'Als de hel losbreekt tussen Savimbi en de regering, zou dit een gunstige gelegenheid zijn om hem te benaderen met een, eh, handelsovereenkomst. Hoe goed kent u hem?'

'Ik was het contact met Savimbi halverwege de jaren tachtig, ik reisde met hem mee, bukte mijn hoofd als de kogels in het rond vlogen en de bommen vielen.' Hij lachte. 'Ik zag uw gezicht toen ik opendeed en u mijn armen zag.'

Ik knikte. 'Dat had Cross me niet verteld.'

Cross haalde zijn schouders op. 'Verrek, het is me nooit opgevallen dat je geen armen had.'

Kirk proestte een mondvol thee uit die hij net wilde doorslikken en begon te bulderen van het lachen. Toen hij uitgelachen was, veegde hij zijn mond af. 'Sorry. Oké, laten we terzake komen. Ik weet niet wat voor zaken je wilt doen met Savimbi, en zelfs al zou je het me willen vertellen, dan wil ik het niet weten. Ik kan je voorstellen aan Savimbi, een ontmoeting afspreken. Of hij je vermoordt of zaken met je doet, kan ik niet zeggen. Ik wil vijftigduizend dollar als voorschot. En nog eens vijftig als je levend naar buiten komt.'

We troffen een regeling voor betaling met diamanten in plaats van contant geld en verlieten het appartement. Toen we in een taxi zaten, vroeg ik Cross: 'Wat is er met Kirks armen gebeurd?'

Cross lachte, bijna giechelend. 'Heb je dat niet geraden?'

Het was of ik een klap in mijn gezicht kreeg. 'Savimbi?'

'Savimbi. Hij betrapte Kirk en een van zijn eigen mensen met hun handen in de geldbuidel. Ze pikten door de CIA geleverde wapens in en verkochten die ten eigen bate. Savimbi hakte persoonlijk Kirks handen af.'

'Jezus, maar hij was van de CIA.'

'Ja, maar denk eraan wat Kirk probeerde duidelijk te maken, die kerel is een psychopaat. Je braadt geen mensen aan het spit tenzij je een ernstige persoonlijkheidsstoornis hebt, een die je niet vindt in

247

het gemiddelde handboek over abnormale psychologische gevallen.'

'Wat is er met die andere man gebeurd?'

'Hij was niet van de CIA. Kirk vertelde me dat Savimbi hem op een scherpe paal spietste – levend. En zijn vrouw voor zijn neus verkrachtte terwijl hij stervende was.'

Cross boog zich voorover en gaf me een por met zijn elleboog.

'Bekijk het maar op deze manier, bubba. Je hebt zoveel vijanden dat Savimbi waarschijnlijk iedereen een gunst zou bewijzen als hij je vermoordde.'

53

❖

De ontmoeting met Savimbi was vastgesteld voor de volgende week in een landelijk gebied in de Moxico-regio in het zuidoosten van het land. Savimbi's hoofdkwartier was in de plaats Jamba – geen verband met kolonel Jomba – maar Kirk vertelde me dat hij er niet altijd was.

'We vliegen naar een landingsbaan in de jungle,' zei Cross, Kirks instructies doorgevend. 'De piloot weet zelfs de exacte locatie niet voor we in de regio zijn. Als we daar eenmaal zijn aangekomen, worden we naar een andere locatie gebracht voor de ontmoeting.'

We maakten ons gereed om ons door Gomez naar het vliegveld te laten rijden, waar het sportvliegtuigje zou wachten dat Kirk had geregeld, toen Cross me het slechte nieuws bracht.

'Jomba is hier om je te spreken.'

'O, shit.'

'*No shit*, José. Als Jomba iets heeft opgevangen over de deal met Savimbi kunnen we allemaal dag met het handje zeggen.'

Jomba stond buiten bij zijn jeep te wachten. Ik keek stiekem naar de versiering op de jeep.

Hij sloeg met zijn rottinkje tegen zijn been terwijl we verder liepen.

'Ik kreeg een telefoontje van João Carmona. Hij vertelt me dat je een probleem hebt geschapen met betrekking tot de ruil.'

'Hij liegt. Er is geen probleem.'

'Waarom zou hij dat zeggen als het niet waar was?'

'Zoals ik al zei, hij liegt. Er is geen probleem met de ruil, er heerst onenigheid tussen ons over een diamant. Hij heeft een kostbare diamant gestolen en die krijg ik terug bij de ruil. Dat is alles.'

Hij bleef staan en keek me aan met die afschuwelijke grijns van hem. Zijn getatoeëerde horens glommen. 'Je moeilijkheden met Carmona mogen niet de regeling tussen ons verstoren. Dat zou me heel ongelukkig maken. Begrepen?'

'Ik heb begrepen dat we een zakelijke overeenkomst hebben. Als João die verknalt, ga dan achter João aan.'

Hij tikte op mijn borst met zijn rottinkje. 'Als João het verknalt…'

Ik duwde het rottinkje weg. 'Ik functioneer niet al te best als ik bedreigd word. Hoor eens, we hebben een deal samen, we hebben elkaar allemaal nodig. Hierheen komen en me op mijn staart trappen, daar schieten we geen van allen iets mee op.'

Ik zweer dat die verdomde horens van kleur veranderden. Ik was ervan overtuigd dat die schoft me ter plekke zou vermoorden. Maar ik gokte erop dat het belangrijker voor hem was om die wapentransactie door te voeren dan een worm als ik was te vertrappen.

Hij keek naar de mijn en toen weer naar mij. 'Begrijp me goed, senhor. Het kan me niet schelen wat je met Carmona doet, je kunt hem vermoorden als je wilt. Maar als je iets doet dat schadelijk kan zijn voor mijn wapentransactie zal ik niet alleen je mijn vernietigen, maar neem ik je mee omlaag naar een donkere schacht en bezorg je zoveel pijn dat zelfs je ziel het uit zal schreeuwen. Begrepen?'

'Begrepen.'

Cross stond op me te wachten bij de ingang van de mijn toen ik met Jomba uitgesproken was. Hij tikte as van zijn sigaar en bestudeerde het brandende eind voordat hij opkeek en zijn hoofd schudde.

'Wat is er dat je niet begrijpt over het afzeiken van die duivel? Ik kon aan zijn lichaamstaal zien dat Jomba dacht over een nieuwe jeepversiering.'

'Alleen het feit dat ik een grote rol speel in het bezorgen van de wapens heeft hem ervan weerhouden mijn hoofd fijn te knijpen tot mijn ogen eruit rolden. Waarom zou hij één man doden voor een kleine persoonlijke voldoening als hij de wapens kan krijgen om er duizenden te vermoorden?'

'Jomba hoeft me niet te vermoorden,' zei Cross. 'Elke keer dat hij zich vertoont verlies ik een paar jaar van mijn leven. Straks ga ik dood van ouderdom.'

We vlogen over meer dan zevenhonderd kilometer van equatoriaal Afrika, voornamelijk over de enorme plateaus die het grootste deel beslaan van het oosten en zuiden van het land zodra je bij de kust vandaan bent. Kirk was niet bij ons. 'Hij zegt dat hij zich niet kan veroorloven ook nog zijn benen kwijt te raken,' zei Cross.

We landden op een ongeplaveide weg, waar een Hummer en een jeep stonden te wachten. Het terrein leek meer op een savanne, niet zo dicht en weelderig als de regenwouden dichter bij de evenaar, maar even vochtig en dichtbebost.

'Zet deze op,' zei de piloot. Hij overhandigde ons stoffen maskers die leken op Halloweenvermommingen.

'Waarom dragen we maskers?' vroeg ik.

'Dat is een bevel. Zet ze niet af voor het gezegd wordt. Praat niet met de soldaten of met wie dan ook voor u Savimbi ziet. Als ze tegen u spreken, geef dan korte antwoorden.'

Terwijl we naar de wagens liepen, raadde ik naar de reden van de maskers.

'Kirk wil zeker weten dat we niet geïdentificeerd worden,' zei ik. 'Jomba kan spionnen hebben op het hoofdkwartier. Twee Amerikaanse bezoekers zou aanleiding geven tot praatjes.'

De soldaten die op ons stonden te wachten moesten ook opdracht hebben gehad hun mond te houden, want er werd geen woord meer gezegd na een 'Boa-tarde'. De chauffeur en de man naast hem praatten met elkaar in het Bantoedialect, terwijl Cross en ik achterin zaten en naar het landschap keken. Ik verwachtte dat het een korte rit zou zijn naar Savimbi's hoofdkwartier, maar die verwachting kwam niet uit. We reden een uur over de smalle weg en lieten die toen in de steek voor een grasland dat nauwelijks sporen vertoonde van vierwielige voertuigen.

'Kirk vertelde me,' zei Cross, 'dat Savimbi nooit lang op één plaats blijft. Hij denkt dat de regering haar politieke geschillen wel eens zou kunnen beslechten met een bomtapijt als ze zijn verblijfplaats kennen.'

Het begon al donker te worden toen de Hummer een klein dorp binnenreed. In het dichte struikgewas rond het dorp zag ik militaire auto's en verspreide kampementen van soldaten.

De Hummer stopte voor het huis van het dorpshoofd en we stapten uit. Een grote poster van Savimbi in militair werktenue en met een baret met generaalssterren op hing aan de muur van de hut. Op de foto werd hij door veel mensen toegejuicht terwijl hij een gebalde vuist ophief.

We werden begroet door een officier in UNITA-uniform. 'Volg me,' zei hij in het Portugees.

We liepen naar binnen en de deur viel achter ons dicht.

'U kunt nu uw maskers afzetten.'

Het vertrek werd verlicht door een primitieve lamp die aan de zoldering hing. Het gezoem van een generator was te horen achter het huis. Er was een tafel voor twee gedekt.

'Alstublieft,' zei de officier, een majoor, met een gebaar naar de twee stoelen. 'Onze leider komt straks. Hij vraagt of u in die tussentijd een maaltijd wilt nuttigen. Wijn of bier?'

We kozen allebei bier. Wijn was dubieus in het binnenland. Het bier bleek koud te zijn. 'Die generator houdt blijkbaar ook een ijskast op gang,' zei ik tegen Cross.

Toen we gegeten hadden, verscheen dezelfde officier weer en bood sigaren en cognac aan. Even later kwam Jonas Savimbi binnen, vergezeld van de majoor. Hij was een krachtig gebouwde man van achter in de vijftig, met dik, kortgeknipt haar. In tegenstelling tot de poster had hij geen volle baard – zijn wangen waren gladgeschoren. Hij had nog wel een kring van gezichtshaar rondom zijn mond en omlaag naar zijn kin.

Ik verwachtte dat hij een militair uniform zou dragen, maar hij droeg vrijetijdskleding en een hemd dat openstond aan de hals.

Mijn eerste indruk van hem was van een man vol energie. Zijn ogen, lichaamstaal, handdruk, alles bracht een gevoel van krachtige dynamiek over. Geen nerveuze energie maar een zekere bedachtzaamheid. Hij was charismatisch. In tegenstelling tot de politici thuis, die zich een weg baanden naar een hoog ambt met beloftes en afspraken, had deze man het hart van miljoenen mensen beroerd met zijn retoriek – en trok de rimboe in met een geweer in de hand om te vechten voor... zijn overtuiging? Macht?

Ik keek in zijn kille donkere ogen terwijl ik glimlachte en hem een hand gaf, mezelf eraan herinnerend dat hij ook iemand was die mensen braadde aan het spit.

Hij kwam snel terzake. Zijn Portugees was beter dan het mijne.

'Waarom wilt u deze ontmoeting?'

Ik schraapte mijn keel. 'Ik ben in de knoei geraakt. Ik ben eigenaar van een mijn in het district van kolonel Jomba.'

'Ik ben de bevelhebbend officier van de kolonel.'

'Ja, daarom zijn we hier.' Ik haalde adem en flapte het er allemaal uit. 'Er is iets aan de hand, ik ben nog niet op de hoogte van alle complicaties. Jomba heeft een deal uitgewerkt met een diamanthandelaar in Lissabon, João Carmona. En met een wapenhandelaar in Lissabon, die zichzelf "de Bey" noemt. Diamanten uit een ander land, ik vermoed uit Sierra Leone, worden het land binnengebracht. Mijn taak is het de diamanten te certificeren als Angolees, zodat ze niet de smet hebben van bloeddiamanten.'

Ik zweeg even en keek naar Cross. Hij klotste zijn cognac rond in zijn glas en haalde zijn schouders op.

'Ga je gang, bega je volgende blunder maar,' zei hij.

'Ik denk dat Jomba een coup beraamt.'

Savimbi wisselde een blik met de majoor. Geen van beiden gaf blijk van enige emotie.

'Waarom denkt u dat Jomba tegen mij samenzweert?'

'Dat is de conclusie waartoe we zijn gekomen. João's vrouw vertelde me dat Jomba van plan is de UNITA over te nemen als hij de wapens in handen krijgt.'

Savimbi knikte. 'En wat heeft Jomba u verteld?'

'Niks. Hij kijkt me alleen aan alsof hij de maat neemt voor mijn doodkist.'

Savimbi grinnikte. 'Dat betwijfel ik. Meestal heeft hij geen stuk over dat groot genoeg is om te begraven.' Hij leunde achterover in zijn stoel en vouwde zijn handen op zijn borst. 'En, senhor, vertel me eens waarom u naar mij toe komt met die informatie, in plaats van gewoon de transactie door te zetten.'

'Ik kan niet overweg met João Carmona. Er is kwaad bloed tussen ons. Dat gaat terug tot de tijd dat mijn vader in Lissabon woonde en zaken met hem deed. Hij heeft een juweel van mijn vader gestolen, een familiestuk,' loog ik, 'en dat wil ik terug hebben. Het is een onderdeel van de overeenkomst tussen João en de Bey.

Maar ik zal terzake komen. Kort gezegd, ik kan uitstekend opschieten met de Bey. Hij zal de wapens leveren, ik zorg voor de certificaten voor de diamanten. We hebben geen problemen. Maar ik ben bang dat Carmona me zal laten vermoorden, voor mijn aandeel van de transactie.'

Savimbi glimlachte. Zijn gezicht verried niets, maar ik dacht dat ik een geamuseerde uitdrukking zag in zijn ogen.

'Uw oordeel over senhor Carmona is ongetwijfeld correct. Ik heb eens ultieme gerechtigheid op hem toe moeten passen. Ik heb hem laten leven, veroordeeld tot een rolstoel, omdat mij dat zo uitkwam.'

'Ik denk dat de wereld een beter oord zou zijn zonder hem,' zei ik.

'Wat is de status van uw mijn?' vroeg hij. 'Ik heb begrepen dat het een verliesgevend project is.'

Ik aarzelde. Ik wilde geen blik wormen openen door hem te vertellen dat we boorden naar een kimberlietlaag. Maar mijn instinct zei me dat ik niet moest liegen tegen deze man. 'De mijn verliest geld. Maar ik ga af op een positief geologisch rapport dat zegt dat er diamantindicators zijn op het desbetreffende stuk grond. Als we in een kimberlietlaag boren, zal dat de betalingen aan de UNITA verhogen.'

'Wat wil je uit de overeenkomst halen waarvan je zegt dat hij tussen Jomba en de anderen gaat? Carmona's aandeel?'

'Niets, ik wil niet eens het aandeel dat me beloofd is. Ik wil niets met Carmona te maken hebben. Dat aandeel zal ik trouwens toch nooit te zien krijgen; Carmona zal wel iets achter de hand hebben om het me door de neus te boren. Ik denk dat hij betrokken was bij de dood van mijn oom in New York en de oorzaak is van ernstige financiële moeilijkheden voor mij. Ik wil niks met hem te maken hebben. Ik wil het juweel dat hij heeft gestolen van mijn vader en met rust gelaten worden, zodat de mijn misschien winst kan gaan maken.' Ik vertelde hem niet dat het Hart van de Wereld immens kostbaar was. Het zou zijn of je een homp rauw vlees voor de neus van een leeuw liet bungelen.

'Mijn advies is terug te gaan naar uw mijn en te doen of er niets veranderd is.'

'En Jomba en de diamantentransactie dan?'

'U bent verstrikt geraakt in een deal met heel gevaarlijke mensen, onder wie Carmona, de Bey, Jomba. Ik raad u aan geen van hen te laten weten dat u met mij hebt gesproken. En dat u de rol speelt waarin u hebt toegestemd.'

253

'Maar wat...'

Savimbi draaide zich om en liep naar buiten.

De majoor wees op twee veldbedden. 'U blijft vannacht hier en morgenochtend wordt u teruggebracht naar het vliegtuig.'

Toen hij weg was keken Cross en ik elkaar aan.

'Ach, verdomme,' zei ik, 'ik weet niet wat er net is gebeurd, maar het heeft één positieve kant.'

'Wat dan?'

'We halen nog steeds adem.'

54

❖

Toen we op het vliegveld in het diamantgebied uit het vliegtuig stapten, stond Gomez, mijn chauffeur, op me te wachten. En nog iemand.

'Christus nog aan toe, ze is hier,' zei Cross.

'Ze' was Simone. Ze droeg een safari-jack, laarzen en een wit hemd, en zag eruit of ze net uit een safarifilm was gestapt voor boven de achttien.

'Dit is een onplezierige verrassing,' zei ik naar waarheid.

'Ik was in de buurt en kwam even langs.' Ze gaf me een zoen op mijn wang. Ze rook lekker.

Ze gaf Cross een hand

'Heb ik nog steeds een mijn?' vroeg ik aan Gomez. 'Of heeft deze vrouw hem verkocht tijdens mijn afwezigheid?'

Hij grinnikte en schudde zijn hoofd. 'De senhora is gisteren aangekomen. Ze heeft in uw verblijf gelogeerd.'

Prachtig. Ze namen aan dat Simone mijn vriendin was. Als ik geheimen had, zou ze die nu weten. Een verdomde mier kon niet in de buurt van de mijn komen zonder gefouilleerd te worden, maar ze gaven een mooie vrouw zonder meer de sleutels.

Ik zat achter in de Rover met Simone.

'De regeling voor de ruil is definitief,' zei ze. Ze sprak Engels, zodat Gomez haar niet zou begrijpen.

'Wanneer?' vroeg ik.

'Morgen.'

Cross keek naar mij. Morgen zou te vroeg zijn voor Savimbi om zijn troepen op de been te brengen, of hoe hij ook van plan was Jomba aan te pakken. Ik zou Kirk moeten bellen zodra ik terug was in de mijn en kon alleen maar hopen dat hij contact op zou kunnen nemen met Savimbi. Zoals ik het zag, verergerde de situatie zodra ik me omkeerde. Mijn leven begon een puinhoop te worden.

'Hoezo is het definitief?'

'Jomba heeft een terrein in gereedheid gebracht voor de vliegtuigen om te landen. Voor ze landen zal Jomba me de ruwe diamanten geven. We zullen ze ter plekke inventariseren en de Bey per satelliet-telefoon meedelen dat alles in orde is. Jij moet de diamanten certifi-ceren. De Bey komt met de wapens. We geven hem zijn aandeel van de diamanten en jouw certificaten.'

'Wat gebeurt er met jou en de rest van de diamanten?' vroeg ik. 'Vertrek jij met de Bey?'

'We vertrouwen hem niet. Er staat een chartervliegtuig voor me gereed op het vliegveld.' Ze gaf me een klopje op mijn arm.

'Maak je geen zorgen, je krijgt je aandeel voor ik vertrek.'

'Wat gebeurt er als het niet klikt tussen de Bey en Jomba? Ver-onderstel dat Jomba de diamanten en de wapens wil houden!'

'De Bey is niet stom. Hij zal een aantal mannen bij zich hebben. En hij zal het transport laten ontploffen als Jomba iets probeert.'

Ik leunde achterover en sloot mijn ogen, ontspande me. Het leven zat vol verrassingen. Simone was op haar bezem binnen komen vlie-gen. Het tijdschema voor de ruil was in het honderd gelopen. En ik had ontdekt dat ik mijn ruggensteun niet kon vertrouwen.

Cross had geen obscene opmerkingen gemaakt of zelfs maar ge-vraagd wie de vrouw was die op het vliegveld stond te wachten.

Hij kende Simone.

Verduiveld!

55

❖

De bewaker bij het hek van de mijn holde naar de Rover toen we stopten.

'De mijn is overstroomd!'

'*Merda!* Waar is Kruger?'

'In de mijn, met de voorman. Ze proberen de pompen aan het werk te krijgen.'

'Breng de senhora naar mijn verblijf.' Ik liep naar de schacht en zijn woorden volgden me.

'Kolonel Jomba is hier geweest. Hij werd erg kwaad toen hij ontdekte dat u niet in de mijn was.'

'Je hebt gelijk,' zei ik tegen Cross. 'Je kunt niet sprinten als je zelfs niet op het speelveld bent.'

Toen de lift omlaagging in de schacht vertelde de man die hem bediende dat de lift niet verder kon dan halverwege.

'Wat moeten we doen? De rest van de afstand omlaagspringen?'

'Nee, senhor, u moet langs de ladder afdalen.'

'Maak je geen zorgen,' zei Cross. 'Als je een paar botten breekt, zal het de tijd verkorten die Jomba nodig heeft om je te verpulveren. Eh, bubba, ik kan niks doen om je te helpen. Ik ga mijn mensen controleren.'

Ik wist dat hij loog. Hij ging waarschijnlijk een wip maken met Simone en een manier bedenken om me aan Jomba te voeren.

Ik was niet in een goede stemming toen de lift omlaagging. Het kostte me moeite om de spelers te volgen in het spel dat João had bedacht. Het enige wat ik zeker wist was dat ze allemaal bij de tegenpartij hoorden.

De ontvangstruimte onder aan de schacht was nat, maar je stond er niet tot aan je knieën in het water.

'Het water is verderop,' zei de voorman, 'maar de waterdichte deuren houden het meeste ervan tegen.'

Ik vond Kruger tot aan zijn knieën in het water, luid vloekend en beukend op een waterpomp. Hij zag er kwaad en gefrustreerd genoeg uit om mij met de moersleutel te willen bewerken.

'Waar heb je in godsnaam deze pomp vandaan? Hij lijkt op iets wat Cecil Rhodes er eind negentiende eeuw uit zou hebben gegooid.'

'Hij hoorde bij de mijn. Wat is er gebeurd?'

'Je dynamietgroep raakte een ondergrondse stroom. Ze boffen dat ze geen nat graf hebben gekregen. Jij boft dat ze niet die hele verdomde mijn hebben opgeblazen. Toen je zei dat je geen verstand had van mijnbouw loog je niet. Is het nooit bij je opgekomen dat je mijnwerkers niet zo maar onder de grond los kunt laten?'

Hij had nog meer op zijn hart, maar hij praatte tegen de pomp terwijl hij eraan werkte. Ik liet hem alleen en ging weer naar boven.

Cross stond op me te wachten.

'Jomba was hier, Simone heeft met hem gesproken.'

'Mooi. Wanneer moet ik bloed geven?'

'Morgen. Mensen als je vriend de Bey en Jomba zetten iemand graag op het verkeerde been. Ik geloof niet dat het iets te maken heeft met ons bezoek aan Savimbi. Anders zou Jomba ons hebben opgewacht en zouden we nu jammeren in de hel. Ze willen gewoon iedereen verrassen. Maar je weet je goed te gedragen. Zonder flauwekul, de meeste kerels zouden het in hun broek doen. Het wordt een hachelijke toestand.'

'Ik huil vanbinnen,' zei ik. 'Ik wil dat je met Kruger naar Luanda gaat tot dit achter de rug is. We verzinnen wel een excuus, iets dat we moeten controleren bij het mijnbouwministerie.'

'Ik moet op de bank zitten op het moment dat het spel begint? O, nee, José.'

'Het kan niet anders. Ik maak me meer zorgen over Kruger dan over deze transactie.'

'En ik maak me zorgen over de transactie. Twee miljoen, weet je nog?'

'Aan je gezicht te zien, geloof je niet dat ik het nog weet. Ik licht mensen niet op. Ik heb gezegd twee miljoen. Of je in Luanda bent of aanwezig bij de ruil, je afspraak met mij staat.'

Ik liep weg. Ik wilde hem uit de buurt hebben als de ruil plaatsvond, maar het was niet meer dan een excuus. Ik wilde niet achterom hoeven kijken naar nóg een mes in de rug. Toen ik hem vertelde dat de twee miljoen beschikbaar bleven voor hem, loog ik niet. Tenzij ik ontdekte dat hij tegen mij had gelogen.

Ik klopte op de deur van mijn verblijf en liet Simone opendoen. Ze had zich verkleed in een broek en een blouse die niets ontblootte – en niets verhulde.

'Je bent een snol,' zei ik.

Ze trok haar wenkbrauwen op. 'Wat een taal tegen een getrouwde vrouw. Als we in Lissabon waren, zou João je keel laten doorsnijden

258

als je me zo noemde. Ik eis dat je je excuses aanbiedt.'

'Je hebt gelijk. Het is geen taal die je tegen welke vrouw dan ook gebruikt. Dus, oké, je bent een verdomd, in het rond neukend kreng. En je man geeft meer vrije kilometers op je kut dan een huurauto. Heb je Jomba gepijpt toen je hem zag?'

Ik liep naar de minibar en schonk een flink glas in van Eduardo's oude cognac. Ze volgde me, maar bleef op een afstand.

'Je bent in een rotbui.'

'Wie denken jullie verdomme wel dat je belazert? Zie ik eruit als iemand die net van een hooiwagen is gevallen?' Ik liep naar haar tas en haalde haar satelliettelefoon eruit. Ik rukte de telefoon van de mijn uit de muur.

'Wat doe je?'

'Beschouw me van nu af aan maar als je schaduw.' Ik ging dicht bij haar staan, te kwaad om me door haar sensualiteit van de wijs te laten brengen. 'Je gaat nu zitten en vertelt me precies wat er aan de hand is met Jomba, de Bey en die schoft van een echtgenoot van je.' Ik hield de telefoon omhoog. 'Beschouw me maar als je secretaris. Als je een telefoontje krijgt, zal ik wel voor je opnemen.'

Ze had groene ogen, geen zwarte, maar ik moest denken aan Shakespeares beschrijving van de Dark Lady, de femme fatale, die een puinhoop maakte van zijn emoties. De Bard van Avon leek zich onverbiddelijk aangetrokken te voelen tot de Dark Lady – en was bijna bang voor haar.

'Wat ben je van plan te doen als ik niet meewerk? Als ik kolonel Jomba vertel dat jij niet meewerkt?'

Goeie vraag. Maar ik had er een antwoord op. 'Ik zal hem vertellen dat we jou en João niet nodig hebben, dat hij, als hij zijn wapens heeft, jouw deel van de diamanten mag houden.'

Ze begon hysterisch te lachen.

'Wat mankeert jou?'

Het duurde even voor ze op adem was gekomen. En toen begon ze weer te lachen. 'Ik heb hem al verteld,' zei ze hijgend, 'dat hij jouw aandeel mag hebben.'

56

❖

De volgende ochtend stuurde ik een kwaad kijkende Cross in een pick-up weg om Kruger naar het vliegveld te brengen.

'Ik heb het gevoel dat ik aan de kant word gezet,' zei Cross. 'Ik zou tenminste in de buurt kunnen blijven, zodat ik je lichaamsdelen kan identificeren als de kolonel klaar is met je.'

Ik nam Gomez, mijn chauffeur, terzijde.

'Senhora Carmona en ik moeten naar een afspraak,' zei ik tegen hem. 'We nemen de Rover.'

'*Sim, senhore.*'

'Ik geef je de keus,' zei ik. 'Je kunt ons rijden of je kunt in de mijn blijven.'

'Wat voor keus is dat? Ik ben uw chauffeur, senhore.'

'Er kunnen moeilijkheden komen. Het gaat om een levering van goederen aan kolonel Jomba. Als het niet goed gaat...'

Ik hoefde verder niets te zeggen. Hij kende kolonel Jomba en het Angolese oorlogssysteem beter dan ik.

'Geen probleem, senhore.'

'Oké. Als ik dit overleef krijg je een jaarsalaris extra.'

Dat bracht een glimlach op zijn gezicht.

Simone kwam uit haar kamer, gekleed in een andere safari-outfit dan ze gisteren had gedragen, inclusief de laarzen.

'Je ziet eruit of je naar een modeshow gaat,' zei ik.

'Laten we hopen dat het er even vredig zal toegaan.'

Ik had geslapen in de kamer van Eduardo's vriendin Carlotta, voor ik haar had ontslagen. Ik moet bekennen dat ik in de verleiding was gekomen om terug te sluipen naar mijn eigen kamer en in bed te stappen bij Simone. Verrek, voorzover ik wist kon het wel eens de laatste keer zijn.

Ze stak haar handen omhoog, weg van haar lichaam. 'Ga je me niet fouilleren?'

'Nee, ik vertrouw je.' Daar moest ik de hele afstand naar de Rover om lachen.

Toen we achterin zaten, vroeg ze: 'Was je van plan me te vertellen over je gesprek met de Bey?'

'Hij noemde alleen de tijd en de plaats,' loog ik. Afgezien van de afspraken voor de ruil had ik hem verteld dat ik de vuurdiamant in mijn hand moest hebben voor ik ook maar één certificaat tekende.

We waren halverwege het landingsterrein waar de ruil plaats zou vinden toen de satelliettelefoon ging. Het was de Bey.

'Jomba heeft de landingsplaats veranderd,' zei hij. Hij gaf me de nieuwe locatie. Het was een stuk onverharde weg, vijftien kilometer in de tegenovergestelde richting.

Ik vertelde Gomez de nieuwe ontmoetingsplek.

'Beter om met een vliegtuig te landen,' zei Gomez.

Ik schudde mijn hoofd en zei tegen Simone: 'Die lui nemen geen risico, hè?'

'Niet als ze hun leven op het spel zetten. Als Savimbi of de regering lucht krijgt van de ruil, vallen er doden. Een paar van ons zouden daarbij zijn.'

We werden drie keer tegengehouden bij controleposten die Jomba's mannen hadden opgesteld. We hadden geen papieren, maar iedere keer keek de soldaat die de leiding had me aandachtig aan en vergeleek mijn uiterlijk met de beschrijving op zijn papier.

Toen we het stuk weg naderden dat was uitgekozen als ontmoetingsplaats wemelde het in de omgeving van rebellentroepen en wapens. Niet alleen machinegeweren die op jeeps waren gemonteerd – ik zag tanks en raketwerpers in het struikgewas. Het leek of Jomba zich had voorbereid op een ware veldslag. Voor het eerst drong het tot me door dat de wapens die werden geleverd van invloed konden zijn op een oorlog waarbij de toekomst van het hele land op het spel stond.

Een zwarte helikopter, een militair toestel met raketten in de buik, cirkelde boven ons hoofd.

'De Bey,' zei ik. Hij had me verteld dat hij persoonlijk het terrein zou verkennen voor hij zijn vliegtuigen liet landen. Ik wist dat hij niet alleen de natuurlijke ligging van het terrein bedoelde.

Toen we bij de landingsplaats kwamen, zag ik Jomba, die bij een commandopost stond te telefoneren. We reden in die richting, maar werden tegengehouden door een officier.

'Senhore, volg me, de voorbereidingen zijn getroffen.'

Hij bracht Simone en mij naar een tent, waarvan de vier zijden omhoog waren gerold zodat alleen de top het interieur overschaduwde. In het midden van de tent stonden een tafel die bedekt was met een wit laken, een stoel, een weegschaal voor diamanten, een op batterijen werkende lamp, en grote emmers met deksels.

De officier zette een emmer op tafel en haalde het deksel eraf. Ik vertrok geen spier en deed alsof ik dagelijks een emmer vol diamanten zag. Het waren natuurlijk ruwe diamanten, ongeslepen, maar ze waren meer geld waard dan de meeste mensen in hun hele leven verdienden.

De officier wees naar een stapel formulieren voor het certificeren van diamanten. 'Begint u alstublieft.'

'Hoeveel tijd heb ik?'

'Een uur.'

Ik ging zitten en begon. Hoe je het ook aanpakte, twintig miljoen dollar aan diamanten was een scheepslading. Het zou me dagen kosten om ze zelfs maar vluchtig te bekijken. En ik had een uur.

Ik schudde een deel van de diamanten uit de emmer op de tafel. Het vaststellen van de grootte was gemakkelijk – met het blote oog kon ik zien dat ze allemaal tweekaraats waren of meer. De diamanten die ik met mijn loep onderzocht waren praktisch allemaal gaaf, en de kleur van de meeste neigde naar wit. Er was een aantal gekleurde, voornamelijk geel, maar zelfs die waren goed. Ik kon slechts een willekeurige proef nemen, maar ik zorgde ervoor dat ik diamanten op elk niveau van de emmer bekeek. Zodra ik één emmer had getaxeerd en gewogen, ging ik verder met de volgende.

Toen het uur voorbij was, ging de satelliettelefoon.

'Ik ben boven je,' zei de Bey.

Ik liep de tent uit en zwaaide naar de boven mijn hoofd hangende bewapende helikopter.

'Ik heb maar een paar willekeurige proefnemingen kunnen doen, maar de goederen lijken te beantwoorden aan wat toegezegd is,' schreeuwde ik door de telefoon.

'Goed. Verlies de goederen niet uit het oog. Ik wil niet naar huis gaan met blikken vol stenen. Mijn transportvliegtuigen landen straks. Als Jomba de wapens heeft geïnspecteerd, krijg ik de helft van de diamanten en de certificaten. U en João krijgen de andere helft.'

'U krijgt uw certificaten als ik de vuurdiamant krijg.'

'Natuurlijk. Maakt u zich niet bezorgd, meneer Liberte, het is niet in mijn voordeel om u op te lichten – of te vermoorden.'

Toen ik had opgehangen, zag ik dat Simone naar me staarde.

'Je bent een idioot. João zal je nooit laten vertrekken met de rode diamant.'

'João is ver weg.'

De transportvliegtuigen kwamen binnen, drie grote schroefturbinevliegtuigen, die een voor een landden op het stuk weg. Bij het landen van elk vliegtuig kwamen legertrucks te voorschijn uit het struikgewas en stelden zich op bij de vrachtdeuren. Ik had kolonel Jomba beschouwd als weinig meer dan een gangster in uniform, maar toen ik de manoeuvre zag, viel het me op dat hij op zijn zachtst gezegd een efficiënte militaire leider was. Alles liep op rolletjes.

Terwijl de vliegtuigen nog werden uitgeladen, landde de helikopter van de Bey een paar honderd meter naast de tent. De officier die toezicht hield op mij, kreeg het bevel om door te gaan. 'De kolonel heeft de betaling geautoriseerd.'

De helft van de emmers werd op een vrachtwagen geladen. Ik wenkte Gomez. Hij reed de Land Rover voor en we laadden de rest van de emmers erin. We reden naar de helikopter van de Bey. Vier van zijn mannen stonden ernaast. Ze zagen er even gevaarlijk uit als Jomba's mannen.

De Bey stapte uit de grote helikopter toen we stopten. Hij glimlachte en maakte een lichte buiging voor Simone. 'Senhora.'

Ze gaf hem een strak glimlachje terug.

Een andere tafel met een op batterijen werkende lamp werd opgesteld. We keken toe terwijl een andere man uit de helikopter kwam, aan de tafel ging zitten en de diamanten begon te bestuderen.

'Ik vertrouw u,' zei de Bey, 'maar we moeten zeker weten dat de emmers niet achter uw rug om zijn verwisseld.'

Hij vertrouwde mij ongeveer net zoveel als ik hem vertrouwde.

Toen de man ze bekeken had, knikte hij naar de Bey. De Bey pakte een klein buideltje. Ik pakte het aan en betastte de inhoud. Het was de vuurdiamant. Ik maakte het buideltje niet open. Jomba's mannen stonden in de buurt en ik wilde niet laten zien wat ik had ontvangen. Ik gaf de Bey de certificaten.

'*Adeus*,' zei hij terwijl hij in de helikopter stapte. '*Boa sorte!*'

Adieu en veel geluk. Ik dacht er net zo over.

'Laten we als de donder maken dat we wegkomen,' zei ik tegen Gomez. Simone en ik gingen op de achterbank zitten en Gomez startte de Rover. Jomba was druk bezig zijn wapens te pakken. Ik wilde weg zijn voordat hij aan andere dingen dacht. En als Savimbi's mannen arriveerden, zou er een regelrechte oorlog ontstaan.

De verandering van landingsplaats kon mijn dood betekenen, dacht ik. Toen de Bey me verteld had dat de locatie was gewijzigd, had ik geen kans om Kirk te bellen en het hem te vertellen. Simone en Gomez zaten tegen me aan geplakt. Een van beiden had Jomba kunnen waarschuwen dat ik dubbelspel speelde.

Mijn dagen in Angola waren geteld. Ze zouden zonder meer geteld zijn als ik bleef rondhangen en Savimbi me in handen kreeg. Als hij erachter kwam dat er een nieuwe locatie was voor de ruil, zou hij denken dat ik hem bedrogen had, met opzet misleid.

We hadden nog maar een paar kilometer gereden toen ik een bekende pick-up langs de weg geparkeerd zag staan. Het was de truck van de mijn waarin Cross Kruger naar het vliegveld had gebracht. Cross stond ernaast. Hij moest Kruger hebben afgezet en daarna zijn teruggekomen. Iemand had hem gewaarschuwd dat de landingsplaats was veranderd. In een flits drong het tot me door – de Bey had het hem verteld. Daarom was het zo gemakkelijk geweest de diamant aan mij te overhandigen in plaats van aan João. Niemand verwachtte dat ik hem zou kunnen houden.

Gomez reed naar de kant van de weg. 'Rij door!' schreeuwde ik.

'Stop aan de kant,' zei Simone.

'Ja, senhora.'

Ja, senhora?

Ik voelde iets in mijn zij prikken. Het was een klein zwart pistool, het soort automatisch pistool dat mijn vader een 'pistool voor een vrouwentas' placht te noemen.

'Ik heb je gezegd dat je me moest fouilleren.'

'Gomez, wat ze je ook geboden heeft, ik verdubbel het.'

Hij schudde zijn hoofd toen hij stopte naast de plaats waar Cross stond. 'Het spijt me, senhore, maar wat zij biedt kan alleen een vrouw geven.'

Cross opende mijn portier.

'Stap uit,' zei hij.

Ik stapte uit. Gomez stapte aan zijn kant uit en Simone kwam achter me aan. Toen ze uitstapte, pakte Cross de hand beet waarmee ze het pistool vasthield en draaide die achter haar rug. Hij pakte het pistool van haar af en duwde haar opzij. Hij borg het wapen op en haalde een groter pistool te voorschijn.

'Wat doe je nú?' vroeg ze.

'Ga op de grond liggen,' zei hij tegen haar en Gomez. 'Met je gezicht op de grond.'

Toen ze allebei op de grond lagen, vroeg hij: 'Waar zijn de diamanten?'

Ik knikte naar de achterkant van de Rover.

Hij maakte de kofferbak open en haalde het deksel van een emmer. 'Jezus Jozef Maria.'

Het was een indrukwekkend gezicht, emmers vol diamanten.

Hij grijnsde naar me. 'Hoeveel zit er in die emmers?'

Ik haalde mijn schouders op. 'Misschien acht, tien miljoen.'

'Partners?' vroeg hij.

'Ik heb je gezegd twee miljoen. Dat is ongeveer de helft van mijn aandeel. Als je dat van João neemt, leef je niet lang genoeg om ervan te genieten.'

'Ik zou dat risico kunnen nemen.'

'Er is geen plek ter wereld waar je je zou kunnen verbergen,' zei Simone op de grond.

Hij negeerde haar. 'Zeg jij het maar, bubba. Nemen we alles? Ook dat van hen?'

Dat 'we' luchtte me op. Hij stond aan mijn kant.

'Laten we gewoon rijk zijn, niet inhalig.'

'Afgesproken. Je kunt opstaan, teef.'

Ze stond op, terwijl ze tekeerging tegen Cross met vloeken en

264

scheldwoorden die zelfs haar dochter Jonny verbaasd zouden hebben.

We kregen plotseling gezelschap. Jeeps stopten naast ons. De eerste die ik zag was Jomba in zijn jeep met het doodshoofd.

Toen zag ik wie er naast hem zat en deed het bijna in mijn broek. Het was de majoor die ons ontvangen had bij Savimbi.

Cross had het ook door. Hij keek naar me. 'Ik geloof dat ze ons bedonderd hebben.'

Jomba en de majoor stapten uit en liepen naar ons toe. Ze grijnsden allebei. 'U ging erg haastig weg, senhore Liberte. Maar u hebt mijn diamanten meegenomen. We waren op weg naar de mijn om ze terug te halen, maar u hebt ons de moeite bespaard. Pak de emmers,' zei hij tegen een van zijn mannen.

Simone deed een stap naar voren. 'Die diamanten zijn van mijn man. Als u die aanraakt, volgt er een telefoontje naar Savimbi om hem te vertellen dat u tegen hem samenzweert.'

Ze bulderden allebei van het lachen. Jomba viel op de grond met zijn rottinkje, dubbelgeslagen van het lachen. Cross en ik keken elkaar weer aan. We snapten het allebei. Simone snapte het nog steeds niet. Ik pakte haar arm en trok haar weg bij Jomba. Haar grote mond zou ons allebei het leven kosten.

'Hou je mond,' zei ik tegen haar.

Ze was niet stom – ze hield haar mond.

Toen de emmers waren overgeladen, riep Jomba Gomez. Ik kon de zweetdruppels zien op het voorhoofd van de chauffeur toen hij naar hem toe liep. Jomba sloeg zijn arm om Gomez' schouders en liep met hem naar de kant van de weg.

Hij schoot hem in zijn hoofd. Gomez' lichaam sloeg naar achteren, van de weg af.

Jomba stopte zijn pistool weg en schudde zijn hoofd. 'Hij was mijn ogen in de mijn, nu zal ik hem moeten vervangen. Hij zou me niet voor geld verraden hebben, maar zoals alle mannen was hij zwak toen het om een vrouw ging.'

Hij tikte met zijn rottinkje tegen mijn borst. Deze keer probeerde ik niet het opzij te duwen. Ik verwachtte te sterven.

'Wil je die vrouw dood hebben?' vroeg hij.

'Nee.' Mijn stem trilde. 'Nee, dat wil ik niet.'

'Oké. Ik geef je de vrouw.' Hij lachte, greep in zijn kruis en maakte een pompende beweging. 'En Savimbi zegt dat je je mijn kunt houden. Maar ik krijg de diamanten.'

Jomba en de majoor bulderden weer van het lachen toen ze terugliepen naar hun jeep.

Mijn knieën knikten. Ik sprong achter het stuur van de Rover. Cross wilde voorin gaan zitten, maar veranderde van gedachten. 'Jij gaat voorin,' zei hij tegen Simone. 'Misschien heb je een pistool tussen je benen.'

'Jomba is een idioot,' zei ze. 'João zal Savimbi vertellen dat hij tegen hem samenzweert. Hij zal nooit kunnen profiteren van wat hij van ons gestolen heeft.'

'Je snapt het nog steeds niet,' zei ik. 'De wapens waren voor Savimbi. Jomba werkt niet tegen hem maar voor hem.'

'Hoe bedoel je?'

'Het vredesverdrag tussen Savimbi en de regering is van de baan. Savimbi heeft wapens nodig, hij heeft diamanten om ze te kopen, maar hij kan ze niet openlijk kopen. Hij maakt een deal, waarbij hij Jomba als façade gebruikt. En hij gebruikt Angolese diamanten, die hij jarenlang uit de mijnen heeft verzameld. Het was niet nodig de diamanten te certificeren, ze kwamen allemaal uit Angola. Het was een charade voor het geval de regering erachter zou komen. Als dat gebeurde, zou Savimbi beweren dat Jomba een complot tegen hem smeedde.'

We reden rechtstreeks naar het vliegveld waar Simones charter stond te wachten. Niemand zei een woord tijdens de rit. Toen we aankwamen stapte ze zonder een woord te zeggen uit. Cross en ik waren halverwege de mijn toen hij een diepe zucht slaakte.

'Verdomme, ik ben een minuut lang rijk geweest. Een hele lading diamanten, allemaal van mij. Ik had mijn eigen eiland, de Rivièra, mooie vrouwen, alles, voor het grijpen. Nu is het allemaal weg.'

'Je hebt nog steeds een deel van de mijn.'

Nu was het zijn beurt om hard te lachen. 'Ja, en al het verdomde modderwater dat ik kan drinken.'

266

57

❖

Kruger kwam de volgende dag terug en schold me uit omdat ik zijn tijd verspild had met een reis naar Luanda. 'Ik ben kotsmisselijk van dit kloteland en die verdomde mijn van je. Als ik dat kreng droog heb gekregen, ben ik vertrokken.'

De eerste paar dagen na onze terugkomst zag ik Cross nauwelijks. Geen van beiden wilden we praten over het verlies van de Grote Buit. Ik wist genoeg uit hem te peuren om te begrijpen dat ik de hoogste bieder was geweest, dat hij anders met Simone samen zou hebben gedaan. 'Ik had een deal gesloten om te helpen met de bloeddiamantentransactie voordat jij in Angola was,' voerde hij aan als alibi. Hij had gelijk. Hij had erin toegestemd me op te lichten voordat hij me ontmoet had. En een vreemde bedriegen staat op een hoger moreel plan dan het bedriegen van een vriend.

Cross wist niet dat ik het Hart van de Wereld had. Dat hield ik uitsluitend voor mezelf. Toen ik alleen was in mijn kamer, haalde ik de diamant te voorschijn en bekeek hem als een kleine jongen die stiekem in pornoblaadjes kijkt. Jomba wist het ook niet van de diamant, anders zou ik naast Gomez aan de kant van de weg hebben gelegen.

Ik kon de macht van de diamant voelen toen ik hem tussen mijn vingers rolde en hij vuur uitstraalde. Ernaar kijken met een loep was of je in het hart van een vulkaan staarde. Geen van mijn bezittingen – auto's, boten, geld, vrouwen – had me zo aangegrepen als de vuurdiamant.

Als ik erover nadacht, geloofde ik dat ik iedereen zou vermoorden die probeerde hem van me af te pakken.

Eindelijk, drie dagen nadat we terug waren, had ik een eetafspraak met Cross. Ik nodigde Kruger ook uit, maar hij stuurde me een bericht vanuit de mijn dat ik het diner in hetzelfde gat kon stoppen waar hij van plan was mijn hele mijn in te storten.

Het diner was zo opgewekt als de wake van een doopsgezinde gelovige. Cross was somber en had te veel gedronken. En ik probeerde ook niet de ziel van de party te zijn.

'Ik ga naar huis,' zei Cross. 'Als Kruger gaat, ga ik ook.'

'Je hebt ook genoeg van Angola.'

'Ik dacht dat ik het moeilijk had in Michigan City, maar ik zal je wat vertellen, bubba, mijn ouwe maten, die in en uit de gevangenis worden gerecycled, zijn koorknapen vergeleken met de schoften die dit land runnen – en ruïneren.'

Plotseling vloog de deur open en Kruger rende naar binnen. Ik kreunde. Hij zag eruit of hij net uit een modderig gat was gekropen, wat ook het geval was. Ik had de man nog nooit zien glimlachen.

Hij liep naar de tafel met een modderig stuk mineraal in de hand. Ik dacht even dat hij me ermee op mijn hoofd zou slaan.

'Dit kwam uit die verdomde schacht die overstroomde.'

'Heeft dat de overstroming veroorzaakt?'

'Je bent verdomme de slechtste mijnopzichter die ik ooit gezien heb. Je kunt je kont niet onderscheiden van dat gat in de grond daar.'

Ik zuchtte. Ik had de arme klootzak in een oorlogsgebied gebracht en hem wekenlang dertig meter onder de grond gestopt. Allemaal voor een hopeloze onderneming. Ik kon het hem niet kwalijk nemen als hij me daarmee in mijn gezicht sloeg.

'Weet je?' zei ik. 'Eduardo had gelijk, meer geld in die mijn investeren is geld weggooien. En ik heb geen geld meer. Ik denk dat we 'm allemaal moeten smeren en naar huis gaan.'

'Naar huis gaan, m'n reet. Niet voordat ik de kimberlietlaag heb gevonden.'

Cross en ik verstarden. Ik keek naar het brok grijsblauwe aarde dat Kruger in zijn hand hield.

'Jullie tweeën zijn zo godvergeten stom dat je blauwe aarde niet eens herkent als je die ziet. Je bent een heel rijk man, meneer Liberte.' Er verscheen een brede grijns op zijn gezicht. 'Verdomd als we dat niet allemaal zijn.'

DEEL **7**

ANTWERPEN EN PARIJS

58

❖

De Blue Lady maakte me rijk, maar deed niets om mijn levensverwachting te rekken, toen de broze vrede – wat Cross een vervloekte
vrede noemde – tussen Savimbi's guerrilla's en de regering langzaam
in rook opging.

Het kostte een jaar om de kimberlietlaag van blauwe aarde te bereiken. Toen dat gebeurde, begon de hoorn des overvloeds te overstromen.

'We moeten zorgen dat we wegkomen uit deze hel die doorgaat
voor een land, voordat we te ziek zijn om van onze rijkdom te genieten,' zei Cross, nadat er voor onze deur een vuurgevecht was geleverd
tussen strijdende krijgsheren die dezelfde 'pacht' verlangden.

De enige troost die ik in Angola had was het feit dat het moeilijker
zou zijn voor João om me daar te vermoorden. Ik had alles gedaan
behalve pissen op zijn graf, en dat zou ik doen als ik hem overleefde.
Eén ding wist ik door het bloed dat ik van mijn moeder geërfd had:
de Portugezen vergeven niet en vergeten niet. En ze houden van een
goede vete, zoals ik de strijd om de vuurdiamant was gaan beschouwen.

Ik wist dat ik weer iets van João zou horen. Ik hoopte alleen maar
uit de grond van mijn hart dat ik het mes zou zien aankomen voor hij
het in mijn rug stootte.

'We gaan,' zei ik tegen Cross. 'Zorg voor een vliegtuig.'

'Waar gaan we naartoe?'

'Antwerpen.'

'Waar ligt dat in godsnaam?'

'Frankrijk, Nederland, België, god mag het weten, een van die landen, ik ben nooit zo goed geweest in aardrijkskunde. Het enige wat ik
weet is dat de meeste van de beste diamanten ter wereld daar worden
verhandeld. Bernie en mijn vader hadden zaken gedaan met een diamanthandelaar aan de beurs in Antwerpen. Ik heb hem onlangs gebeld en hem gevraagd een koper voor de mijn te vinden. Hij heeft
een bod.'

'Wie wil in vredesnaam een diamantmijn kopen in een oorlogsgebied?'

'Bernie deed het.'

Cross charterde een grote directiejet van een Franse maatschappij. Toen ik aan boord kwam ontdekte ik dat hij er een gehuurd had met franje. Er waren champagne, kaviaar, een chef-kok, slaapkamersuites en vier vrouwen van lichte zeden.

'Vier?' vroeg ik aan Cross.

'Twee voor mij, twee voor jou.' Hij grinnikte en blies rook in mijn gezicht. 'Je misgunt een uitgehongerde man toch ook geen twee steaks, of wel? Bubba, het is zo lang geleden sinds ik ben gepijpt of heb geneukt, dat mijn penis in staat is één vrouw dood te stoten, dus heb ik een reserve nodig.'

Hoe zou ik een uitgehongerde man iets kunnen misgunnen?

59

❖

In het vliegtuig liet ik Cross de vuurdiamant zien.

'Slimme klootzak,' zei hij. 'Waarom heb je me niks verteld?'

'Ik vertel het je nu.'

Op de luchthaven van Antwerpen werden we opgewacht door een ontvangstcomité. Asher van Franck, mijn contact van de diamant-beurs, kwam aan boord met een douane-inspecteur. Hij sprak Engels met een zwaar accent. Hij had geregeld dat we privé door de douane konden in verband met de waarde van de vuurdiamant.

'Ik heb de gepantserde auto, extra bewakers, en zelfs de tv-camera-ploeg van cnn waar je om gevraagd hebt. De mensen met camera's waren moeilijker te krijgen dan de mensen met revolvers.'

Franck was een lange, magere man van zeker een meter vijfenne-gentig. Hij was nu in de zestig, maar ik dacht zo dat hij in zijn jeugd een basketballer kon zijn geweest, toen blanken dat spel nog speel-den – als iemand het spel ooit gespeeld had in België, in welk land overigens Antwerpen lag, zoals ik hoorde van de steward in het vlieg-tuig. De tweede aardrijkskundeles die ik leerde was dat de stad de op een na grootste haven in Europa was, ondanks het feit dat het aan een rivier lag, vijfenzeventig kilometer verwijderd van de Noordzee.

Francks baard, bakkebaarden en keppeltje lieten er geen twijfel aan bestaan dat hij een orthodoxe jood was, niet zo'n verbazingwek-kend cultureel feit omdat het merendeel van de Antwerpse diamant-handel van oudsher in joodse handen was.

Ik stelde Cross aan hem voor en zag dat Franck achterdochtig naar de vier vrouwen keek die stonden te wachten tot ze van boord kon-den gaan.

'Wees maar niet bang, ik zal ervoor zorgen dat ze pas uitstappen als de nieuwscamera's verdwenen zijn,' stelde ik hem gerust.

'Waar is al die opwinding voor nodig?' vroeg Cross. 'Zou het niet beter zijn als we stilletjes de stad waren binnengekomen?'

'Publiciteit heeft nog nooit een diamant kwaad gedaan. Ik heb er een die in een koningskroon hoort. Ik zal het zoveel mogelijk uitbuiten. Verrek, laten we die verslaggevers vertellen dat een koning een bod heeft gedaan.'

'Welke koning?' vroeg Franck.

'Dat is vertrouwelijk. Zo vertrouwelijk dat ik nog niet heb uitgedokterd welke het is.'

Cross keek me aan met een blik die me zei dat hij niet erg blij was met het feit dat ik hem niet van mijn plannen op de hoogte had gesteld. Maar hij had duidelijk gemaakt dat hij genoeg had van diamanten en ze alleen maar aan de vingers van een vrouw wilde zien – om zijn penis geklemd. Hij wees met zijn duim naar me. 'Toen ik die knaap leerde kennen, was hij zo onwetend als een pasgeboren kind. En moet je hem nu zien, de sjoemelaar.'

Arme Franck. Hij keek een beetje ontsteld. Ik denk niet dat het verscheidene decennia lang werken met Bernie en mijn vader hem had voorbereid op de entourage waarmee ik arriveerde.

Ik had nog steeds niet besloten wat ik zou gaan doen als ik opgroeide. Als de verkoop van de mijn doorging zou ik de Blue Lady achterlaten met meer dan veertig miljoen dollar op zak. En een van de waardevolste diamanten ter wereld – een die niet te koop was. De vuurdiamant was een band met mijn vader.

Ik was niet meer dezelfde man die ik geweest was. Angola had me veranderd. Ik wist niet wat er met me gebeurd was in dat geteisterde land. Misschien veranderde je als je moest werken voor de kost. Ik had het in werking houden van de mijn spannender gevonden dan de betaaldag. En nu mijn bloed was opgewarmd, wist ik niet zeker of ik wel bereid was weg te lopen en terug te keren tot de irrelevante, onverantwoordelijke klootzak voor wie Marni me aanzag. Niet dat ze ongelijk had of dat ik om die reden had willen veranderen. Voornamelijk hield ik van het gevoel dat ik wat presteerde. Het gaf zin aan mijn leven. Mijn vader en moeder zouden trots zijn geweest op de manier waarop ik de mijn beheerd had en tot een succes gemaakt. Dat betekende meer voor me dan het geld of de opinie van wie dan ook.

'De diamant zit in deze aktekoffer,' zei ik tegen het hoofd van de beveiliging toen hij aan boord kwam. Ik sprak Frans tegen hem, en Franck vertaalde mijn woorden in iets dat een beetje op Frans leek, maar de man van de veiligheidsdienst begreep me. 'Ik wil dat u de automatische wapens gereedhoudt als u de trap afloopt en de diamant in de gepantserde auto legt.'

'We hebben geen probleem met de beveiliging, uw diamant is veilig hier in Antwerpen,' zei hij.

'Ik maak me geen zorgen over beveiligingsproblemen. Ik wil dat het transport ervan dramatisch genoeg is om het avondnieuws en de kranten van morgen te halen. U hoeft uw wapens niet op de mensen van het nieuws te richten, alleen maar duidelijk te maken dat u klaar-staat om lood in het rond te verspreiden.'

Toen we veilig en wel in de limo zaten, op weg naar het hotel, vertelde Franck me over de regeling die hij had getroffen op de Antwerpse diamantbeurs.

'Uw diamant is het gesprek van de dag op de beurs. Ik heb met opzet het aantal uitnodigingen beperkt voor de receptie waarop de diamant zal worden tentoongesteld. Er wordt gevochten om een uitnodiging alsof het voor een vorstelijk huwelijk is. Het zal uw vraagprijs omhoogjagen.'

'Ik wil de diamant niet verkopen.'

Franck trok zijn wenkbrauwen op. 'Echt niet? Waarom dan al dat promoten en die publiciteit? Ik heb gehoord dat u een bod hebt van die Amerikaanse computertycoon van wie beweerd wordt dat hij de rijkste man ter wereld is.'

'Ja, als hij niet te koop is, waarom dan al die heisa?' vroeg Cross.

'Ik denk erover in de diamanthandel te gaan. Het Hart van de Wereld zou het middelpunt ervan zijn.' Ik had Cross niet verteld wat ik wilde doen.

'Maar u bent uw hele leven in de diamanthandel geweest,' zei Franck. 'U bent erin geboren.'

'Het zat me in het bloed, maar niet in het hoofd. Ik denk erover het House of Liberte nieuw leven in te blazen, het misschien zelfs uit te breiden tot de detailhandel.'

Franck keek me aan of ik hem zojuist had verteld dat ik van plan was een slangenfarm te beginnen.

'De detailhandel? Dat is een heel andere wereld dan waarmee uw vader of ikzelf ooit te maken heeft gehad. Cartier, Tiffany, Winston, Bulgari, ze liggen jaren – eeuwen – voor op de concurrentie. Ik kan het begrijpen als u een *sight holder* wilt worden…'

'Nooit. Ik hou niet van de beperkingen ervan.' Ik vertelde hem niet dat het me te veel leek op handelen. Diamanten kunnen opwindend zijn, maar onderhandelen, sjacheren, was niet echt iets voor mij. Ik wilde iets opbouwen, zoals ik met de mijn had gedaan. Net zoals Leo mijn dagen doorbrengen met een telefoon aan mijn oor, met kopen en verkopen, trok me minder aan dan die slangenfarm.

'U houdt misschien niet van de beperkingen van een De Beers *sight holder*, maar het zou een manier zijn om op grootse wijze uw entree te maken in de diamanthandel. Als eigenaar van een diamantmijn en iemand die een van de grootste diamanten ter wereld bezit, zou u geen enkele moeite hebben met het krijgen van een uitnodiging om u aan te sluiten.'

Ik kende de routine van de *sight holder*. Het waren de enigen die permissie hadden om de tien *sights* – verkopen – van De Beers bij te wonen. Een groot percentage van de diamanten in de wereld vond zijn weg via die tien verkopen die De Beers jaarlijks in Londen hield. Vandaar kwamen de meeste diamanten naar Antwerpen om ge- kloofd en geslepen te worden, al ging een deel ook naar Israël en New York. In India werden meer diamanten geslepen dan in enig land ter wereld, tot tachtig of negentig procent, maar hun grootste omzet bestond uit kleine diamantjes en gruis.

Er was maar een beperkt aantal *sight holders*, ongeveer honderd- veertig of honderdvijftig. Met duizenden diamanthandelaren ter wereld stond je in hoog aanzien als je een van de weinigen was die het voorrecht hadden van De Beers te mogen kopen. En het was winst- gevend. Leo zou zijn linkerbal hebben gegeven om *sight holder* te worden. Maar het was niets voor mij. Het was te veel het oude liedje, elke dag opnieuw. En er waren regels die je moest opvolgen. Net als het leger was het gereglementeerd – en ik was niet erg goed in salue- ren. Bovendien had ik de non-conformistische houding van mijn va- der ten opzichte van De Beers en hun wurggreep op de wereld van de diamanthandel. Ik wilde mijn eigen imperium scheppen en niet on- der de duim zitten van De Beers.

'Ik word geen *sight holder* en ik ga niet exclusief van De Beers kopen. Ik wil het opnemen tegen De Beers.'

'Jezus.' Cross floot zachtjes. 'Je bent stapelgek.'

Franck liep paars aan. 'U praat over een onderneming die de meeste diamanten ter wereld bezit of onder controle heeft. Het tegen hen opnemen, zoals u het uitdrukt, zou gelijk zijn aan een fietser die racet tegen een Ferrari.'

'U ziet ze als heersers van de weg, ik zie ze als vadsig en kwetsbaar. Ze kunnen zelfs geen zaken doen in Amerika omdat ze een mono- polie hebben.'

'Toch beheersen ze nog steeds het grootste deel van Amerika's diamanthandel. Ze mogen geen diamanten verkopen in het land, maar de diamanten die worden ingevoerd en verkocht staan meren- deels onder controle van De Beers.'

'Hoe ben je van plan dit aan te pakken?' vroeg Cross.

'Ik weet het nog niet zeker, maar wat ik wel weet is dat als je een grote hap van de diamanthandel wilt veroveren, je niet achter de kleine jongens aan moet gaan – en niet in de pas moet lopen en be- velen opvolgen van De Beers. De Beers heeft de business in handen – miljarden ervan. Ik wil er een deel van.'

'Hoe is De Beers in staat de diamantindustrie van de hele wereld te beheersen?' vroeg Cross aan Franck. 'Er zijn meer grote onderne- mingen op de markt.'

'Waar het op neerkomt: ze beheersen de wereldprijs door beheer- sing van productie en distributie.'

'Ze beheersen Wins mijn niet. We verkopen die diamanten zonder toestemming van De Beers.'

'Dat is zo,' zei Franck, 'je kunt overal ter wereld diamanten kopen en verkopen zonder toestemming van De Beers, maar je doet het letterlijk op hun voorwaarden.'

'Zeg dat nog eens?' zei Cross.

'Diamanten zijn een product, vooral in de groothandel. Net als voor maïs of tarwe of benzine, betalen groothandelaars in wezen dezelfde prijs voor dezelfde kwantiteit en kwaliteit van diamanten. Ze worden overal ter wereld op dezelfde manier gedolven en gegradeerd en getaxeerd. Om de honderd jaar kan iemand met een unieke diamant komen, een enorme steen of de zeldzame robijnrode diamant die Win heeft, maar verder zijn ruwe diamanten van dezelfde kwaliteit niet van elkaar te onderscheiden, evenmin als maïskolven of tarwestengels. Ze kunnen een modeartikel zijn als ze zijn geslepen en in een unieke zetting geplaatst, maar in tegenstelling tot de kleren die een vrouw draagt, is de redelijke prijs van een diamant niet gebaseerd op de naam van de verkoper of de fraaie zetting, maar op de grootte en kwaliteit van de diamant.

Op groothandelsniveau wordt een diamant van dezelfde grootte en helderheid voor dezelfde prijs verkocht als miljoenen andere diamanten van dezelfde kwaliteit. Diamanten uit Afrika worden voor exact dezelfde prijs verkocht als die uit Rusland, Canada of de maan. Omdat diamanten een product zijn, net als varkensvlees en katoen, zijn ze onderhevig aan de grillen van vraag en aanbod. Na een recordoogst gaan letterlijk alle diamanten van dezelfde grootte en kwaliteit in prijs omlaag. Als er weinig aanbod is, gaat de prijs omhoog. Je kunt de grillen van de markt niet vermijden omdat jouw diamanten beter zijn dan die van een ander.'

'En dat is de manier waarop De Beers de markt beheerst,' zei ik. 'Ze kunnen vraag en aanbod manipuleren.' Mijn commentaar was tegen Cross gericht.

'Precies,' zei Franck. 'Laten we aannemen dat het House of Liberte met hen wil concurreren. De Beers beschikt over enorme middelen, het is een multimiljardenonderneming. Ze kunnen het aanbod van diamanten op de markt verlagen, de prijs per karaat verhogen die House of Liberte voor zijn diamanten moet betalen.'

'En,' zei ik, 'als ik eenmaal de topprijs heb betaald, kunnen ze de markt overstromen met diamanten en de prijs per karaat omlaag laten donderen, zodat ik met lege handen achterblijf – letterlijk.'

Cross schudde zijn hoofd. 'Hebben ze zoveel in de melk te brokkelen?'

'Zoveel hebben ze in de melk te brokkelen,' zei Franck. 'Niet dat ze op die manier van hun macht gebruikmaken. We praten nu over een hypothetische situatie. Laten we zeggen dat het House of Liberte ze uitdaagt en een deel van de wereldgroothandelsmarkt wil veroveren. Het manipuleren van vraag en aanbod zou een machtig wapen zijn in hun arsenaal tijdens die strijd.'

Cross gaf me een por. 'Misschien zou je beter de markt in varkensvlees kunnen verschalken, bubba. Dat kun je in ieder geval eten als je ermee opgescheept zit.'

Ik haalde mijn schouders op. 'Wie weet? Misschien ga ik wel naar Rusland. Daar hebben ze diamantmijnen waar De Beers niets over te zeggen heeft.'

Franck schudde zijn hoofd. 'Vriend, als je dacht dat het gevaarlijk was in Angola, zou je het nog heel wat gevaarlijker vinden in Rusland. Angola is een jong land, bevolkt door onervaren mensen die niet weten hoe ze met hun natuurlijke bronnen moeten omgaan en wie plotseling regeringsverantwoordelijkheid is opgedrongen. Rusland is een oud land dat in de loop der eeuwen hebzucht en moord tot een grote kunst heeft geperfectioneerd.'

60

❖

De volgende dag wandelde ik met Franck door de Hoveniersstraat in het centrum van Antwerpen. Net als de beurs in New York was de Bourse in Antwerpen onopvallend. Het gebouw stond tussen drie of vier smalle straten in, geen glamour, geen glitter, niets om de wijk te onderscheiden van andere wijken in het centrum.

'Je kunt je moeilijk voorstellen dat de meeste diamanten ter wereld, misschien wel negentig procent, via Antwerpen zijn verhandeld,' zei ik.

'Ja, maar we hebben al meer dan vijfhonderd jaar diamanten gekloofd, lang voordat Amerika was ontdekt – en geplunderd. New York, Hongkong, Taiwan, Thailand, de Ramat Gen buiten Tel Aviv, de grote productie van Mumbai en Surat in India hebben allemaal van de taart geproefd, maar Antwerpen is nog steeds de koningin van de diamantdames.'

We waren op weg naar een afspraak met de makelaar die een koper had voor de Blue Lady. Ik had aangenomen dat de makelaar een orthodoxe jood zou zijn, net als Franck, omdat ze de Antwerpse industrie beheersten. Maar dat bleek niet het geval te zijn.

'Je zult de Prins van de Sinjorens ontmoeten,' zei Franck. 'Sinjoren is een uitdrukking die teruggaat tot de tijd dat Antwerpen deel uitmaakte van het wijdvertakte Spaanse imperium. De aristocratie in de stad werd Sinjorens genoemd, een woord dat afstamt van het Spaanse woord *señores*. De mannen van de oude families met geld in de stad worden ook nu nog *sinjorens* genoemd. Maurice Verhaeven heeft het oudste bloed en de dikste portemonnee. Verrassend genoeg heeft hij veel van dat geld zelf verdiend, want behalve zijn stamboom en patriciërsneus heeft hij weinig geërfd.'

'Je zei dat een jood niet als makelaar kon optreden om de mijn te verkopen. Ik neem dus aan dat het een Arabier is.'

'Ja, ja, dat is correct.' Hij keek me van terzijde aan. 'Een schrandere opmerking. Ik heb het bericht verspreid op de beurs dat je de mijn eventueel wilde verkopen, maar er waren geen kopers vanwege de situatie in Angola. Ik heb het ook Verhaeven laten weten, omdat hij contacten heeft in Oost-Europa, Rusland en het Midden-Oosten. Ik weet niet wie de koper is, maar ik vermoed dat het een Rus of een Arabier is. Dat zijn de enige twee nationaliteiten die over voldoende geld beschikken om een diamantmijn te kunnen kopen. Verhaeven heeft veel diamanttransacties geregeld tussen Arabieren en joden, dus zou het me niet verbazen als hij een Arabier blijkt te zijn.'

De ontmoeting had plaats in een kantoor in de Beurs voor de Diamanthandel, de diamantenclub, 'Het casino' genaamd.

Franck bleef even staan voor we naar binnen gingen. 'Ik moet je waarschuwen voor Verhaeven. Wees voorzichtig. Ik herinner me een gezegde in je land over zaken doen met een sluwe onderhandelaar, iets over je vingers tellen nadat je hem een hand hebt gegeven. Hetzelfde geldt voor Verhaeven. Maar in Antwerpen moet je je handen tellen.'

Hij grinnikte en legde het uit terwijl we verder liepen. 'Antwerpen heeft een legendarische reus, Antigoon. Antigoon bewaakte onze rivier de Schelde in de oude tijd en verlangde tolgeld van alle boten die erop voeren. Als de kapitein weigerde te betalen, hakte Antigoon een van de handen van de kapitein af. Daar komt de naam "Antwerpen" vandaan. Het betekent zoiets als het nemen of weggooien van een hand.'

Ik dacht dat Antigoon de reus misschien nog beter zijn koffers had kunnen pakken en verhuizen naar Angola of Sierra Leone. Savimbi en zijn kornuiten hadden hem een paar dingen kunnen leren over het inzamelen van tolgelden.

Verhaeven had inderdaad een patriciërsneus. En hij keek langs de brug ervan neer op de rest van de wereld. Hij vervulde de rol van Prins van Sinjorens met flair. Hij droeg een pak van grijze zijde, een lichtblauw hemd met witte kraag, een gele das en donkerbruine brogues. Hij zag eruit of hij van de set kwam van een film uit de jaren '40. Zijn handdruk was warm, zijn ogen doordringend, zijn Frans perfect.

Ik mocht hem onmiddellijk. Maar ik kon zien waarom Franck me gewaarschuwd had. Er waren twee manieren om te verkopen in deze wereld: de softe en de harde. Verhaeven kwam duidelijk uit de school van de softe verkoop. Ik had onmiddellijk mijn oordeel over hem gevormd, want mijn vader kwam uit dezelfde school.

'Ik heb een koper,' zei hij. 'Een prijs die u, naar Franck dacht, zou accepteren.'

'Ik heb tegen Franck gezegd dat hij het moest beschouwen als een brandschadeverkoop. Ik heb geld nodig voor iets anders. Wat zijn de voorwaarden?' vroeg ik.

'Contant.'

Ik grinnikte. 'Dat is een voorwaarde waar ik nooit bezwaar tegen maak. Wie is de koper?'

Hij kuchte beschaafd in zijn zakdoek.

'Natuurlijk zijn uw commissie en die van Franck in de prijs inbegrepen.'

'Dank u. De koper is een Arabier, Saoediër. Hebt u wel eens gehoor van de familie Bin Laden?'

Ik schudde mijn hoofd. 'Nee.'

'Een heel vooraanstaande familie in Saoedi-Arabië, wat betekent dat ze banden heeft met de koninklijke familie, zoals de meeste vooraanstaande families verwant zijn met de koninklijke familie. Ik geloof dat de *moneymaker* een ongeletterde kamelenkoopman was die een moeilijke weg bouwde voor een vorige koning, en vervolgens de voornaamste bouwondernemer werd van het olierijke koninkrijk. Een van zijn vele zoons, Osama, is de koper. Hij weet wat hij zich op zijn hals haalt, iedereen kent de situatie in Angola en hij zou bijzonder gevoelig zijn voor de chaos. Ik heb begrepen dat hij een tijd in Afghanistan heeft doorgebracht met vechten tegen de Russen.'

Ik wist niet waarom een rijke Arabier een diamantmijn zou willen hebben in een oorlogsgebied en het kon me ook niet echt schelen.

'Hoe snel kunnen we die transactie afhandelen?'

'Heel snel. Een overboeking van de koopsom wordt al geregeld, evenals de wettelijke documentatie. Er kan één probleem zijn. Als de Angolese regering de verkoop moet goedkeuren…'

Ik schudde mijn hoofd. 'Geen probleem, alles in Angola heeft zijn prijs en is snel te krijgen als de betaling wat omhooggekrikt wordt. Daar heb ik al aan gedacht voordat ik uit Luanda vertrok. De vergunning voor de verkoop ligt in mijn hotel. Ik zal hem u toesturen. We hoeven alleen de naam van de koper maar in te vullen.'

'Ik weet zeker dat een corporatie als eigenaar optreedt,' zei Verhaeven. 'Ik zal het uitzoeken en het u laten weten.'

We bespraken de details, waarvan de voornaamste was de overdracht van het geld. Het ging allemaal verbazingwekkend gemakkelijk, gezien het feit dat ik een probleem verkocht in een oorlogsgebied.

Verhaeven dronk wijn en veegde zijn mond kies af met zijn servet. 'Wat betreft uw robijnrode diamant…'

'Die is niet te koop.'

'Ik zou een heel hoge prijs voor u kunnen krijgen.'

'Ik heb besloten hem te houden. Ik zie u op de receptie.'

Op de terugweg naar het hotel zei ik tegen Franck: 'Ik heb begrepen dat er een beroemde schilder uit Antwerpen komt, ene Rubens.'

Hij glimlachte. 'Ja, er was een Vlaming die Rubens heette en die schilderde.'

'Koop een van zijn schilderijen voor me.'

281

Hij bleef staan en staarde me aan. 'Zomaar een schilderij voor u kopen? Hebt u een speciaal doek op het oog? Een bepaalde periode van zijn kunst…'

'Koop gewoon een schilderij voor me met Rubens' naam erop.'

'Ik begrijp het. Iets met Rubens' naam erop,' mompelde hij. 'Hebt u enig idee wat het zou kosten om iets te kopen met Rubens' naam erop?'

'Het kan me niet schelen wat het kost. Het is zakelijk. Ik ga terug naar Amerika met een diamant van wereldklasse. Een schilderij van wereldklasse zou daarnaast een goede indruk maken. Amerikanen zijn snobs, speciaal wat oude Europese kunst betreft.'

We namen afscheid bij het hotel, Franck nog steeds in zichzelf mompelend.

61

❖

De oprit voor het hotel waar de receptie voor de vuurdiamant zou plaatsvinden leek op de rode loper voor Cannes of de Academy Awards. Limo's reden voor en loosden goedgeklede lichamen, onder wie vrouwen met meer juwelen dan kleren. Er had zich een menigte verzameld, de camera's draaiden.

Binnen leek Franck high genoeg om te hebben geproefd van de ecstasy, de pil waar de naburige stad Amsterdam bekend om was.

'Het is het sociale evenement van het jaar,' zei hij in zijn handen wrijvend. 'Het sociale evenement van de eeuw.'

Hij stelde me voor aan een jonge Vlaamse kunstenaar, een vriend van zijn dochter, die de receptie had gepland en opgesierd met persoonlijkheden uit de Europese filmwereld. 'Hugo heeft bij Nederlandse en Duitse filmopnamen gewerkt als artdirector,' zei Franck. 'Hij is ook binnenhuisarchitect. Doet het geweldig. Je zei dat je een Hollywoodsfeertje wilde; Hugo komt er het dichtst bij in Antwerpen.'

Franck giechelde bijna toen hij hen voorstelde. 'Meneer Liberte zei vandaag tegen me dat ik een Rubens voor hem moet kopen. Alsof hij me vroeg het nieuwste merk auto te kopen.'

Ik stond met Hugo voor het pièce-de-milieu dat hij had ontworpen om de diamant te huisvesten zodra die arriveerde. Het was een kristallen kom vol 'diamantijs', stukjes helder, glinsterend kristal.

'Ik had de diamant niet gezien, behalve op een foto die je Asher had gestuurd, dus heb ik een pièce-de-milieu ontworpen waarin ik dacht dat hij het best zou uitkomen.'

'Ik vind het een goed design.'

'Als de rode diamant in de kom wordt geplaatst,' zei hij, 'zal hij een enorme indruk maken. Eronder,' hij wees naar de bodem van de kom, 'verborgen in het voetstuk, bevindt zich een krachtige lichtstraal, die ik aan zal zetten als de diamant in de kom ligt. Die leidt het licht van de kristallen en de rode diamant naar de ronddraaiende bol, die het op zijn beurt in het vertrek verspreidt.'

Het Hart van de Wereld was een klein voorwerp, ongeveer zo groot als een walnoot. Het was moeilijk zoiets kleins te appreciëren, zelfs al was het een diamant. Hugo's ontwerp om de rode glinstering van de diamant in het vertrek te verspreiden beviel me. Zo zou de diamant een diepe indruk maken op de aanwezigen.

'Pas op,' fluisterde Hugo, 'de twee vrouwen die hierheen komen, hebben in de roddelbladen gelezen dat je de voormalige vriend bent van Katarina Benes.'

Cross kwam naar ons toe en keek met een wellustige grijns naar de vrouwen om me heen. 'Het bezit van een diamantmijn roept gegarandeerd de wellust op in de kilste vrouwen ter aarde.'

Ik hoorde mijn naam en draaide me verrast om.

Leo – de lul, klootzak, etter, schurk van een stiefbroer van me – grijnsde naar me. Hij omhelsde me stevig.

'Win, ik kan je niet zeggen hoe blij de familie is met je succes.'

Hij gaf me een klopje op mijn schouder.

'Het succes van mijn broer is mijn succes, dat vertel ik de beursmensen in New York. Weet je nog dat papa die altijd de bourse noemde? Maar hij was eigenlijk ook een Fransman, hè?'

Mijn broer? Die klootzak noemde mij zijn broer in het openbaar?

Papa? Die etter noemde mijn vader 'papa'?

De familie is trots op me? Ik had hem willen vragen of dat dezelfde familie was die zich mijn naam niet meer kon herinneren toen ze ontdekten dat ik failliet was.

Dit was de eerste keer dat ik die schoft had gezien of gehoord sinds ik uit New York was vertrokken naar Lissabon en Angola.

'Wat doe jij in de stad, Leo?'

'Ben overgekomen om mijn geld in Zwitserland een bezoek te brengen.' Hij knipoogde naar me. Ik herkende die knipoog. Het was dezelfde die hij en Bernie gebruikten als ze het hadden over geheime Zwitserse bankrekeningen. Leo maakte een paar keer per jaar een reis naar Zwitserland, met contant geld op zak dat hij wegstopte voor de belastingdienst. Diamant- en narcoticahandelaren deelden een gelijke voorkeur voor contante betalingen.

'Feitelijk heb ik de rekening overgebracht naar Luxemburg – hogere rente. En je weet, de belastingdienst snuffelt altijd rond bij de Zwitsers, vooral na al die schandalen met nazi-goud. Ik wist niet dat je in Antwerpen was, tot ik vanmiddag Francks secretaresse sprak.'

Ik stelde hem aan Cross voor en vroeg: 'Doe je aankopen in Antwerpen?'

'Je weet het. Het gebruikelijke leveringsplan.' Hij grinnikte.

O, ja, het oude holle-schoenhakplan. Ik herinnerde me dat Leo zijn aankopen door de douane kreeg via een gat in de hak van zijn schoenen. Die knaap had het bedriegen van de douane en belastingen tot een wetenschap verheven.

284

'We hebben een vrachtlading gave ruwe diamanten meegebracht uit de mijn,' zei ik tegen Leo. 'Loepzuivere d's, allemaal driekaraats of meer.'

'Eh, misschien zouden we eens moeten praten...'

'Geen gepraat, geen onderhandelingen.' Ik sloeg mijn arm om zijn schouders en kneep erin. 'Je bent familie, kerel. Ik wil dat je er zoveel hebt als in je schoenen passen. Ik zal tegen Franck zeggen dat hij ze je voor de helft van de marktprijs geeft.'

Leo viel bijna flauw in mijn armen. Het duurde vijf minuten voor ik me van hem kon losmaken.

Toen hij weg was, keek Cross me bevreemd aan.

'Wat mankeert jou? Is dat niet de stiefbroer die je altijd gehaat hebt?'

'Het is kontneuktijd.'

'Man, op die manier kun je mijn kont neuken wanneer je maar wilt. Die vent verdient een fortuin aan wat je hem zo goedkoop verkocht hebt.'

'Hij zal het nodig hebben,' zei ik grimmig.

De komst van de gepantserde auto deed het gebabbel in het vertrek verstommen. Een vertegenwoordiger van de firma van de gepantserde auto bracht een aktekoffer binnen. Ik moest een grijns onderdrukken bij het zien van de bewakers die hun wapens droegen alsof ze werden aangevallen.

De vertegenwoordiger volgde me naar een aangrenzende kamer, waar ik de aktekoffer van hem overnam en hem liet vertrekken. Alleen in de kamer, maakte ik de aktekoffer open en haalde het buideltje eruit.

Het was leeg.

Ik haalde een ander buideltje uit een geheime zak in mijn jas en schudde het Hart van de Wereld eruit. Ik had zelfs Cross niets verteld over mijn misleiding.

Ik dacht dat, met alle aandacht gevestigd op de bewakers en de pantserauto, niemand zou denken dat ze een lege aktekoffer bij zich hadden en dat ik de diamant in mijn zak had. Het was niet iets dat ik zelf verzonnen had – waardevolle diamanten werden de hele wereld rondgestuurd in pakjes die gemarkeerd waren als andere producten.

Hugo was een genie. Toen het Hart van de Wereld in de glinsterende kom werd geplaatst en de lichtstraal werd aangeknipt, gloeide de diamant als het hart van een vulkaan.

Ik luisterde naar de 'ah's' en 'o's' toen een ober een draagbare telefoon in mijn hand stopte. 'Sorry, sir, maar degene die belde zei dat het dringend was.'

'Hoe gaat het, Win? Ik heb je gemist.'

Er was een slang in elk paradijs.

'Het enige wat je gemist hebt is het schieten van een kogel door mijn hart, Simone. Ik hoop dat je belt om me te vertellen dat João dood is en naar de hel is vertrokken.'

'We zijn je familie, Win. João en je vader waren als broers, zo mag je niet praten over familie,' zei Simone.

'Je bent een moordzuchtig, bedrieglijk, stelend, vervloekt kreng. Wat wil je?'

'Je weet wat we willen. Je exposeert João's vuurdiamant en we kregen niet eens een uitnodiging. We moeten naar de receptie kijken op cnn.'

'Laten we geen spelletjes spelen, Simone. João heeft die diamant van mijn vader gestolen. Zelfs al zou ik hebben besloten het verleden te laten rusten en João een paar dollar te geven om de pijn te verzachten, na de manier waarop je me in Angola hebt belazerd krijgen jullie geen rooie rotcent van me.'

'Je begrijpt het niet, Win. Het gaat niet om geld. João houdt meer van die diamant dan van wat ook, meer dan van mij. Nu gaat het om bloed. Jouw bloed.'

62

❖

JFK, New York City

Leo vloog eersteklas. Hij had geen idee wat het Win gekost had om hem te laten upgraden van de economy class, waarin hij altijd reisde, maar hij zou tegen Win zeggen dat hij dat niet meer moest doen. Het was verspilling. Hij had liever dat Win hem in plaats daarvan het geld gaf. Hij had gehoord over een man, een van de grootste handelaren aan de New Yorkse diamantbeurs, die altijd economy vloog en het verschil tussen een eersteklas ticket en zijn goedkope ticket aan goede doelen schonk.

Zo'n mentaliteit kon Leo niet begrijpen.

Maar nu hij toch in de eersteklas zat, deed hij zich te goed aan champagne en hors d'oeuvres. Het eten werd geserveerd op porselein in plaats van op de plastic rotzooi die je in de economy class kreeg, en het bestek was van zilver.

Grote klasse, dacht hij.

Hij stopte een mes, vork en lepel in zijn aktetas, samen met een fles wijn en champagne. In zijn aktetas bevonden zich ook overzichten van zijn Zwitserse bankrekening en zijn nieuwe Luxemburgse rekening. Hij had in de laatste vijf jaar een miljoen dollar aan belastingen bespaard door veel van zijn zakelijke transacties in het buitenland onder te brengen. Hij sloot de verkoop in New York en liet de andere partij telegrafisch geld van hun overzeese rekening overboeken naar zijn overzeese rekening. En wat de belastingdienst niet wist kon hem niet deren.

De hakken van zijn schoenen zaten vol met de diamanten die Win hem tegen de helft van de marktprijs had verkocht, hem letterlijk vrijwel cadeau had gedaan. Hij had Win altijd als een arrogante vlerk beschouwd, maar Leo hing overal een prijskaartje aan en wat hem betrof, was Win nu familie.

Hij stopte nog een fles champagne in zijn aktetas.

Het leven was goed.

Hij overhandigde zijn douaneverklaring aan de paspoortcontrole.

'Niets aan te geven, meneer?'

'Nee, ik moest naar een huwelijk in Parijs.'

Zo reisde hij altijd, vloog via Parijs in plaats van Antwerpen of Zwitserland. Als de douanebeambten de diamanthoofdstad of de naam van de geldhoofdstad van de wereld op de aangifteformulieren zagen, betekende dat letterlijk een striptease en een onderzoek van de lichaamsholten. Maar niemand ging voor zaken naar Parijs.

Hij liep door het douanegebied naar de hal toen hij door twee mannen werd aangehouden.

'Agent Wilson, douane,' zei de man en liet een identiteitsbewijs zien. 'Dit is agent Bernstein van de belastingdienst.'

'Wa-wat wilt u?'

'We zullen beginnen met uw aktetas. En uw schoenen.' Wilson grinnikte. 'Daarna zal het interessant worden als we de tangen erbij moeten halen.'

Leo staarde hem met open mond aan.

'Hoe... hoe weet u...'

'Iemand heeft het ons in het oor gefluisterd.'

63

❖

Parijs

Ik haalde dezelfde stunt uit op het vliegveld van Orly in Parijs als in Antwerpen door een pantserauto een lege aktetas te laten ophalen terwijl de camera's draaiden en ik de diamant in mijn zak had.

De reputatie van het Hart van de Wereld was hem uit Antwerpen gevolgd en trok nu veel meer aandacht van de media. Een public relations-man die door Franck in de arm was genomen kwam naar het vliegtuig en sprak met de pers, deelde een videoband uit waarop de diamant tijdens de receptie op spectaculaire wijze werd getoond.

Op het vliegveld nam ik afscheid van Cross. Hij ging met een taxi naar het Charles de Gaulle, vanwaar hij terugvloog naar de States. 'Ik ga niet terug naar Indiana, daar heb ik niks te zoeken. Mijn zus woont in L.A. en ze zegt dat het er nooit vriest en zelden regent. Ik ga me installeren op het strand met bier en een lekkere meid. Herstel: meiden.'

Ik wenste hem veel geluk en zei dat hij contact moest houden.

Een limochauffeur stond op me te wachten toen ik door de douane kwam.

'Bonjour, monsieur,' zei de chauffeur.

'Mijn nichtje wordt verondersteld hier te zijn,' zei ik.

'Het spijt me, monsieur, maar er was enige verwarring en mijn baas heeft verzuimd me te vertellen dat ik haar af moest halen. We halen haar onderweg op.'

Er was iets vreemds aan de jas van de chauffeur – hij paste niet om zijn gespierde armen en schouders, en evenmin om zijn buik. Hij had een Zuid-Europees uiterlijk, donkere ogen en een donkere huid, en hij sprak slecht Frans met een zwaar accent. Ik wist niet zeker waar het vandaan kwam, het had iets Europees, maar ik bofte dat ik zijn Frans begreep – meestal als ik in Parijs kwam hadden de taxichauffeurs Zuid-Aziatische voorouders, en ging er altijd iets verloren in de vertaling als ik probeerde te communiceren.

Ik stapte achter in de auto. Er stond een koelemmer met champagne voor me klaar. Ik pakte een van de kranten die in de limo lagen en keek die snel door om te zien of er ook artikelen in stonden over de diamant. Mijn Frans was vrij goed, stukken beter dan wat ik van de chauffeur had gehoord. Als tiener logeerde ik vaak bij mijn Parijse familie, mensen die als 'neven en nichten' werden aangeduid, al was hun familierelatie slechts vaag omschreven.

De familie zat in de juwelenbusiness en ik had geregeld dat ze me her en der zouden introduceren en de gastenlijst zouden opstellen voor de galareceptie die ik van plan was te geven. Ik had Yvonne, de nicht die me zou komen afhalen, in jaren niet gezien. Ik herinnerde me haar als een serieuze jonge vrouw die hard werkte in de familiezaak in het district St. Cloud. Ze had onlangs het management van de firma overgenomen toen haar vader met pensioen ging.

Ik pakte de fles champagne en begon hem open te maken toen de limo plotseling aan de kant van de weg stopte, waar een man stond te wachten. Het portier aan de kant van het trottoir werd geopend en een man stapte in.

'Wat...'

Hij had een pistool en een opvliegend temperament.

'Hou je verdomde bek.'

Hij sprak Portugees. Ik besefte nu de oorsprong van het accent van het Frans van de chauffeur.

'De groeten van João.'

'Ik heb de diamant niet.'

Ik schrok me ongelukkig. De hand waarmee die vent het pistool vasthield trilde hevig. Hij was niet bang. Zijn doffe ogen en strakke gelaatsspieren leken van iemand die te veel crack gebruikte.

Hij sloeg me in het gezicht met het pistool.

'Luister goed, amigo, dan heb je een kans om in leven te blijven. We gaan ergens heen waar een telefoon is. Je gaat het regelen dat de diamant aan ons wordt overgedragen. Als je een vergissing maakt aan de telefoon hak ik je neus eraf. Als degene die je belt een vergissing maakt, hak ik een stukje van je af voor elk uur oponthoud, te beginnen met je ballen. *Entender?*'

Ja, ik begreep het. Mijn verdomde briljante plan om de aandacht van me af te leiden met de routine van de pantserauto maakte me kwetsbaar. Ik had met de diamant, die ik in mijn zak had, in die verdomde pantserauto moeten zitten. Zodra dit straatschorem de diamant op me vond, of ik overhandigde hem als ze begonnen mijn neus af te snijden, zouden ze me vermoorden.

'Hou op met denken.'

Ik dacht niet. Ik was high van de adrenaline omdat ik in paniek was. De klootzak hief het pistool op en sloeg op mijn knie. Ik gaf een gil en boog me voorover van de pijn. Toen ik overeind kwam, duwde ik zijn hand met het pistool opzij en draaide me bliksemsnel om, zwaaiend met de champagnefles. Ik trof hem in het gezicht, tegen zijn neus, en bespatte mij en het interieur met bloed.

Zijn hoofd viel met een klap achterover en het doffe licht in zijn ogen verduisterde.

De chauffeur trapte op de rem en draaide zich met een pistool in de hand om toen ik me naar hem toe draaide. Ik bukte me. Ik kreeg het portier te pakken en trok aan de hendel, bonkte tegen de deur met mijn hoofd en schouder en vloog met het gezicht omlaag naar buiten. Ik kwam met een smak op mijn buik en elleboog op het asfalt terecht, rolde om, met fladderende armen en benen.

Toen bleef ik stil liggen, duizelig en met suizende oren. Ik ging op mijn knieën zitten. Ik voelde geen pijn – mijn lichaam was gevoelloos door de schok. Het geluid van piepende banden joeg mijn adrenaline omhoog – ze gingen me overrijden.

Er waren auto's genoeg op de snelweg, maar ik lag aan de kant op een bovenkruising – er kwamen geen auto's mijn richting uit. Een auto achter me gaf gas en schoot vooruit. Ik draaide me met een ruk om. De limo – de schoft kwam terug. Ik kwam overeind en dook naar de reling, hing er op mijn buik overheen, starend naar een diepte van tien of twaalf meter naar de snelweg onder me. Ik kon nergens heen en bleef me met beide handen vasthouden toen de limo achteruitreed, schurend langs de kant van de reling. Toen hij stopte op de plaats waar ik lag, verscheen een bloederig gezicht met platgedrukte neus in het zijraam.

De kerel probeerde het portier te openen, maar de auto stond te dicht bij de reling. Hij schreeuwde tegen me, hief het pistool omhoog en begon te schieten. Ik bukte me, maar bleef me vasthouden toen het raam explodeerde. Het duizelde me nog steeds en in mijn oren klonk een vage sirene.

Ik keek op toen hij het glas wegsloeg en het pistool naar buiten stak en op mij richtte. De limo zwenkte plotseling weg van de muur en de gangster verdween uit het gezicht toen de limo zich in het verkeer mengde en een hevige zwaai maakte om een botsing te vermijden. Hij was ongeveer vijftien meter bij me vandaan toen hij weer met de bumper aan de passagierskant tegen de reling sloeg en vervolgens stuiterde en op de snelweg dook.

Een paar seconden gingen voorbij voordat ik besefte dat wat ik gehoord had een echte sirene was. De chauffeur van de limo moest het ook hebben gehoord.

Maar het was geen politieauto. Een ambulance kwam snel aangereden en de verpleger die voorin zat staarde naar me terwijl ik me vastklampte aan de reling.

64

❖

'Heel, heel slim van je,' zei mijn Franse nicht Yvonne. 'Dat is precies wat je moet doen als je ontvoerd wordt, onmiddellijk terugvechten.' Ze sprak sneller dan een afgeschoten kogel en mijn Frans werd op de proef gesteld, want ik moest mijn best doen om haar bij te houden.

'Ik heb een ontvoeringscursus gevolgd,' zei ze. 'Ik moest wel toen ik een reis naar Japan maakte met diamanten in de zoom van mijn jas genaaid. De enige manier waarop de verzekeringsmaatschappij me wilde verzekeren tegen ontvoering tijdens de reis was door die cursus te volgen. Daar vertelden ze me dat de beste en waarschijnlijk enige keer dat je de kans hebt om te ontsnappen in de eerste paar ogenblikken van de ontvoering is. Dat is het moment waarop de ontvoerders je net gegrepen hebben, ze zich nog in een vreemde omgeving bevinden die ze niet onder controle hebben, en afgeleid worden omdat ze op moeten passen voor politie en eventuele getuigen. Zodra ze je eenmaal hebben meegenomen naar hun schuilplaats ben je verloren. Dat is hun territorium, een veilige, gecontroleerde omgeving zonder getuigen.'

'Ik ben bang dat ik er niet mee kan pochen dat ik slimmer was dan zij. Ik had toevallig een fles champagne in mijn hand, toen ik in paniek raakte en reageerde op een klap met een pistool tegen mijn knie. Zonder de champagne, een Taittinger Blanc de Blanc negentien...'

Ze begon te lachen. Yvonne was degene die verondersteld werd in de limo te zitten die me afhaalde. Gelukkig voor ons allebei hadden de gangsters haar met rust gelaten. De limo werd gevonden op een afslag van de snelweg. De chauffeur lag gebonden en gekneveld, maar verder ongedeerd, op de achterbank van de limo.

Het was al laat in de middag toen ik eindelijk klaar was bij de politie. Ik vertelde hun de waarheid over alles wat ik had waargenomen of gehoord tijdens de poging tot ontvoering – behalve João's naam. Er zou niets met João gebeuren als ik zijn naam noemde, want hij was duidelijk niet uit zijn rolstoel gekomen om persoonlijk de ontvoering te leiden, en hij zou een waterdicht alibi hebben. Ik wilde vermijden dat ik een miljoen vragen zou moeten beantwoorden over mijn eigen connecties met João, van bloeddiamanten tot een vuurdiamant.

Het verhaal dat ik vertelde hoe ik in het bezit was gekomen van het Hart van de Wereld – dat ik hem had gekocht van een geheimzinnige zwerver die me op een avond had aangehouden toen ik terugkeerde naar de Blue Lady-mijn – bevatte geen greintje waarheid, maar niemand kon bewijzen dat het een leugen was. Niet dat iemand naar Angola zou gaan om erachter te komen.

Yvonne had me afgehaald van het politiebureau en me meegenomen om wat te eten en te drinken. Ik had dat drinken hard nodig.

'Het heeft één positieve kant,' zei ik. 'De publiciteit als gevolg van de poging tot diefstal zal de diamant geen kwaad doen.'

'Heb je het daarom op touw gezet?'

Ik wreef over mijn zere knie. 'Als ik dat had gedaan zou ik die klap op mijn knie hebben overgeslagen. Vertel eens wat over Rona. Ik heb gelezen dat ze hetero is, een lesbienne, een nymfomane, een hermafrodiet, biseksueel, en dat ze een sekseverandering heeft ondergaan en oorspronkelijk Ron heette.'

We waren op weg naar een modeshow. Rona, zonder achternaam, was een van de beroemdste modeontwerpsters ter wereld.

'De verhalen over haar sekse en seksuele voorkeur zijn waarschijnlijk waar – stuk voor stuk. Ze beweert dat haar seksuele voorkeur en verlangens veranderen met de stand van de maan. Of is het haar astrologisch teken dat maandelijks verandert? Hoe dan ook, Rona begon met de neus te hebben en eindigde met het oog.'

'De neus en het oog?'

'Voor parfum moet je een neus hebben, zo is ze begonnen. Ze werkte voor Nicholas Romanov, de parfumeur, die beweert dat hij een afstammeling is van de tsaren. Toen Romanov stierf, nam zijn vrouw de zaak over en Rona ging weg toen de vrouw haar min of meer aan de kant begon te zetten. Een grote fout, want het was Rona die de neus had. Rona kwam met haar eigen parfumlijn, die een hit werd. Toen ze bekend was geworden met haar parfums deed ze de overstap naar de mode en daar bleek ze een oog voor te hebben. Ze doet het pas een paar jaar, maar haar kleren zijn het onderwerp van gesprek in de mode-industrie. Je hebt waarschijnlijk wel een paar van haar ontwerpen gezien die nauwelijks bleven kleven aan het lijf van sommige bijna-naakte actrices tijdens de Academy Award-uitreiking verleden jaar.'

'Ik vrees dat ik diep in de modder van de mijn zat tijdens de Academy Awards.' Ik keek even naar het juwelenkistje achter in de auto. Ze bracht juwelen naar de modeshow, 'rent-a-gem' noemde Yvonne haar overeenkomst met Rona. Ze leende de juwelen aan de ontwerpster, die ze door de modellen liet dragen op de catwalk, en

Yvonne kreeg op haar beurt gratis publiciteit voor haar juweliers-zaak.

'Zijn er juwelen bij die wat waard zijn?' vroeg ik.

'Niets. Ik riskeer geen waardevolle stukken bij die modellen. Ze zijn in staat na de show door de zijdeur naar buiten te glippen en met het eerstvolgende vliegtuig terug te gaan naar Barbados of waar ze ook rondhangen tussen de shows in. Nee, het is allemaal mooi en op-vallend, maar de meeste zijn kopieën van onze betere ontwerpen.'

'Een geurtje met een waarde van vijftig cent kun je voor vijftig dol-lar verkopen.'

'Wat bedoel je?'

'Ik dacht aan een gesprek dat ik heb gehad met zakenrelaties over een plan om in de diamanthandel te gaan. Ik wil een nieuwe benade-ring van die oude handel. Geurtjes van penny's kun je verkopen voor penny's of voor veel dollars, afhankelijk van het feit hoe ze worden verpakt en geadverteerd, maar het probleem met diamanten is dat ze een product zijn als karbonades.'

Yvonne krijste. 'Karbonades?'

'Die zijn allemaal hetzelfde.'

'Niet voor de varkens.'

'Wel voor de consumenten. Maar goed, het voorbeeld dat ik gaf over diamanten is dat ze geen modeartikel zijn, althans niet op gros-siersniveau, omdat ze allemaal hetzelfde zijn. Maar parfum en kleren zijn anders. Geurtjes van vijftig cent kun je verkopen voor…'

'Vijfhonderd.'

'En van katoen ter waarde van een dollar kun je een jurk maken van vijftig dollar voor een wandelingetje naar de supermarkt of van vijfduizend voor een wandelingetje naar de Academy Awards.'

'Ik snap het. Diamanten zijn onderhevig aan de wetten van vraag en aanbod, mode niet,' zei Yvonne. 'Mode creëert zijn eigen vraag, maar een diamant is een diamant is een diamant. Behalve natuurlijk als het een vlammende robijnrode is die niemand ooit nog gezien heeft.'

'Jij bent verwend. Met het Hart van de Wereld krijg je een proefje van het soort prijsstijging dat je in de modewereld vindt. De diamant is het honderd- of duizendvoudige waard van de gewone karaat-waarde omdat hij uniek is. Maar zo'n diamant, een die de karaat-waarde gigantisch te boven gaat omdat hij uniek is, komt eens in een eeuwigheid voor. Je probeert een manier te vinden om andere dia-manten meer waard te maken dan hun boekwaarde en het lukt je niet. Dat proberen ze al heel lang.'

Ik gaf haar een duwtje met mijn elleboog. 'Er is een oud gezegde: Zeg nooit nooit.'

'Win, als jij een nieuwe manier weet te verzinnen om diamanten op de markt te brengen, laat het me dan weten. Ik wil er ook van pro-fiteren.'

294

65

❖

In mijn ogen was Rona van onbepaalde leeftijd en seksuele voorkeur. Misschien als ik haar zonder haar kleren zag, zou ik een beter idee hebben van wie en wat ze was. We gingen achter de coulissen en Yvonne stelde me voor.

'Dus jij bent de man met de vuurdiamant die dieven van zich afslaat,' zei Rona. 'Ik heb het op de televisie gezien. Je moet hem na de show meenemen naar mijn party. Het was dom van je om met die dieven te vechten. Laat hem meenemen en incasseer het verzekeringsgeld. Breng hem vanavond mee, dan steel ik hem van je.'

Ze sprak twee keer zo snel als Yvonne en haar Frans was maar half zo goed. Ze was alweer weg, zonder op antwoord te wachten. Ze was half tornado, half tiran. Op de modeshow ging ze achter de schermen van model naar model, trok kleren recht, gilde bevelen, ruziede met de meisjes, schreeuwde tegen haar assistentes. Ze functioneerde op adrenaline met een hoog octaangehalte, het soort dat een Concorde in de lucht houdt.

Het gerucht verspreidde zich dat ik de man was die een diamantmijn en de kostbaarste diamant ter wereld bezat, en vrouwen die me op straat nog geen glimlach gegund zouden hebben, keken naar me of ik een filmregisseur was die op zoek was naar een hoofdrol – via de castingmatras.

Yvonne vond het grappig. 'Wij vrouwen voelen ons aangetrokken tot de rijkdom en macht van een man, dat vinden we sexy. Vroeger was het de holbewoner met de grootste knots, nu is het de man met de grootste bankrekening. Maar in ieder geval zit er een praktische reden achter die aantrekkingskracht. Mannen zijn veel elementairder en lichtzinniger – geef ze een paar tieten en een kontje, en het kan ze niet schelen wat ze op de bank of in hun hoofd hebben.'

Het zien van de modellen in diverse stadia van chaotische ontkleding deed me denken aan de keren dat ik naar Katarina ging kijken als ze een modeshow liep. Preutsheid hoorde er niet bij. Wat ik zo verbazingwekkend vond aan het beroep was dat veel vrouwen er beter uitzagen met kleren aan dan uit. Hun lange, slanke lijven met bescheiden borstomvang waren uitstekend geschikt voor designers die hun kleding presenteerden, maar mij waren ze te mager. Een enkele keer was er een Katarina met een weelderig, gevuld lichaam dat met of zonder kleren perfect was. Het topmodel van de show, een Italiaanse vrouw met wie Katarina had gewerkt en van wie ze had gezegd dat ze temperamentvol was, beantwoordde aan haar reputatie. Net als Katarina wilde ze niet zomaar alles dragen, en ze had het recht te weigeren als ze vond dat de kleren haar niet goed stonden.

'Dit is niet de outfit die ik zou dragen,' zei ze tegen Rona. 'Je hebt er op het laatste moment iets aan veranderd.'

'Je draagt het, of je loopt nooit meer een show.'

Dat lokte een explosie uit van Italiaanse, Franse en Engelse scheldwoorden. De vrouwen stonden recht tegenover elkaar, met een rood, kwaad gezicht. Het was de grote finale van de show. Rona probeerde de jurk recht te trekken en de vrouw duwde haar handen weg.

'Ik zie eruit als een koe.'

'Je bént een koe! Je hebt een contract getekend voor drie keer lopen. Je draagt die outfit of je kunt naakt en loeiend over de catwalk lopen!'

'Oké, goed, barst jij, loeder. Ik ga naakt.'

Ze begon de kleren uit te trekken, gooide alles van zich af tot ze spiernaakt was.

'Zo! Klaar om de catwalk op te gaan!'

Rona keek haar aan. Ze was vuurrood en balde haar vuisten.

Ik kwam tussenbeide en haalde het buideltje met de vuurdiamant uit mijn zak.

'Ik heb het perfecte sieraad om de show mee te eindigen,' zei ik tegen Rona. 'Je mag dit dragen.'

Ik hield de diamant op. Ik had hem in een simpele zetting laten monteren met een dun gouden kettinkje, zodat hij gemakkelijker te hanteren was en moeilijker te verliezen.

Ze staarden allebei met open mond naar de diamant.

'O, mijn god,' zei het model. 'Het is de vuurdiamant.'

Rona schudde haar hoofd. 'Dat zegt niets over mijn ontwerpen.'

'Dat doet het wél. Het lanceert je nieuwe lijn van modieuze diamanten.'

Ik hing de diamant om de hals van het model.

'Dit is de kostbaarste diamant ter wereld,' zei ik. 'Je draagt honderd miljoen dollar om je hals. Als je in de richting van de deur rent, schieten mijn bewakers je in de rug.' Ik verzon de prijs, maar het was een aardig rond bedrag.

'O, mijn god.' Ze hief de diamant op om hem te bekijken en keek toen naar mij. 'Ik ben dol op diamanten,' kirde ze.

Haar vocabulaire was beperkt, maar haar tepels waren in de houding gesprongen. Ik kreeg onmiddellijk een stijve. Zoals Yvonne zei,
het zat niet tussen de oren waarin een man geïnteresseerd was.

66

❖

'Karbonades?'

Rona trok een zuur gezicht.

We waren alleen in haar appartement op het Île St.-Louis dat uitzicht bood op de Seine en de Rive Gauche. Het publiek had de zaal afgebroken tijdens de modeshow toen het Hart van de Wereld werd getoond. Daarbij kwam nog het feit dat het alles was wat het model droeg. Rona kwam vlak achter het model aan en kondigde haar nieuwe lijn van modediamanten aan. Dat was alles wat ze zei, wat slim was, want we hadden nog niet bedacht wat precies een lijn van 'modediamanten' was.

'Karbonades!' herhaalde ze.

Ik lachte. Ik had haar de les 'diamanten zijn een artikel' gegeven elke keer dat ik het had over het beginnen van een modelijn.

'Maar dat hoeven ze niet te zijn,' zei ik. 'Ik realiseerde me dat toen ik zag hoe je een handvol stof nam en met een knip hier en een plooitje daar het hele uiterlijk van een jurk veranderde.'

'We hebben unieke kleren,' zei ze. 'Elk model is anders. Is dat mogelijk?'

'Binnen zekere grenzen. De meeste diamanten krijgen achtenvijftig facetten, dat heet een 'briljant' slijpsel. Dat aantal werd gekozen omdat daardoor het licht gemaximaliseerd wordt en de diamant een felle schittering krijgt. Maar er zijn andere slijpsels die kunnen worden gebruikt. De Tiffany Diamond heeft negentig facetten. Kortom, er zijn tientallen manieren om een diamant te slijpen. Achtenvijftig wordt het meest gebruikt omdat het een goed resultaat geeft. Soms bepaalt de diamant zelf hoe hij moet worden geslepen.'

Ik kon haar hersens zien werken, ze had me niet onderbroken. Ik ging door.

'Ik wil niet de indruk wekken dat alle diamanten van dezelfde grootte en helderheid tegen dezelfde prijs worden verkocht als ze geslepen zijn en in de detailhandel komen. Een voorname juwelier zal vergelijkbare artikelen tegen een hogere prijs verkopen dan een discountzaak. Maar op groothandelsniveau – onder handelaren – zijn de prijzen aardig gestandaardiseerd, gebaseerd op grootte en kwaliteit. De ene diamant kan voor meer geld worden verkocht dan een andere met dezelfde kleur en helderheid en slijpsel omdat hij meer schittert – misschien was de diamant in het begin groter en verwijderde de slijper meer ervan om een beter resultaat te krijgen. Het hangt ervan af hoeveel speling hij heeft om te slijpen, omdat de glans vaak te subtiel is om te worden gezien, tenzij de diamant heel zorgvuldig onderzocht wordt.'

'Maar je kunt een Rona-diamant op de markt brengen, een uniek slijpsel dat niemand anders gebruikt?'

'Ja.'

'Dan moeten we een uniek slijpsel hebben,' zei ze. 'Daar gaat de mode per slot om. Vrouwen kopen mijn kleding niet bij Bon Marché of Macy's, ze kopen ze in zaken waar slechts unieke exemplaren worden verkocht.'

'Ik zal zorgen voor de beste diamantslijper ter wereld en voor een uniek ontwerp en een schitterende glans. Misschien zullen we het aantal facetten drastisch moeten vermeerderen, meer dan negentig misschien, om de juiste glinstering te krijgen. Het zal meer kosten en alleen kunnen worden toegepast op de grotere stenen.'

Ze wuifde de extra kosten weg. 'Productiekosten betekenen niets in de mode. Je zei dat de mensen bereid zijn voor dezelfde diamant meer te betalen in een chique zaak als Bulgari en Tiffany's dan in een discountzaak.'

'Dat klopt, in de detailhandel zijn mensen bereid meer te betalen voor het privilege van het winkelen in zaken waar snob-appeal in de koopprijs is verwerkt. Maar de prijzen zullen niet radicaal verschillend zijn voor precies dezelfde diamant met precies dezelfde schittering. Chique zaken verkopen betere kwaliteit. Zoals ik al zei, twee diamanten met dezelfde helderheid en hetzelfde slijpsel hoeven niet per se dezelfde schittering te hebben.'

'Mensen zijn allemaal malloten als het op mode aankomt,' zei Rona. 'Elke vrouw denkt dat als ze een jurk van me koopt er maar één exemplaar van bestaat. Van mijn duurdere ontwerpen stuur ik er maar één naar een winkel, maar er zijn duizenden winkels van Parijs tot San Francisco tot Tokyo. Als een actrice in een jurk gezien wordt in een nationaal tijdschrift of op een awards-show, stop ik de winkels vol met dat ontwerp. Vrouwen vinden het oké om een vrouw te imiteren die als goedgekleed en sexy wordt beschouwd.'

'Misschien zullen we de koper het ontwerp laten bepalen,' zei ik.

'Pardon?'

'Dat zou het pas echt exclusief maken.'

'Hoe wil je dat met diamanten doen?'

'De mensen zijn gewend een winkel binnen te lopen en een diamant uit te zoeken die al is geslepen en gezet. Maar als we eens iets echt unieks boden? Laat hen de zaak binnenkomen, een ruwe diamant kiezen, gebaseerd op de grootte en helderheid die ze zich kunnen permitteren en dan de vorm en het slijpsel kiezen dat ze willen.'

'Is dat mogelijk?'

'Met dure stenen wel, ja. En het gebruik van een geautomatiseerd programma om het ontwerp te bepalen zou niet alleen indruk maken maar onmiddellijk resultaten opleveren. We zullen alleen maar handelen in ruwe diamanten van een bepaalde vorm, en waarvan de helderheid kan worden aangetoond met een beperkt aantal verschillende slijpsels. We kunnen computermodellen tonen die de klant het eindresultaat laten zien van de diverse slijpsels. Ze kunnen een Rona-diamant kiezen, de standaardbriljant met achtenvijftig facetten, of iets volkomen unieks.'

'Ik laat het slijpen aan jou over. We moeten nog drie belangrijke dingen bespreken. Ten eerste, waarom wil je mij hierbij betrekken?'

'Exclusiviteit. Kleren en parfum zijn naar mensen genoemd. Niemand heeft ooit iets met diamanten gedaan. Zoals de beste reclameslogan in de geschiedenis zegt: *Diamonds are forever*. Ze zijn de hardste substantie op aarde, harder dan staal. Als je parfumlijn vervlogen is en de door jou ontworpen kleren versleten zijn, zullen de diamanten die je naam dragen blijven bestaan. Over duizend jaar zal een Rona-diamant even fel glinsteren als vandaag.'

Haar ogen begonnen te schitteren bij het idee van een onsterfelijke naamsbekendheid. Wat ik er niet bij vertelde was dat ik van plan was op de lange duur heel wat meer uit het gebruik van haar naam te halen dan ze zich kon voorstellen. Natuurlijk zouden we winkels hebben in New York, Londen, Parijs en Beverly Hills, en ons richten op de rijke klanten. Maar op een dag zou ik zelfs nog meer geld verdienen met het verkopen van een Rona-lijn aan zaken als Wal-Mart. Het was nu niet het moment om met dat idee te komen. Rona had een enorm *snob-appeal* omdat ze de grootste snob ter wereld was. Haar te strikken voor massaproductie zou moeten wachten tot ze het geld nodig had.

'Goed, de tweede vraag is: hoeveel krijg ik voor het gebruik van mijn naam?'

Ik grinnikte. 'Ik dacht dat je ons je naam zou laten gebruiken ter wille van de kunst, een soort geschenk aan de wereld.' Ik stak mijn handen op om een stroom profane woorden te stoppen. 'Ik maak maar gekheid, maar je kunt je hier nooit een buil aan vallen. In wezen verleen je een licentie voor het gebruik van je naam en laat je al het werk aan mij over. We zullen andere licentieverdragen bekijken en voorwaarden bedenken die heel gunstig zullen zijn.'

'De overeenkomst zou niet alleen over geld gaan; mijn naam is

mijn handelsmerk. Ik zal absoluut willen weten hoe mijn naam gebruikt wordt – dat die niet misbruikt wordt of voor iets wat een smet
op mijn reputatie zou werpen.'

'Dat is niet meer dan eerlijk. Wat is het derde?'

'Laat me die rode diamant zien.'

We hadden op veilige afstand van elkaar gezeten, maar nu kwam
ze dichterbij, zat bijna boven op me.

'Die ligt weer in de kluis…'

'Hij zit in je zak. Je bent er veel te verliefd op om hem uit het oog
te verliezen.'

Slimme meid. Ik overhandigde haar het Hart van de Wereld.

Ze draaide de diamant rond in haar hand, ving het licht op.

'Ongelooflijk. Het lijkt werkelijk of er een vuur in brandt.'

Ze legde haar hand op mijn schoot. Ze kneep met één hand in mijn
penis en met de andere in de diamant.

'We zullen de deal met een wip bezegelen,' zei ze. 'Mars staat in
Steenbok, Mercurius is in stijgende lijn. Ik ben heteroseksueel en geil
in deze tijd van de maand.'

DEEL 8

HOLLYWOOD

67

❖

House of Liberté, Beverly Hills, 1998

Ik stond op de hoek van Rodeo en Little Santa Monica in de richting van Wilshire. Het was een bijzonder oninteressante straat. Voor het merendeel gebouwen van één en twee verdiepingen. Hij had niets van de machtige façades en elegantie van de chique winkelwijken in New York, Londen en Parijs. Maar er zat meer *snob-appeal* in honderd meter Rodeo dan aan de hele oostkust van de Verenigde Staten, met misschien nog iets van Londen en Parijs erbij.

Dat kwam omdat *snob-appeal* gemakkelijker te verkrijgen was aan de westkust dan elders. Het enige wat in het westen telde, was geld, en het hoefde geen 'oud geld' te zijn. De noordelijke opportunisten daargelaten, die hun geld meenamen, was er geen 'oud geld' in Californië, in ieder geval niet 'oud' zoals men in Europa daaronder verstond. Oud geld in Californië kwam uit de mijnen, olie en onroerend goed, geen van alle oude geschiedenis. Nieuw geld kwam uit entertainment, de defensie-industrie en Silicon Valley, en wekte minachting bij de Europeanen en het oude geld van de oostkust, omdat degene die het bezat ervoor werkte.

Het *snob-appeal* van Rodeo Drive concentreerde zich zelfs nog meer op de basis ervan – het groepeerde zich bijna exclusief rond 'de industrie'. De vijftien of zestien miljoen mensen in het Los Angeles-bassin werkten in veel verschillende industrieën, maar in het algemeen, als 'de industrie' werd genoemd, werd de entertainmentindustrie bedoeld. Een man met tienduizend schoenwinkels in heel Amerika kon hierheen verhuizen en een huis van twintig miljoen dollar kopen in Beverly Hills, maar wat betreft *snob-appeal* kwam hij ver achter de actrice die nu en dan in een programma op kabel-tv te zien was en in een flatje in West-Hollywood woonde.

Niet dat het huis van twintig miljoen dollar van de schoenenman zo indrukwekkend was, vooral niet als je er langsreed en het beetje bij beetje gebouwd zag worden. Je kunt er donder op zeggen dat vijfennegentig procent van de koopsom voor de grond was. De resterende vijf procent werd besteed aan de bouw van een triplex landhuis. Meer waren ze niet, al die huizen in Beverly Hills bestonden uit een goed oud vurenhouten geraamte met triplex muren. Boven op het triplex kwam een façade die de goedkope constructie van het huis aan het oog onttrok.

In het warme, droge klimaat van Zuid-Californië kon je je een dergelijke goedkope constructie permitteren. Daarbij groeide alles hier, omdat de in essentie warme, droge woestijn in een oase veranderde door kilometers in de omtrek water te stelen van de naburige gemeenschappen. Ik heb de tuinarchitectuur eens zien ontstaan van een nieuw Beverly Hills triplex-landhuis. Toen het huis klaar was en de betonnen oprijlaan droog, stopten er vrachtwagens met bomen, struiken en bloemen. Volgroeide bomen en struiken en bloeiende planten gingen de grond in, en grasvelden werden uitgerold. Letterlijk in enkele uren werd de droge kale grond rond het huis veranderd in een klein regenwoud. Vooral het uitrollen van het gras fascineerde me. Het herinnerde me aan een oude film, *Dick and Jane*, uit de jaren '70, met Jane Fonda en George Segal. Segal, die Dick speelde, was een ruimtevaartexpert die ontslagen werd toen hij en Jane net een duur nieuw huis hadden gekocht. Toen hun financiële situatie verslechterde, raakten ze niet alleen hun dure meubels en auto's kwijt, maar de tuinarchitect kwam terug en nam weer bezit van hun planten en uitgerolde grasveld.

Ja, de stad was onecht, opzichtig, plastic, een goedkope imitatie van echte kwaliteit, een stad met een ziel van piepschuim.

En ik popelde van verlangen me er middenin te storten.

Ik weet niet wat me zo aantrok in L.A. Het was niet eens een echte stad met een hoofdstraat – voornamelijk was het een gigantisch winkelcentrum. Als je met alle geweld een hoofdstraat wilde kiezen, denk ik dat het Wilshire Boulevard moest zijn, die dertig kilometer lang was en door verschillende plaatsen leidde.

Maar ik had dezelfde emotionele reactie op *The industry* als ieder ander. Ik kwam hier om me onder de sterren te begeven, misschien zelfs met een of twee van hen naar bed te gaan – hopelijk niet met een actieheld die vol steroïden zat.

Het was verbluffend hoe goed ik me in L.A. wist aan te passen. Ik leidde mijn diamantenbusiness als een filmstudio als het op reclame aankwam – niemand haalde meer stunts uit of kreeg meer gratis publiciteit. Waar de oude namen in de diamantindustrie er meer dan honderd jaar over hadden gedaan om naamsbekendheid op te bouwen, was het mij gelukt in de vijf jaar sinds ik uit Angola was vertrokken. Nu speelde ik hetzelfde spelletje toen ik naar Rodeo Drive liep waar de laatste hand werd gelegd aan House of Liberté en waar ik mijn medewerkers zou ontmoeten. Ja, ik had het accent op de 'e' gehandhaafd. Het had *snob-appeal*. Daar gaat het toch om bij diamanten?

Ik had zaken geopend in New York, Londen, Parijs en Rome. Ik

306

had Beverly Hills tot het laatst bewaard omdat ik wist dat het de hardste noot zou zijn om te kraken. De mensen hier waren meer gewend aan hype dan overal elders. Dat betekende dat de hype uitzonderlijk moest zijn om hun aandacht te trekken.

De Rona-diamant was nog steeds ons voornaamste verkoopproduct, al had Rona snel haar belangstelling voor diamanten verloren toen ze erachter kwam dat het saai werk was, ontdekte dat je geen zoom kon in- of uitleggen of hier of daar een plooitje aanbrengen om een andere creatie te scheppen. Een man met een vergrootglas en machines was een paar uur bezig om enig verschil te maken.

In wezen huurde ik haar naam, wat me goed uitkwam. Geleidelijk was ik begonnen Rona's naam steeds minder te gebruiken voor mijn chique klanten, reserveerde die voor mensen die geen honderdduizend dollar konden spenderen aan een verlovingsring. Mijn plan was Rona's naam op den duur nationale bekendheid te geven, verlovingsringen via de detailhandel te verkopen op de onder-de-vijfduizend-dollar-markt, en de rijke clientèle te behouden voor mijn exclusieve winkels.

Ik paste in mijn winkels zelfs een truc toe van de banken in Beverly Hills. Ze noemden het 'persoonlijk bankieren'. Kleine banken in het centrum van Beverly Hills – alle zes of acht blokken ervan – hadden afgeschermde hokjes voor hun kassiers. In plaats dat de klant naar een brede balie moest lopen, kregen ze een eigen kassier toegewezen die ze bij naam leerden kennen. Ik deed hetzelfde in mijn winkels, promoveerde mijn verkopers en verkoopsters tot 'gemologen', die rijke klanten kregen toegewezen en hen 'adviseerden' met betrekking tot alle aspecten van hun juwelen. Het voegde weer iets extra's toe aan de mystiek en ijdelheid die de diamanthandel omringden.

De vrouwelijke manager van de nieuwe winkel en mijn public relations-dame stonden aan de andere kant van de straat tegenover de winkel, die ze aandachtig bekeken toen ik naderde.

'Hij is bijna klaar, Win,' zei Cameron Reed, de manager. 'Ik ben zo opgewonden.'

Ze was een klein blondje van ongeveer een meter vijftig, haar hakken van zevenenhalve centimeter niet meegerekend. Ik wist niet dat vrouwen die dingen nog steeds droegen, je ziet ze niet vaak, maar ik moest toegeven dat hoge hakken iets deden voor het lichaam van een vrouw dat me geil maakte. Maar ik had haar niet aangenomen voor seks. Ik had haar gestolen van Bulgari's in Londen, waar haar Britse accent verspild was. Een Brits accent was belangrijk in het pretentieuze Beverly Hills, vooral als het van een rondborstig blondje kwam.

'We hebben het over de etalage,' zei Pat Weinstein. Pat, vijftien centimeter langer en drieëntwintig kilo zwaarder dan Cameron, was mijn pr-vrouw. Ze werkte voor een bureau dat een clientèle had van sterren, en ik had haar daar weggepikt omdat ze een computeruitdraai meenam met de privé-telefoonnummers en adressen van de topfilmsterren in Hollywood. Als ik schoenen verkocht, zou ik mijn geld investeren in reclame – om diamanten te verkopen aan rijke en beroemde sterren had je een pr-vrouw nodig die kon liegen en overdrijven.

'Etalages inrichten is een kunst,' zei Cameron. 'Bij Bulgari...'

'Dan nemen we toch een kunstenaar,' zei ik.

'We hebben etaleurs.'

'Ik wil geen gewone etalage waarin juwelen worden uitgestald. Ik wil iets wat een sensatie zal veroorzaken, iets wat Pat kan gebruiken om ons in het nieuws te laten komen, ik wil dat er over de winkel gepraat wordt.'

'Ik weet niet zeker wat je bedoelt met "kunstenaar". Etaleurs zijn kunstenaars in hun vak,' zei Cameron.

'Ik bedoel een echte kunstenaar, iemand die beroemd is, een Andy Warhol. Andy Warhol om de etalage in te richten, dat zou toch een sensatie zijn?'

'Meer een wonder,' zei Pat. 'Hij is dood.'

'Zoek dan een ander – of graaf hem op. Weet je, ik herinner me nog dat mijn vader me vroeger eens vertelde dat een juwelier in New York een populaire schilder opdracht had gegeven de etalage van zijn winkel aan te kleden. Het was een sensatie. Zoek uit wie de bekendste schilders in het land zijn. Verdraaid, er zijn meer dan tien galeries binnen honderd meter die je in vijf minuten die informatie kunnen geven.'

Cameron fronste haar wenkbrauwen. 'Het zou je heel wat kosten om een etalage te laten doen door een belangrijke schilder, waarschijnlijk een bedrag van in de zes cijfers.'

Ik lachte. 'Goed, je maakt je meteen al zorgen over het budget van de zaak. Dit komt uit de pot voor een speciale reclamecampagne, niet ten laste van jouw budget. Laten we zeggen dat we een schilder één- of tweehonderdduizend dollar betalen voor de etalage, om die te beschilderen, in te richten, wat dan ook. Wat zou dat waard zijn aan publiciteit?'

'Miljoenen,' zei Pat. 'Het is een geweldige investering. Als je voor honderdduizend dollar een etalage krijgt die het nieuws haalt, zou dat je aan tv-reclame of advertenties miljoenen kosten. Belangrijker nog, mensen kijken naar het nieuws.'

'Dus laten we een bekende artiest zoeken. En als het klaar is, kun je een paar werkloze filmfiguranten optrommelen om naar de etalage te komen staren, als betaalde rouwdragers op een begrafenis. Dat zal een menigte lokken. Verdraaid, zet een acteur die op zijn retour is ertussen, iemand die we goedkoop kunnen krijgen maar herkend zal worden. Dan duurt het niet lang of je hebt politie nodig om de mensen in bedwang te houden.'

'De lokale zenders zijn dol op dat soort dingen,' zei Pat.

'Lokale zenders, het mocht wat, ik wil dat de opening nationaal wordt uitgezonden. Neem een schilder die een beetje gewaagd is – sexy op een rustige manier, maar absoluut iemand met een moderne smaak. En een van die *Baywatch*-meiden met volle borsten. We zetten haar in de etalage als etalagepop, misschien in niets anders gekleed dan diamantstof.'

Pat lachte. 'Die meisjes verdienen meer bij de tv dan jouw winkel bruto in een jaar. Vergeet niet, Win, seks was er eerder dan diamanten.'

'Ja, maar diamanten blijven warm als de seks afkoelt. Hé, zoiets zou een slogan kunnen worden voor de reclame. Werk eraan,' zei ik tegen Pat. 'Bedenk een manier om die te gebruiken. Stuur me er een memo over.'

Ik liet Cameron gaan om met de bouwvakkers te gaan praten die bezig waren een etalageruit te plaatsen en liep met Pat over Camden.

'Loop met me mee, ik heb een afspraak bij Dream Artists.'

Het bureau voor nieuw talent, in een zijstraat van Wilshire bij de Santa Monica Boulevard, was het beste en populairste bureau in de stad.

'Van plan om filmster te worden?'

'Gezien wat die *Baywatch*-typetjes betaald krijgen, zou ik misschien eens auditie moeten doen. Als ik volgens de advertenties in de kranten op het ogenblik niet het goede lijf ervoor heb, zijn er dokters hier die tegen een astronomische vergoeding voor de juiste lichaamsdelen kunnen zorgen, van penis- tot borstvergrotingen, en niet altijd voor mensen die met de oorspronkelijke uitrusting zijn geboren. Maar over blondjes gesproken die miljoenen verdienen, vertel me eens wat dat loeder uitspookt met mijn ketting.'

Shelly Lane was een grote ster, maar ze liep tegen de veertig, in een stad die het ouder worden van een vrouw nooit vergaf. Ze had een prijs uitgereikt op de Academy Awards, waarbij ze een diamanten ketting droeg uit mijn winkel in New York. Met Lane en andere vrouwen hadden we meer dan een miljoen dollar aan juwelen op de Awards rondlopen, en kregen meerdere miljoenen aan gratis publiciteit.

De juwelen waren geleend. En in tegenstelling tot de methode die mijn nicht Yvonne in Parijs toepaste, waar ik de stunt had geleerd, waren mijn diamanten altijd echt. Namaak leverde geen publiciteit op; ze moesten echt zijn.

'Shelly weigerde de ketting af te geven aan de boodschapper. Je manager in New York heeft met haar gesproken. Ze zei dat ze de ketting beschouwde als betaling voor het feit dat ze publiciteit maakte voor je zaak.'

Ik grinnikte. 'Als ze die ketting niet teruggeeft, wurg ik haar ermee. Hoeveel gratis publiciteit zou dat waard zijn?'

'Een hele hoop. En je zou ook gratis kost en inwoning krijgen tot ze je braden. Of vergassen, wat tegenwoordig de mode is in gevangenissen. Ik heb geprobeerd Shelly te bellen, maar ze beantwoordt mijn telefoontjes niet.'

'Ik ga thuis bij haar langs om hem te halen.' Ik had Lane nooit ontmoet, maar ze had de reputatie dat ze hard en harteloos was.

'Ze heeft een paar honden van vijftig kilo die indringers opvreten. En een lijfwacht die iedereen opvreet die de honden overleeft.'

'Lever haar uit aan de politie.'

'Dan krijg je een proces aan je broek. Haar verklaring dat ze recht heeft op de ketting is *bullshit*, maar het is wél een claim. Ik zou die honderdduizend maar afschrijven.'

'Ik kan het haar niet ongestraft laten doen. Het gaat niet om het geld, maar om de geruchtenmolen. Als het haar zou lukken, moet ik dat hele uitleenprogramma laten vallen. Het is een prachtige reclame. Ik moet die ketting terug hebben om ermee door te kunnen gaan.'

'Ik weet niet wat ik daarop moet zeggen.' Ze bleef staan bij de parkeergarage waar haar auto stond. 'Er wordt vanavond een liefdadigheidsdiner gegeven, een van die dingen voor kanker of diabetes of zoiets, waar sterren aanwezig zijn om de indruk te wekken dat ze geld inzamelen voor een liefdadig doel, terwijl ze er alleen maar komen om gezien te worden. Ik weet dat Shelly er zal zijn en misschien draagt ze de ketting, omdat het haar nieuwe speeltje is. Ik heb gehoord dat ze er zelfs mee naar bed gaat. En met wie er nog meer bij is.'

'Geef me de gastenlijst.'

Katarina was de reden van mijn bezoek aan het bureau. Zeven jaar geleden was ze naar Hollywood verhuisd, gefinancierd door mijn Bugatti. Ze had een paar films gemaakt, soms goed, soms slecht, maar meestal in een bijrol omdat ze niet die kwaliteit had, die uitstraling op het scherm die sommige vrouwen en mannen hebben, waardoor ze een film kunnen dragen en volle zalen trekken.

Ze zou deze keer een hoofdrol krijgen in een film over een vrouw in een concentratiekamp tijdens de holocaust. Een man met een keten autodealerbedrijven in het Midden Westen was de financier, in ruil waarvoor hij een paar weken in Hollywood de vip-behandeling voor rijke sukkels zou krijgen. De financiering ging de mist in toen hij gearresteerd werd wegens het witwassen van drugsgeld.

Ik ging weer om met Katarina, maar niet als haar minnaar. Ik vermeed met opzet de slaapkamerscène omdat ik geen beloftes in bed wilde doen waar ik later spijt van zou hebben – bijvoorbeeld een film voor haar financieren. Ze drong niet aan, niet op het bed en niet op de financiering, wat een van de redenen was waarom ik haar wilde helpen. Katarina had geen greintje hebzucht. Als het op geld aankwam, was ze vaker de gever dan de nemer.

Toen ze het had over de film en de financiële perikelen wekte ze mijn belangstelling. Ik had niets tegen haar gezegd, maar ik was zelf ook geïnteresseerd in het laten maken van een film. Al had ik een ander plaatje voor ogen dan zij.

Niet dat ik Katarina niet zou willen helpen als ik kon. Ik mocht haar graag, ze was een van de weinige mensen op aarde die een bijzonder plaatsje in mijn hart innamen. Maar Katarina leefde op een andere planeet dan ik. Ze was geïnfecteerd met filmkoorts. Als je die eenmaal had, bestond er geen andere plek ter wereld voor je dan Hollywood.

Ook al had ik me goed aangepast aan de stad, toch was Hollywood maar een tussenstation. Na een paar maanden, als de nieuwe winkel soepel liep, zou ik naar het westen trekken, de Atlantische Oceaan over, om de mogelijkheden te verkennen in Singapore, Tokio en andere plaatsen in Azië. Ook wilde ik Bangkok aandoen, dat een belangrijk centrum van de diamantslijperij begon te worden.

Intussen zou ik doen wat ik kon om Katarina te helpen. En toevallig zou het plan dat ik in mijn hoofd had goed zijn voor ons allebei.

68

❖

Katarina zat te wachten in het kantoor van haar agent. Ze gaf me een zoen.

'Bedankt voor je komst, Win.'

Harry Kidd, haar agent, was een snelsprekend, kloterig klein mannetje vol nerveuze energie, een van die mannen van wie je je altijd afvroeg hoe het kwam dat ze geen stomp voor hun hoofd of een trap tegen hun achterste kregen van de mensen die ze de pest injoegen met hun geratel. Ik vermoed dat de Harry Kidds van deze wereld domweg zo snel in hun bewegingen zijn dat niemand ze te pakken krijgt.

Hij kwam achter zijn bureau vandaan, schudde energiek mijn hand en vroeg wat ik wilde drinken.

Ik sloeg een borrel af. 'Ik wil de bespreking zo gauw mogelijk achter de rug hebben. Zijn de mensen van de productie er?'

'Laten we eerst de strategie bespreken voor we…'

'Laten we duidelijke taal spreken met die mensen.'

'Hebt u het script gelezen? Prachtig, hè? Vergeleken daarmee is *Sophie's Choice* een stripverhaal. Katarina zou beslist genomineerd worden voor een oscar. De film zou zeker een bedrag opbrengen van…'

'Kun je die bullshit afzetten zodat we naar de bespreking kunnen?'

Harry knipperde met zijn ogen. In deze stad praatte niemand op die toon tegen een agent, althans niet tegen een agent van Dream Artists. Behalve een man met een chequeboek.

'Zo praten mensen niet tegen me,' zei hij.

'Sorry.' Ik pakte zijn arm beet. 'Ik ben te lang in Angola geweest waar ik nu en dan iemand moest vermoorden om mijn bedoeling tot hem te laten doordringen, dus moet u me maar vergeven als ik me een beetje onbeschaafd gedraag. Misschien kunnen we beginnen, dan komen mijn zenuwen wel tot rust.'

'Natuurlijk.' Hij keek even achterom naar Katarina toen we hem volgden.

We namen plaats in de conferentiekamer, waar twee vertegenwoordigers van de productiemaatschappij, een man en een vrouw, zaten te wachten. Ik had al gehoord dat de vrouw degene was die de beslissingen nam.

Toen we zaten, zei Harry: 'Het script…'

'Is van de baan,' zei ik. 'Ik raak de draad van het verhaal kwijt. Als een eenvoudige jongen als ik het niet kan begrijpen, begrijpt niemand het. Ik ga geen film financieren die in kleine kunstzinnige bioscopen draait, juichende kritieken krijgt en nog geen tien procent van de kosten terugverdient.'

'Win, maar… wat…' zei Katarina.

'Ik heb je verteld dat ik wat geld neer zou tellen voor een film, maar dat holocaustgeval is geen film maar een kunstwerk. Ik wil een film over een roofoverval.'

'Over een roofoverval?' zei de vrouw van de productiemaatschappij. 'Dat is tegenwoordig moeilijk te verkopen. Wie heeft het scenario geschreven?'

'Er is geen scenario – nóg niet. Daar kunnen uw mensen voor zorgen. En het wordt geen theaterstuk van vijftig miljoen dollar dat zijn geld terugverdient in Azië als er genoeg actie in zit. Ik wil een spannende tv-film van twee uur.'

'Ik begrijp het niet,' zei kloterige Harry. 'We zijn hier gekomen om te praten over een film over de holocaust die op de lijst staat voor een Oscar, niet over een of andere criminele tv-film.'

'U bent hier om een film te laten maken. Ik heb een sponsor voor een tv-film. De internationale diamantindustrie wankelt onder de slechte publiciteit over bloeddiamanten. Ze zijn bang dat diamanten dezelfde besmette reputatie krijgen door de groepen voor mensenrechten als bont indertijd door de strijders voor dierenrechten. Herinnert u zich nog dat mensen die een bontjas droegen het risico liepen er een blik rode verf overheen te krijgen als ze zich in een restaurant of schouwburg vertoonden? De diamantindustrie is in paniek. Ze zijn bang dat diamanten in plaats van "A girl's best friend" zullen worden geïdentificeerd met gruwelen en hongersnood in Afrika.'

'De diamantindustrie is bereid een film over een roofoverval te financieren?' vroeg de productievrouw.

'Hij krijgt een happy end. En laat zien hoe menselijk en humaan mensen in de diamanthandel zijn. Ik heb ze het idee verkocht om een onderhoudende en spannende film te sponsoren. Een roof toont de mensen hoe kostbaar hun eigen diamanten zijn.' Dat was een belachelijk argument dat ik naar voren had gebracht tijdens een vergadering in Antwerpen, toen ik het idee van een tv-film verkocht aan een internationale diamantenvereniging.

'Ik zal u een lijst geven met een paar punten die in het script moeten worden verwerkt. De titel van de film is *The Liberté Heist*. Mijn winkel in Beverly Hills zal worden gebruikt als voornaamste set.'

'O, ik begrijp het,' zei de agent. 'In een tv-film van twee uur zit ongeveer anderhalf uur filmtijd, bekostigd door adverteerders die miljoenen dollars spenderen. Uw firma wordt geen sponsor, maar de voornaamste ster. Verdomme, weet u wel hoeveel anderhalf uur prime-time tv-reclame een sponsor kost – en u krijgt het voor niks?'

Ja, ik wist het. Maar ik zei: 'Katarina is de ster. Het kan me niet schelen of ze de dievegge is, een klant die op diefstal wordt betrapt, de manager van de winkel, een politieagente, wat u maar wilt, maar haar naam komt boven aan de affiche, zij is de ster. Ik weet zeker dat ze een vertolking zal geven die een Emmy oplevert. En natuurlijk zal mijn winkel tijdens de hele film te zien zijn.'

'Jezus,' zei de productievrouw. 'Ik kan me zelfs niet voorstellen wat zoveel prime-time televisie zou kosten als het betaalde tv-reclame zou zijn. En zelfs al had een firma zoveel geld, dan zou de helft van de kijkers zodra er reclame komt opstaan om naar de badkamer of de keuken te gaan. Dat doen ze niet als de reclame deel is van de film. Wat een verdomd mooie deal voor uw winkel.'

Ik knikte bescheiden. 'Het is wel een pakkende titel, vindt u niet? *The Liberté Heist.*'

'Waardeloos,' zei de productievrouw. 'Maar,' ze spreidde haar vingers op de tafel, 'dat wil niet zeggen dat we niet iets beters kunnen verzinnen. Wat zou u zeggen van de *Liberté Ice Heist*?'

'*The Great Liberté Diamond Robbery*,' zei de agent.

'*The Man Who Shot Liberté…*'

Katarina en ik lieten hen alleen terwijl ze bezig waren titels over de tafel heen en weer te gooien.

In de gang zei ze: 'Ik moet nog even naar binnen om ervoor te zorgen dat ik niet op de vloer van de montagekamer beland.'

'Teleurgesteld?' vroeg ik.

'Nee, eigenlijk vind ik het fantastisch. Ze zouden me nooit de hoofdrol in die holocaustfilm hebben gegeven. Wat de mensen zeggen in deze stad en wat ze menen en doen zijn twee verschillende dingen. Liegen en bedriegen wordt beschouwd als een deel van het zakendoen. Ze zouden ons aan het lijntje hebben gehouden tot het tijd was om te gaan filmen en dan zou er in het scenario plotseling een verandering komen die ze al van begin af aan gepland hadden. Ik zou een kleine bijrol hebben gekregen en een vrouw die een publiekstrekker is zou de hoofdrol krijgen. Dat wist ik, maar ik zou tevreden zijn geweest met het spelen van een kleine belangrijke rol. Maar die tv-film is geweldig. Het betekent een introductie bij de televisie, en dat is een betere markt voor vrouwenrollen.'

'Ze laten je niet achter op de vloer van de montagekamer, daar zal ik voor zorgen.'

'Heb je echt mensen vermoord in Angola?'

Ik gaf haar een zoen op haar wang. 'Ik mag er niet over praten van de CIA.'

314

69

❖

Terwijl ik over Wilshire liep toeterde een auto die langs me reed en ik kromp in elkaar. Het was de gewone verkeerstaal – claxons, geschreeuwde beledigingen en je middelvinger opsteken, het was de straatmuziek van L.A. Maar ik was nog steeds op mijn hoede na een incident twee dagen geleden, toen er ook een auto toeterde terwijl ik aan het wandelen was. Ik keek op toen de auto voorbijreed. Een vrouw die voorin naast de bestuurder zat stak haar hoofd uit het raam en grinnikte.

Het was Jonny, Simones dochter.

Het was lang geleden sinds ik iets van mijn vrienden in Lissabon had gehoord, bijna vijf jaar sinds ik bijna vermoord was in Parijs, en drie sinds Jonny de nacht met me had doorgebracht in een kamer van het Bel Air-hotel, en Simone de volgende ochtend kwam opdagen. Maar ik wist dat mijn duel met João om het Hart van de Wereld niet over was, dat dit de stilte voor de storm was.

João was een tijdje ondergedoken na het fiasco in Parijs. Zijn Portugese gangsters hadden hun vingerafdrukken achtergelaten in de limo, en de Sûreté en Interpol waren erachter gekomen dat ze van zijn werknemers waren. Spoedig daarna werd er een levendige handel gedreven in bloeddiamanten, nadat de oorlogen in Angola en Sierra Leone feller waren geworden. Maar er werd hevig geprotesteerd tegen de verkoop van bloeddiamanten, en een 'anonieme bron' (dezelfde die mijn neef Leo aan de FBI had verraden) zorgde ervoor dat alle humanitaire en politiegroeperingen ter wereld die belangstelling hadden voor de smokkel en verkoop van bloeddiamanten João op hun lijst hadden staan. Dat hield João wel even bezig, want hij werd van de diamantruil uitgesloten. Diamanten waren een mondiale multimiljardenzaak, maar het bleef een huisindustrie waar iedereen iedereen kende.

Ik bleef João voor, reisde van het ene land naar het andere en richtte winkels op, maar toen Jonny en Simone drie jaar geleden tegelijk verschenen, wist ik dat ik iets zou moeten doen. En ik wist wat me te doen stond.

Toen ik de zakelijke dossiers van House of Liberté bestudeerde die Bernie had achtergelaten, ontdekte ik dat in alle zaken die Bernie met João had gedaan het geld dat hij de Portugezen schuldig was, naar overzeese rekeningen was overgemaakt. Met andere woorden, João had dezelfde filosofie ten aanzien van het betalen van belastingen als Leo. Toen belde ik Asher van Franck in Antwerpen om uit te zoeken in wat voor zaken João nog meer betrokken was geweest. Je kon nog geen scheet laten in de Europese diamanthandel zonder dat Franck ervan op de hoogte was.

Ik gaf de informatie door aan de Portugese belastingautoriteiten. De bron werd verondersteld geheim te blijven, maar ik twijfelde er niet aan of João zou doorhebben wie hem had aangegeven.

Ik hoorde geruchten van diamanthandelaren dat João met ernstige gezondheidsproblemen kampte, maar ik durfde te wedden dat het zijn manier was om ermee weg te komen als de belastingrechercheurs op zijn stoep stonden.

En nu was Jonny terug in L.A., in dezelfde tijd dat ik er was. Waarschijnlijk was het toeval, ze hield van de stad, en ze moest nu langzamerhand negentien of twintig zijn, oud genoeg om te doen wat ze wilde. Misschien studeerde ze hier.

Ondanks die logica had ik toch een hol, kwetsbaar gevoel tussen mijn schouderbladen terwijl ik op straat liep. Maar ik zette het van me af. Ik had iets urgenters te doen dan me zorgen te maken dat João me zou laten vermoorden. Ik moest een vechtpartij leveren met een filmster die grote klauwen had.

Onder het lopen belde ik Cross.

'Heb je nog steeds interesse voor beveiligingswerk?' vroeg ik toen hij aan de telefoon kwam.

'Niet in L.A. Ze schieten hier gerichter dan in Angola. En met minder reden.'

'Neem die aankomende ster van een vriendin van je mee. Ik ga naar een liefdadigheidsdiner en heb wat ondersteuning nodig.'

'Op wat voor liefdadigheidsdiner heb je ondersteuning nodig? Iets van de maffia?'

'Erger. Ik ga een confrontatie aan met Shelly Lane. Ze heeft een ketting van me geroofd en die ik moet terugroven – letterlijk.'

'Zeg maar dag met je handje als je van plan bent iets tegen die dame te beginnen. Ik heb gehoord dat ze een hart van gewapend beton en een draaideurkut heeft. Megan was een keer met haar op locatie voor een film. Het hotelpersoneel beweerde dat als Lane belde om roomservice, ze écht bedoelde dat ze bediend wilde worden. Ze houdt van een goeie neukpartij, maar als je haar verneukt, kun je beter beginnen met je ballen te tellen.'

'Neem Megan mee. Vertel haar maar dat ik iets te zeggen heb over een rol voor haar, een tv-film die nu al op de nominatie staat voor een Emmy.'

'Shit, bubba, moet je jou horen, je bent nog maar net in de stad en nu praat je al als een van die kloothannesen die bij Spago's en Le Dome rondhangen en bullshit rondbazuinen dat ze op de vip-lijst staan.'

Ik had bijna gezegd dat ik in ieder geval geen coke in het rond gooide – wat meer was dan ik van Cross kon zeggen. We spraken af dat ik ze later met een limo zou komen halen en ik hing op.

Ik maakte me bezorgd over Cross. Hij had me geholpen in Angola, ik stond bij hem in het krijt. Toen de mijn op blauwe aarde was gestuit, had ik de schuld afgelost met geld dat ik had beloofd. En ik was nog steeds bereid hem te helpen als hij het vroeg.

Hij was de mijn uitgewandeld met twee miljoen, waarvan hij het meeste naar een overzeese bank had overgemaakt, zodat hij geen belasting hoefde te betalen. Altijd als hij in L.A. kwam ging ik hem opzoeken. En elke keer was hij dikker geworden, opgezwollen tot hij eruitzag als een dikke tv-komiek. En hij had een loopneus omdat zijn sinussen wegrotten door het poeder dat hij snoof. Hij was aan de drugs, en hóé! Zijn flat rook als een drugshol.

Zijn vriendin, Megan, was oké, ook zij maakte zich zorgen over hem. Maar ze had het te druk met haar carrière als actrice om hem de steun te geven die hij nodig had. Niet dat hij die ooit zou hebben aangenomen. Cross was een koppige klootzak. Hij kon niet tegen kritiek en wilde niet dat iemand zich met zijn zaken bemoeide. Ik maakte eens een geintje dat hij al het geld dat hij in Angola had verdiend opsnoof en oprookte, en kreeg een gegrom als antwoord.

Ik vroeg Cross en Megan om met me mee te gaan naar het diner om gezelschap te hebben. Ik dacht niet dat er echt moeilijkheden zouden komen met Shelly Lane. Ik zou haar gewoon in verlegenheid brengen, zodat ze de ketting zou moeten overhandigen. Haar lijfwacht zou buiten moeten blijven. Haar reputatie als hardhandige vechter stoorde me niet.

Wat kon een vrouw van nog geen vijfenvijftig kilo uitrichten tegen een hengst van eenentachtig kilo zoals ik?

Ik had moeten denken aan die oude uitdrukking: Geen grotere hel dan een versmade vrouw. Dat sloeg zowel op diamanten als op de liefde.

70

❖

Voor de deur van de zaal op de Avenue of the Stars in Century City waar het diner werd gegeven, stapten we uit de limo. Nieuwscamera's, paparazzi, toeristen en *starspotters* stonden opgesteld om te zien wie er uitstapte. Ik hoorde dat de menigte mij onmiddellijk classificeerde als onbelangrijk, Cross als waarschijnlijke rapplatenproducer, terwijl een paar mensen Megan herkenden als de actrice in een aantal films en een aflevering van *Friends*.

We gingen naar binnen met de andere gasten. De ontvangstruimte, die gebouwd was rond een fontein met grijnzende, waterspuwende stenen dolfijnen, stond vol stijlvolle mensen die designerkleding droegen, en net deden of ze het leuk vonden goedkope champagne te drinken uit plastic champagneglazen. Voor de eetzaal moest je de rechtertrap op, maar ik hoopte Shelly Lane hier te zien en weg te zijn voordat ik twee uur lang saaie toespraken aan moest horen.

Ik werd gescheiden van Cross en Megan toen Megan een producer zag met wie ze aan wilde pappen. De trap die naar de eetzaal leidde was een goede plek om de mensen te overzien, dus begon ik me een weg te banen door de menigte.

Ik was net bij de fontein toen ik een vrouw boven aan de trap zag en er een schok van verbazing door me heen ging.

Marni!

Ik schreeuwde haar naam bijna.

Ze was met een paar andere mensen en verdween uit mijn ogen in de richting van de eetzaal. Op dat moment zag ik pas de grote banier die aan het plafond boven de trap hing: wereldvoedselorganisatie.

Ik had zelfs niet de moeite genomen om te zien voor welk goed doel het diner werd gegeven.

Ik begon me nog sneller door de mensenmassa te dringen. Ik botste tegen een vrouw die zich met een ruk omdraaide, klaar om de inhoud van haar glas in mijn gezicht te gooien.

'Kijk uit waar u...'

Ze zweeg en grinnikte. Het was Shelly Lane.

'Hm, als je tegen me gaat duwen, makker, zal ik je vertellen waar mijn erogene zones zijn.'

'Wel, wel, als dat Shelly Lane niet is!'

'In levenden lijve.'

Ze droeg de diamanten ketting. Hij zag er schitterend uit om haar hals. Ze had ook een paar borrels te veel op. Haar grijns was een beetje wellustig, een beetje dronken. Iedereen wist dat ze dronk, dus waarschijnlijk was ze al een tijd geleden ermee begonnen.

'Nu je mijn naam weet, moet je me de jouwe ook vertellen.' Ze boog zich naar voren, ademde whisky in mijn gezicht. Dat was geen champagne in haar glas. 'Vertel me dat je niet een of andere klote-acteur bent die op zoek is naar een rol, vertel me dat je een van die miljardair dotcom-oenen bent, die op elk gebied even stom zijn, behalve als het om computers gaat, en die een film financiert voor wat pijpen.'

'Momenteel ben ik in de retourbusiness.'

'Retourbusiness? Je bedoelt het terugnemen van dingen als auto's en ijskasten?'

'Ik bedoel dingen als diamanten. Ik ben Win Liberte, en dat is mijn ketting die je om hebt.'

Ze betastte de ketting. 'Ben jij de man die me de ketting gegeven heeft?'

'Ik ben de man van wie je de ketting gestolen hebt. Je kunt hem teruggeven, of ik moet je in verlegenheid brengen door hem van je af te nemen.'

'Mij in verlegenheid brengen?' Ze schuddebuikte van het lachen. 'Arme stomme knul, je weet niet wat in verlegenheid brengen is.' Ze boog zich verder naar voren met haar negentig-procent-alcohol-adem. 'Wat zeg je hiervan?'

Ze smeet haar whisky in mijn gezicht.

'Verdomde teef!'

Ze sloeg me in het gezicht met haar glas en hief haar vuist naar achteren om me een stomp te geven. Ik pakte haar arm vast toen ze met een rechtse op me afkwam, draaide haar rond, tilde haar op en gooide haar in de fontein.

Juist toen ze uit mijn armen vloog, ging de flits af van de verborgen camera van een *paparazzo*.

Iedereen in het vertrek verstarde toen Shelly Lane met een plons in het water terechtkwam.

Cross stond plotseling naast me en pakte mijn arm beet.

'Laten we maken dat we wegkomen.'

71

❖

'Ik kan niet geloven dat zij het was na al die jaren.'

'Weet je zeker dat zij het was?'

'Het was Marni. Het is ook de organisatie waarvoor ze werkt, die wereldvoedselgroep.'

We zaten in de limo en reden richting het centrum, wat niet hetzelfde betekende als 'downtown' New York of San Francisco, of andere steden waar wat te beleven viel. In tegenstelling tot andere metropolissen had deze stad geen echt hart. Er was niet veel in downtown L.A. behalve een paar torens met advocatenkantoren en accountfirma's, regeringsgebouwen, een stuk of wat conventiehotels, en krotten voor de armen. De enige reden waarom je ernaartoe ging was om in de rechtbank te verschijnen of voor een bespreking in het kantoor van je advocaat. En het was er niet erg aangenaam, zelfs niet overdag.

De daklozen oefenden een of ander vaag constitutioneel en moreel recht uit om te kamperen op het groene terrein rond de regeringsgebouwen, bleven staan op weg naar de soepkeuken om te pissen op de trottoirs en om te bedelen. Behalve door de daklozen werd de buurt bevolkt door een hoop hardwerkende arme mensen, voornamelijk Latino's, die geen geld en geen green card hadden, maar zich uit de naad werkten in baantjes die niemand anders wilde. Ze leefden van bonen en tortilla's, sliepen vaak op de grond, zes in één kamer, zodat ze elke maand een paar dollar naar huis konden sturen.

We waren op weg naar het trendy nieuwe restaurant in de stad, ondergebracht in een pakhuis op het bijna verlaten industrieterrein downtown, in het soort buurt waar je erop kon rekenen vermoord te worden als je pech met de auto kreeg. L.A.-restaurants waren als muziekgroepen – ze kwamen op, stonden in de schijnwerpers, werden beroemd als de 'incrowd' er kwam om gezien te worden... en dan verscheen er een ander restaurant en het oude kwijnde weg. De hoogte- en dieptepunten in de restaurantwereld werden niet veroorzaakt door de verhuizing van grote koks van het ene etablissement naar het andere, maar door de verhuizing van mensen in 'de industrie'. Niemand kon het een donder schelen of ze middelmatig eten kregen voor belachelijk hoge prijzen. Als een ster zich geregeld in het restaurant liet zien, wilde men erheen. Als de ster naar een ander restaurant verhuisde, ging de menigte mee.

Voor mij had Cross' suggestie om hiernaartoe te gaan de extra aantrekkingskracht dat het een buurt was waar we niet het risico liepen tegen Shelly Lanes lijfwacht op te lopen. Cross verzekerde me dat ze die vent op een dood-of-verminkmissie zou sturen. We waren niet gebleven om Lane of de ketting uit de vijver te vissen.

Cross en een hoop andere hippe mensen vonden het cool om naar een restaurant in de slechtste buurt van de stad te gaan, een gebied waar je over bloed, hondenpoep en nog ergere dingen op het trottoir moest stappen om in een verbouwd pakhuis te komen met betonnen muren en vloer en duidelijk zichtbaar loodgieterswerk en luchtgaten.

Ik vond het stom. Ik was niet onder de indruk van restaurants in L.A., punt uit. Er was altijd iets te parvenuachtigs, te *nouveau riche*. In New York waren obers arrogant, hadden vaak een grote mond en waren snel geneigd op de vuist te gaan. In L.A. beledigden ze je niet en begonnen ze ook geen goed twistgesprek. In plaats daarvan gedroegen ze zich alsof ze geen echte obers waren maar een vip, iemand wie je dankbaar hoorde te zijn dat ze je maaltijd serveerden en die je alleen maar bedienden terwijl ze wachtten op de volgende auditie.

Maar ik discussieerde niet met Cross over zijn keuze van restaurants. Ik was hem weer iets schuldig, hij had me uit de eetzaal gekregen voordat Lanes lijfwacht me vond en fijnmaalde.

'Heeft Marni je gezien?' vroeg hij.

'Nee, maar inmiddels zal ze wel weten wie de plons heeft veroorzaakt die haar geldinzameling verstoorde.'

Ik belde mijn pr-vrouw, Pat, zodra ik in de limo zat. Ik gaf haar opdracht Lanes pr-vrouw te bellen en samen een verhaal in elkaar te flansen waarom ik de ster in de fontein had gegooid. Ik wilde geen schandaal over de ketting. Publiciteit was goed, maar een schandaal zou toekomstige draagsters kunnen afschrikken en de deur openen voor andere juweliersfirma's. Haar onmiddellijke reactie was een ruzie tussen twee geliefden. Ik zei tegen haar: 'Voor mijn part zeg je dat we ruzie hadden over onze merken lippenstift, als je de ketting er maar buiten laat.'

Toen ik ophing vroeg Cross: 'Hoe komt het dat je al die keren dat je in L.A. was je nooit contact met haar hebt gezocht?'

'Ik wist niet dat ze hier was. Ik dacht eigenlijk dat ze wel ergens in een of andere rimboe zou zitten om voedsel uit te delen aan hongerige mensen. Bovendien heeft ze me in niet mis te verstande bewoordingen te kennen gegeven dat ze me niet meer wilde zien.'

'Shit, dat heb ik ook geprobeerd, maar je komt steeds weer bij me terug. Doe eens normaal en zoek contact met die vrouw. Te horen aan dat jammerende toontje in je stem zodra je haar naam noemt, gaat je hart uit naar die dame.'

Hij had gelijk. Ik belde Pat weer.

'Bij dat diner was een vrouw die Marni Jones heet. Misschien is ze van naam veranderd als ze getrouwd is, maar zoveel Marni's zijn er niet op deze wereld. Zoek uit waar ze woont, waar ze werkt, of ze getrouwd is.'

'Dat zou moeilijk kunnen zijn. Als die vrouw niet een bekend iemand is, zul je een echte detective moeten inschakelen.'

'Hoe dan ook, ik wil die informatie gisteren hebben.'

'Natuurlijk. En over die actie bij het diner: het verhaal dat de pers wordt voorgeschoteld is dat jij en Shelly Lane een koppel waren, dat ze je haar bed heeft uitgegooid en dat jij razend werd van jaloezie. Ze vraagt een straatverbod aan omdat je het niet opgeeft en je een paar nachten achtereen voor haar deur geparkeerd hebt.'

'Verrek, waarom heb je er niet meteen bij verteld dat ik HIV-positief ben?'

'Praat er niet over – en doe een schietgebedje dat ze daar niet aan denkt. Overigens, ze wil bijpassende armbanden bij de ketting. Ze zegt dat je haar die verschuldigd bent voor al die publiciteit. Reken maar dat die foto de voorpagina haalt van het roddelblad waarvoor die paparazzo werkt.'

'Zeg tegen Shelley dat als ze ooit wil ophouden met filmen, ik mensen ken in de maffia die haar onmiddellijk zouden aannemen als onderhandelaar. Ik zal haar de armbanden door een koerier laten bezorgen.'

'O, en nog één ding. De manier waarop je haar ervan langs hebt gegeven bevalt haar. Ze wil je terugzien.' Pats stem klonk quasi-ingetogen.

'Weet je, ik geloof niet dat Shelly Lane het zo leuk vindt een pak op haar donder te krijgen. Hoe groot denk je dat de kans is dat ze me in stukjes laat hakken om aan de honden te voeren als ik werkelijk voor haar deur zou staan?'

'Eerst zou ze je gek neuken. Shelly is niet het type om geen gebruik te maken van een stoere man.'

We hingen op en ik draaide me om naar Cross.

'Ik heb het druk gehad, te druk voor de Marni's van deze wereld, een vrouw die tijd en aandacht nodig heeft. Dat is het enige excuus dat ik heb. Maar toen ik haar zag, had ik het gevoel dat iemand me een trap in mijn kruis had gegeven. Hoe zit dat?'

'Je bent verneukt, man, dat is liefde, geen wellust. Wellust is als je het gevoel hebt dat ze je ballen likt.'

322

Er zat me nog iets anders dwars. Toen ik hem afhaalde om naar het diner te gaan, was Cross na Megan uit zijn flat gekomen en had ze de kans een paar minuten met me te praten voor hij in de limo stapte. Ze vertelde me dat ze zich ongerust maakte over hem, dat hij alles door zijn neus weg snoof. 'Hij begint dingen te verkopen,' vertelde ze me.

Ik beloofde haar op elke manier die ik kon te helpen. Als een junk begint met het verkopen van persoonlijke bezittingen, weet je dat hij naar de verdommenis gaat. Ik wilde iets voor hem doen, maar proberen hem de helpende hand te reiken zou net zo gemakkelijk zijn als je handen door de tralies steken om een hongerige tijger te aaien.

'Je verspilt je tijd door op je gat te blijven zitten,' zei ik toen we het restaurant naderden. 'Couponnetjes knippen van je investeringen, dat is geen leven voor een echte man. Waarom kom je niet weer bij mij werken? Je kunt beginnen als hoofd beveiliging in de winkel in Beverly Hills. Je vindt het leuk werk en ik bevorder je tot directeur van de nationale beveiliging.'

'Zie ik eruit of ik een baan nodig hebt, idioot?'

Ik zuchtte. 'Nee, feitelijk zie je eruit of je een shockbehandeling nodig hebt en een lobotomie. En misschien een penisimplantatie.'

72

❖

Een week later zat ik in mijn auto aan de overkant van de straat, recht tegenover een kinderdagverblijf in Brentwood, en herlas het rapport van de detective.

Marni was niet getrouwd, althans niet op het ogenblik. Of ze ooit getrouwd was geweest in het buitenland, wist de detective niet. Maar ze had wél een kind, een meisje van vijf. Zij of haar huishoudster bracht het kind elke ochtend en haalde haar 's middags af. Het strakke schema waar alleenstaande vaders en moeders zich aan moeten houden.

Haar huisadres, het merk en model van haar auto, haar geheime telefoonnummer, sofi-nummer, kredietwaardigheid, haar arbeidsverleden, alles zat in het pakket. Die dingen waren gemakkelijk genoeg te achterhalen. Elke goede detective had een contact bij een kredietcontrolebureau dat voor een goede prijs een kredietrapport verschafte. Tegenwoordig kon de leverancier van de informatie natuurlijk een computerkraker zijn.

Hij kon me ook niet vertellen of er een man in haar leven was, of dat ze met iemand samenwoonde. Ze woonde in een 'beveiligd' flatgebouw en hij kon niet naar binnen om met de buren te praten, maar hij had haar niet één keer samen met een man gezien als ze kwam en ging.

Eén ding wist ik zeker – als ze een kind van vijf had, was ze direct nadat ze mij in de steek had gelaten iets begonnen met een andere man. Mijn ego suste me dat ze in reactie in de armen van een ander was gevallen.

Wat ik niet wist was hoe ik ontvangen zou worden. Wat moest ik zeggen tegen een ex-geliefde die ik in zes jaar niet gezien had en die me waarschijnlijk beschouwde als iemand die haar belogen en bedrogen had?

Voeg daarbij het schandaal dat ik op het liefdadigheidsdiner had veroorzaakt, en ze dacht waarschijnlijk dat ik gek was. Erger nog, ze dacht waarschijnlijk ook dat ik in Los Angeles woonde en vroeg zich af waarom ik nooit contact met haar had gezocht. Misschien had ze zelfs al vóór het Shelly Lane-fiasco over me gelezen in de kranten.

Het was haar zelf niet slecht vergaan sinds ze mij gedumpt had. Ze had nu een vaste aanstelling als docent aan de UCLA, met een lange reeks gepubliceerde werken over de socio-economische problemen van de Derde Wereld. Alleen de titels al waren intimiderend. Ze had een VN-onderscheiding, en had wel eens een lunch in het Witte Huis bijgewoond. Ik had ook een uitnodiging voor een lunch in het Witte Huis, maar daar was een voorwaarde aan verbonden – een donatie voor de campagne. Ik zag er weinig in om een half miljoen te spenderen aan een kipsalade.

Ik was blij met Marni's carrière. Ze had iets waardevols gedaan in de wereld. Het enige wat ik had gedaan was geld verdienen. Toen ik las wat Marni bereikt had, begon ik voor het eerst te twijfelen aan mijn eigen prestaties. Ik kon me voorstellen dat ze vroeg: 'En wat heb jij voor de wereld gedaan, Win Liberte?' Nou, ik ben met een paar meiden naar bed geweest en ik heb zelfs een filmster in een fontein gegooid.

Ik probeerde wijs te worden uit mijn eigen gevoelens terwijl ik wachtte, verbaasd over de hevige emoties die het zien van Marni bij me hadden gewekt. Het was alsof ik alles in me had opgekropt en plotseling de kurk eraf was gevlogen. Ik had een stuk of twaalf minnaressen gehad sinds we in Angola uit elkaar waren gegaan, maar geen van allen waren ze langer dan een paar maanden gebleven. Gedeeltelijk kwam dat omdat ik het te druk had met het opbouwen van mijn onderneming. Maar nu wist ik dat het voornamelijk kwam omdat ik nog steeds om Marni gaf.

Waarom zat ik bij die school op haar te wachten? Wat verwachtte ik daarvan? Ik was niet klaar voor een huwelijk of zelfs maar een relatie, als dat er zelfs maar in zou zitten. Dus waarom startte ik de auto niet gewoon en reed ik niet weg voor het te laat was?

Het analyseren van mijn gevoelens leidde tot niets. Ik bleef domweg in de auto zitten, piekerend over de situatie, aarzelend tussen blijven en weggaan. De privé-detective had gezegd dat Marni haar dochter op vrijdag ophaalde; de andere doordeweekse dagen deed haar huishoudster, Josie, het.

Mijn zenuwen spanden zich toen ik een auto zag naderen die beantwoordde aan de beschrijving in het rapport. Ze was het. Ze stopte voor de school en ging naar binnen.

Ik stapte uit en stak de straat over zonder er verder bij na te denken.

Een minuut later kwam ze weer naar buiten, babbelend en lachend met haar dochtertje. Ik bleef staan en liet haar bijna tegen me opbotsen. Toen ze me zag, bestudeerde ik aandachtig haar gezicht, zoekend naar een aanwijzing voor haar gevoelens. De enige emotie die ik kreeg was verbazing.

'Win!'

'In levenden lijve.'

'Ik... ik... wat doe je hier?'

'Ik kwam langs om je dochter te leren kennen.' Ik stak mijn hand uit naar het kleine meisje. 'Hallo, ik ben Win Liberte. Leuk je te leren kennen.'

Het kind keek vragend op naar Marni en Marni knikte dat het goed was. 'Het is oké, vertel die meneer maar hoe je heet.'

'Elena Jones,' zei ze verlegen en schudde mijn hand.

'Dat is een mooie naam. Mijn moeder heette ook Elena.'

'Mijn moeder heet Marni.'

'Ja, ik weet het.' Ik stak mijn hand uit naar Marni. Toen ze die vast- pakte, wilde ik hem niet meer loslaten. 'Dat is lang geleden.'

'Sommige mensen zouden zeggen: niet lang genoeg. Heb ik je al bedankt voor de ruzie tussen twee geliefden op het diner voor het wereldvoedselprogramma die de voorpagina's heeft gehaald?'

'Dat kan ik uitleggen. En ik wil een bijdrage geven om het goed te maken.'

'Uitleg is niet nodig, het heeft allemaal in de kranten gestaan, je zielige pogingen om Shelly Lane terug te krijgen. Ik hoor dat je gear- resteerd gaat worden omdat je haar stalkt. Zoals het in de roddelbla- den beschreven stond was je "doorgedraaid" omdat ze je uit haar bed had gegooid.'

'De kranten houden ervan dingen te overdrijven...'

'Maar we nemen de donatie graag aan, al moet ik erbij zeggen dat de publiciteit wonderen heeft gedaan voor ons programma. Je hebt het beste deel gemist. Ze trok haar natte jurk uit toen ze uit de fon- tein kwam en gooide die opzij. We veilen hem tijdens het volgende diner. Je moet beslist komen. We kunnen jou aanbieden als de poe- delprijs.'

Ik ging op mijn handen en knieën zitten.

'Wat doe je?'

'Het jou gemakkelijker maken me een schop te geven.'

Twee moeders kwamen naar buiten en begonnen te lachen. 'Als hij een aanzoek doet en je wilt hem niet, neem ik hem wel,' zei een van hen.

'Je zou hem niet willen. Shelly Lane heeft hem haar bed uitge- schopt.'

Schril gelach. 'O, god, is hij dat?'

O-god-aan-m'n-reet. Ik stond op, pakte Elena's hand en leidde haar weg, onder het gejoel van de vrouwen. Hoe vernederend.

'Waar ga je met mijn dochter naartoe?'

'Elena en ik gaan eten. Je kunt meegaan of naar huis gaan en al- leen uithuilen.'

'Hoe weet je dat er thuis niet iemand op me zit te wachten?'

'Ik heb je laten natrekken door een privé-detective. Hij zei dat je een eenzame ongetrouwde tante bent, die zich abonneert op blaad-jes voor eenzame vrouwen en tientallen vibrators koopt.'

Ik keek niet achterom. Als ze me vertelde dat ze een echtgenoot had of een man die veel voor haar betekende, zou ze me recht in mijn hart steken.

73

❖

Ik ging met Marni en Elena naar Gladstone's For Fish, een restaurant aan de Pacific Coast Highway. Het was niet een van mijn favoriete restaurants – te druk, te lawaaierig – maar het had de beste locatie in de stad, op het strand. Elena kon in het zand spelen terwijl Marni en ik praatten en over het strand wandelden.

Ik dronk een flesje Corona, geen citroen, geen glas, en Marni likte zout van een Margarita, terwijl we wachtten op een tafel, en het dochtertje gooide zand terug in de zee.

'Geweldig kind,' zei ik. 'Ze is mooi, net als haar moeder.'

'Doe me een plezier, Win, en bespaar me je complimentjes. Je haat kinderen en je hebt haar moeder behandeld als een stuk vuil.'

'Ik haat kinderen niet; ik weet niks van kinderen. Mijn eigen kindertijd heb ik overgeslagen, ik ging meestal naar begrafenissen, omdat de mensen om me heen bleven doodgaan. En ik heb je niet behandeld als een stuk vuil. Je bent bij me weggelopen zonder me de kans te geven het je uit te leggen.'

'Uitleggen wat voor schoft je bent? Dat je, om nog een paar miljoen meer te krijgen terwijl je al een vermogen hebt, geweren levert aan bloeddorstige criminelen om die te gebruiken tegen onschuldige mensen?'

Ik knoopte mijn das los. 'Hier.'

'Wat moet ik daarmee?'

'Me ophangen. Je wilt me lynchen, je bent rechter, jury en beul, je weet alles en je hebt geen uitleg nodig. Je bent weggelopen, hebt het land verlaten, en je hebt nooit mijn kant van het verhaal gehoord.'

'Goed. Leg uit.'

Dat legde me het zwijgen op. Wat moest ik haar vertellen? Dat ik uiteindelijk geholpen had Jomba een hoop wapens te bezorgen... voor Savimbi? Dat de wapens werden gebruikt om een burgeroorlog in Angola aan de gang te houden die nog steeds hevig aan de gang was, zonder de pretentie van een wapenstilstand? Dat ik een vermogen had verdiend in Angola, de kostbare diamanten van het land uit de grond had gegraven en er niets voor had teruggegeven?

'Zal ik mezelf maar doodschieten?'

'Dat zou een goed begin zijn.'

'Marni…'

'Win, het was niet gemakkelijk voor me om weg te gaan; ik had nog nooit voor iemand gevoeld wat ik voor jou voelde. Ik wil niet dat die wonden nu weer opengaan.'

Ik knikte naar het kind. 'Het moet je heel veel verdriet hebben gedaan, maar je hebt er niet lang over gedaan om het met een ander aan te leggen en Elena te krijgen.'

Ze stond bijna op het punt me haar Margarita in het gezicht te gooien.

Ik hief mijn handen op. 'De laatste vrouw die me haar drankje in het gezicht smeet nam een duik in het water. Laten we alsjeblieft gewoon praten. Ik weet dat je denkt dat ik een ongevoelige klootzak ben, maar je hebt maar half gelijk. Ik heb wel degelijk gevoelens. Ik heb tegen je gelogen in Angola en dat spijt me, maar gun me een kans. Ik stond met mijn rug tegen de muur en een pistool tegen mijn hoofd. Geef me vijf minuten om je te vertellen hoe dat met Angola is ontstaan. Als je dan nog steeds denkt dat ik een smerige schurk ben, kun je gaan en zal ik niet meer proberen met je in contact te komen.'

Ik vertelde haar mijn verhaal, vanaf het moment waarop ik voor het eerst hoorde van Bernies waanzin tot het tijdstip waarop ik bij een landingsbaan stond terwijl er een oorlog aan de gang was. Ik vertelde haar de waarheid, de hele waarheid… en liet alleen een paar details achterwege die ik niet wilde dat ze zou horen. De vete met João – de seks met zijn vrouw en dochter – waren een paar onderwerpen die ik censureerde. Toen ik zei dat we op blauwe aarde gestuit waren in de mijn, voegde ik eraan toe: 'En ik doe een schenking aan een ziekenhuis in de regio.'

Ik nam me voor mijn secretaresse met mijn belastingadviseur te laten uitzoeken hoe het zat met medische donaties in Angola. Ik had niet echt gelogen. Ik had in de tegenwoordige tijd gesproken, wat betekende dat ik ermee bezig was, niet dat het een afgeronde deal was.

Ik had maar één vraag voor haar. Had ze op het ogenblik een relatie met iemand?

'Met veel mannen,' zei ze. 'Net als Shelly Lane gebruik en misbruik ik ze en schop ze mijn bed uit als ik genoeg van ze heb. Als werkende alleenstaande moeder heb ik zoveel tijd dat ik elke avond op stap ga en een man oppik.'

'Wil je dat ik me omdraai en buk zodat je me nog een trap na kunt geven? Of heb je liever dat ik mijn benen spreid zodat je het kunt doen waar het echt pijn doet?'

Ze begon te lachen. Dat was een goed teken, dacht ik.

Tijdens het eten maakte ik Marni een complimentje over Elena's manieren.

'Ze is een kleine volwassene.'

'Dat is het probleem met een enig kind. Ze praten voornamelijk met volwassenen in plaats van te kibbelen met broertjes en zusjes en kinderen van hun eigen leeftijd.'

'Heeft haar vader geholpen haar op te voeden?' Het was een opening om haar te laten vertellen over de man met wie ze zo onmiddellijk nadat ze uit mijn leven verdwenen was een relatie was begonnen. Tot dusver had ze me nog helemaal niets verteld over haar eigen leven, behalve dat ze me indirect had laten weten dat er momenteel niemand in haar leven was. Zelfs al had ik haar in bijna zes jaar niet gezien, toch voelde ik me bezitterig en jaloers dat een andere man haar kind had verwekt.

We hadden rustig zitten praten en weinig van het gesprek laten doorklinken naar de plek waar Elena zat te tekenen met haar kleurpotloden.

Ze nam een slokje van haar Margarita en keek me met een ironische grijns aan. 'Laten we alleen maar zeggen dat hij een even grote klootzak is als jij bent. Hij heeft nooit iets anders gedaan dan voor het sperma zorgen en een beetje plezier voor hemzelf.'

'Mannen zijn etters,' zei ik. 'De meesten maken een wip en lopen vervolgens bij je weg. Maar de mannen in mijn familie zijn niet zo. Wij hebben kinderen en gaan vroeg dood.'

'Zo mag je niet praten.'

Ik pakte haar hand. 'Ik ben druk bezig in de diamanthandel. Ik had me niet gerealiseerd hoezeer het me in het bloed zit, hoeveel van wat mijn vader me geleerd heeft is blijven hangen. Maar ik weet echt niet wat ik moet gaan doen als ik volwassen word. Ik wil astronaut worden. Of misschien ga ik naar Angola om voedselpakketten uit te delen...'

Ik keek haar fronsend aan. 'Waarom lach je?'

74

❖

Ik liep door de deur van het kantoor dat we hadden ingericht op Canon dicht bij de winkel, en snauwde opdrachten naar de receptioniste toen ik binnenkwam. Ze wees naar een vrouw die voor het raam stond.

'U hebt bezoek.'

Simone draaide zich om. Ze glimlachte. Het was drie jaar geleden dat ze op de deur van mijn kamer in het Bel Air had geklopt.

'Ga zitten,' zei ik toen ik haar in mijn kantoor liet. 'Er is altijd een slang in het paradijs, hè?'

'Is dat zoals je me ziet? Als een weerzinwekkend reptiel?'

'Ik zie je als een mooie en gevaarlijke vrouw, van wie ik liever door een oceaan gescheiden ben.'

'Geef me iets dat niet veel groter is dan een eikel, en ik ben voorgoed uit je leven verdwenen. João had hem al toen jij nog niet geboren was.'

'Hij heeft hem van mijn vader gestolen.'

'Hij heeft een enigszins andere versie van het verhaal hoe de vuurdiamant in zijn bezit is gekomen.'

'Hij liegt. Hij is ook verantwoordelijk voor Bernies dood. Ik weet niet hoe hij het gedaan heeft, of hij een paar van zijn Lissabonse gangsters heeft gestuurd om Bernie uit een raam te duwen, jou heeft gestuurd om Bernie met finesse het raam uit te werken, of domweg Bernie financieel en emotioneel zo volledig heeft geruïneerd dat hij het raam is uitgekropen. Maar hoe het scenario ook luidt, hij was verantwoordelijk voor Bernies dood. Ga terug en vertel hem dat Bernie het hem betaald zet.'

'De omstandigheden zijn veranderd. João heeft moeilijke jaren achter de rug. We zijn niet meer zo rijk als vroeger. Hij heeft geldproblemen gehad, mensen willen geen zaken meer met hem doen, hij heeft miljoenen uitgegeven in Portugal om niet gerechtelijk te worden vervolgd. Hij geeft jou de schuld van zijn problemen.'

'Geef de schuld maar aan Bernies geest. Hij is degene die me in mijn oor fluistert.'

'Luister naar me, Win, João is ziek.'

'Mijn hart breekt.'

'Hij is stervende.'

'Straks begin ik te huilen.'

'Hij heeft niets meer te verliezen. Hij gaat je vermoorden.'

'Laat het hem maar proberen.'

'Dat zal hij zeker doen. De enige manier om je leven te redden is hem de diamant te geven. Hij wil hem nog één keer in zijn hand houden voor hij sterft.'

'Zeg maar dat ik hem in zijn koude, dode hand zal stoppen – terwijl zijn ziel wordt verscheept naar de hel. Hoor eens, laten we ophouden met die *bullshit*. João zal die diamant nooit te zien krijgen. En in mijn testament vermaak ik hem aan het Smithsonian.' Dat was een leugen. Ik bedacht dat ik niet eens een testament had. Ik zou er waarschijnlijk een nodig hebben.

Ze stond op. 'Het spijt me dat het op deze manier moet.'

'Nee, dat spijt je niet. Het spijt je dat ik niet op mijn rug rol en doe of ik dood ben. Als je enig menselijk gevoel had zou het je spijten van Bernie.'

'Ik heb al genoeg moeite met te treuren over de levenden – ik heb geen tijd voor de doden.' Ze zweeg even. 'Je weet dat Jonny in de stad is?'

'Nee, dat wist ik niet.' Ik loog. Ik had haar gezien maar niet gesproken.

'Het verbaast me dat ze niet naar je toe is gekomen. Ik denk dat de helft van de reden waarom ze naar L.A. ging is dat ze gelezen had dat jij er woonde. Ze mag je graag, weet je.'

'Ik haar ook. Ze is een geweldige meid. Nou, als je bent uitgesproken...'

Ik maakte een rotopmerking toen ze de deur opendeed om weg te gaan. 'Jammer dat je nooit tijd hebt gehad voor je dochter. Ze is een leuk kind dat nooit een kans heeft gehad omdat haar vader een crimineel is en haar moeder een hoer.'

Mijn zenuwen spanden zich. Simone keek of ze over het bureau heen zou springen en me de keel zou opensnijden. Haar gezicht kreeg wisselende paarse kleuren voor ze zich beheerste en kalm en weloverwogen wegliep.

Zodra ze weg was, riep ik mijn secretaresse binnen.

'Bel een detectivebureau. Ik wil een lijfwacht, dag en nacht. Iemand met een pistool. En iemand die gewend is ermee om te gaan. Ik wil geen knaap die het op het moment suprême laat afweten.'

Ze staarde me met open mond aan. 'Wilt u dat ik om een moordenaar vraag?'

332

'Ik wil dat je vraagt om een ex-politieagent of een soldaat met oorlogservaring. Voor dag-en-nachtbewaking zullen ze meer dan één man nodig hebben.' Toen ze naar de deur liep gilde ik haar nog een bevel na. 'En bel mijn advocaat. Ik moet een testament maken.'

Ik dacht even na en belde toen Cross. 'Ben je ervoor in om wat geld te verdienen? Een hoop geld?'

'Wie moet ik vermoorden?'

'João Carmona.'

Even bleef het stil, toen kreunde Cross. 'Is je vriend hier of heeft hij een knokploeg gestuurd uit Lissabon?'

'Ik weet het niet zeker, misschien wel alles tegelijk. Eén ding is zeker, Simone is hier. Ze heeft me een bezoek gebracht, me duidelijk gemaakt dat João me spoedig mijn graf in zal helpen en erop zal pissen. Het gaat niet langer om geld of zelfs om de diamant, dit is een klassieke vete. De enige manier om er een eind aan te maken is dat een van ons doodgaat.'

'Wat ga je doen? De politie bellen?'

'Denk je dat de politie me kan helpen?'

Cross lachte luid.

'Precies zoals ik erover denk. Ik wil vuur met vuur bestrijden, João een koekje van eigen deeg geven. Er zijn straatbendes hier in de stad die een gorilla de stuipen op het lijf zouden jagen. Ik vroeg me af of jij soms een paar contacten had.'

'Wat denk je wel, lul van een bleekscheet, dat alle zwarten zich bezighouden met straatgeweld?'

'Jij bent alleen maar zwart vanbuiten, Cross, vanbinnen heb je de kleur van hondenpoep. Ik vraag het je omdat je me vertelde dat Megan een neef had die een hele Piet is in de gangs.'

'O, Latino-gangs, ja, die schofterige macho's vermoorden je al als de kleur van je ogen ze niet aanstaat; mijn mensen doden alleen voor wapens en geld. Wat wil je, een bijeenkomst?'

'Om te beginnen.'

'Wat zit er voor mij in? Een aandeel in House of Liberté?'

'Denk je dat je dat waard bent?'

'Wat is je leven je waard?'

'Laten we beginnen met contanten, dan kunnen we daarna verder zien. Ik geef je vijfentwintigduizend om een bijeenkomst te beleggen en mijn hand vast te houden.'

Toen ik had opgehangen dacht ik na over Cross. Ik vertrouwde hem niet meer als ik hem kon kopen. Hij had me gesteund in Angola, maar in wezen ging hij mee met de hoogste bieder. Ik zou hem niet weer rijk maken. Onwillekeurig vroeg ik me af hoe zijn houding zou zijn als hij dat ontdekte.

75

❖

Simone draaide het raampje van de limo omlaag, stak een sigaret op en blies de rook uit terwijl de wagen wegreed van de aankomsthal van het vliegveld LAX. João's longen waren gevoelig geworden voor rook. Ze vond het vreselijk om lang bij hem vandaan te zijn omdat het altijd weer een schok was om terug te komen en te zien hoezeer hij leek te verouderen tijdens haar korte afwezigheid. Hij werd niet echt ouder als ze gescheiden waren – dat was verbeelding van haar. Ze dacht aan João als zijnde sterk en energiek, zelfs in zijn rolstoel, maar als ze hem zag na een week van hem gescheiden te zijn geweest, kreeg ze een helderder beeld. Hij werd oud en verschrompelde. Zo zal het mij ook op een dag vergaan, dacht ze, huiverend bij het vooruitzicht dat ze zo oud zou worden dat haar lichaam zichzelf zou gaan vernietigen.

'Hoe gaat het met Juana?' vroeg hij.

'Ik heb haar maar heel even gezien. Ze vertelde me dat de enige reden dat ze met ons in contact blijft is dat ze haar toelage op tijd wil ontvangen. Ze feest meer dan dat ze studeert. Ik heb een privé-leraar aangenomen, maar ze koopt hem om met drugs en seks om haar werk voor haar te doen.'

'Ziet ze die *bastardo* nog?'

Simone haalde haar schouders op. 'Ik denk het niet. Toen ik haar ernaar vroeg schepte ze op dat ze met hem naar bed gaat. Dat doet me vermoeden dat ze waarschijnlijk niet de waarheid vertelt.'

'Als ze het nu niet doet, heeft ze het gedaan. Mijn dochter die haar benen spreidt voor mijn vijand is maar een van de vele gruwelen die ik van de *bastardo* te lijden heb.'

Simone keek hem recht in de ogen. 'Hij zei dat ik je moest vertellen dat hij je de moord op zijn oom betaald zet.'

'Ik had zijn vader veertig jaar geleden moeten vermoorden. Ik had de gelegenheid ertoe; nu moet ik boeten voor een moment van aarzeling toen ik jong was.'

De limo stopte voor een dagschool in Brentwood.

Een paar minuten later keken Simone en João toe terwijl Elena naar Marni toe holde.

'Het is absoluut zijn dochter. Je kunt de *bastardo* in haar gezicht zien.'

'Ja,' zei Simone. 'Ja, het is zijn kind.'

João gaf haar een klopje op haar been. 'Goed gedaan. Hoe ben je erachter gekomen?'

'Door zijn vriend. Ik ontdekte dat de vrouw een kind had en controleerde het geboorteregister. Win staat vermeld als de vader op het geboortebewijs.'

'En je gelooft niet dat hij het weet?'

'Ik ben ervan overtuigd. Ik heb met Cross gesproken.'

'Is hij nog steeds te koop?'

'Meer dan ooit.'

João lachte. Het was geen aangenaam geluid. 'Die bastardo denkt dat hij flink is, maar hij is een watje. Ik zal zijn dochtertje gebruiken om zijn ballen fijn te knijpen.'

'João, dit bevalt me niks. Ze is nog maar een kind...'

Hij sloeg haar, hard genoeg om haar met haar rug tegen de deur te doen vallen. '*Puta!* Ik zit in deze rotzooi dankzij jou. Je moet maar hopen dat ik hem niet ook jouw oren stuur.'

76

❖

Ik haalde Cross op en we reden in oostelijke richting over Interstate 10 naar Palm Springs. Cross had daar een ontmoeting gearrangeerd met een bendelid, Megans neef. We zaten in mijn Bugatti EB110GT, een twoseater met omhoogklappende portieren en 553 pk, die in vier seconden van nul naar negentig ging.

'Waarom Palm Springs?' vroeg ik.

'Daar woont hij.'

'Heeft hij daar een drugshandel?'

'Hij heeft overal een drugshandel – maar hij verhandelt geen drugs op straathoeken. Roberto is een Colombiaan, uit een oude familie, goede stamboom, geen geld. Hij is in de drugsbusiness gegaan omdat hij van dezelfde speeltjes houdt als jij – dure auto's en vrouwen. Maar hij vertegenwoordigt de fabrikant, niet de detailhandel.'

'Hij verkoopt drugs aan bendes?'

'Nee, hij verkoopt drugs met truckladingen aan distributeurs. Als het bij de straatbendes terechtkomt, is het al door verscheidene handen gegaan.'

'Zoveel cocaïne hoort genoeg te zijn voor ongeveer duizend jaar in een federale gevangenis als hij gepakt wordt.'

'De Roberto's van deze wereld worden nooit gepakt,' zei Cross, 'omdat ze nooit hun handen vuilmaken. Als je leest over een grote politie-inval, zelfs als het om zo'n vijfhonderd kilo gaat, krijgen ze nooit iemand als Roberto, te pakken. Bij drugsinvallen arresteert de politie de kleintjes en probeert via hen tot een hoger echelon door te dringen. Maar ze komen nooit tot aan Roberto, omdat hij zo hoog aan de top zit dat niemand die gearresteerd wordt hem iets kan maken. Cocaïne passeert de grens in enorme vrachtwagens, vliegtuigen en schepen. Als het eenmaal hier is, moet Roberto ervoor zorgen dat het in een pakhuis wordt opgeslagen en gedistribueerd, maar hij ziet er zelf nooit iets van, tenzij het voor persoonlijk gebruik is. Je kunt hem beschouwen als de topbestuurder, belast met de Amerikaanse operaties voor een buitenlands multimiljardenbedrijf.' Cross schudde zijn hoofd. 'Misschien heb ik mijn leven lang het verkeerde beroep uitgeoefend.'

'En misschien is de levensverwachting voor de Roberto's van deze wereld niet zo geweldig.'

'Die van jou lijkt me ook niet zo schitterend.'

We zwegen, beiden verdiept in onze eigen gedachten. Ik was al eerder weer over de mogelijkheid begonnen dat Cross voor me zou werken, maar hij had botweg gezegd dat ik de pot op kon, dat hij elke maand couponnetjes knipte.

Hij was veranderd sinds Angola. Hij zag er opzichtiger uit, toonde meer brutale 'lef' in de dure manier waarop hij zich kleedde, met een vijfkaraats diamant in zijn pinkring en een gouden Rolex-horloge.

Toen ik naar hem luisterde, voelde ik me voor het eerst niet op mijn gemak. Ik besefte dat hij zelfvertrouwen miste, niet in fysieke kracht of moed, maar in zijn eigen zelfbeeld. Hij had de grote slag geslagen die hij zich ten doel had gesteld en had de boel verziekt. Uit wat Megan me vertelde, begreep ik dat hij slechte investeringen had gedaan in effecten en onroerend goed. En nu, in plaats van dat alles van zich af te zetten en materiële steun te accepteren zodat hij een nieuw fortuin kon vergaren, verschool hij zich achter een succesvolle façade.

Het huis lag op de top van een van de woestijnheuvels langs Highway 111 op weg naar Palm Desert, ten oosten van Bob Hopes enorme paddestoelachtige huis. Het in Spaanse stijl gebouwde huis, omringd door een hoge, witgekalkte lemen muur, wekte de indruk van een fort toen we de smalle weg opreden.

Toen we boven waren, stopten we bij een hoog smeedijzeren hek met een intercom. Voor ik onze komst kon aankondigen begon het hek open te gaan.

'Surveillancecamera's,' zei Cross. 'Ze hebben ons waarschijnlijk al gevolgd sinds we van de hoofdweg zijn afgeslagen.'

We reden een binnenplaats op waar een vriendelijke oudere man met een strohoed om zijn gezicht tegen de woestijnzon te beschermen, naar buiten kwam om ons te begroeten.

'Mooi, laat hier maar staan,' zei hij.

Cross had gelijk dat Roberto van mooie auto's hield – op het plein stonden een Corvette en een grote Ford Expedition geparkeerd. Toen we langs de open achterklep van de suv liepen, zag ik duikapparatuur liggen.

'Goed spul,' zei ik tegen Cross. 'Ik heb vroeger aan diepzeeduiken gedaan. Dit is de apparatuur die mariniers gebruiken.'

'Zelfs ex-Navy SEALS,' zei een stem achter me. De man stak zijn hand uit. 'Welkom in *mia casa*, ik ben Robert Nunez.'

'Hoe lang heeft u bij de Navy SEALS gezeten?' vroeg ik.

'Een jaar. Mijn vader dwong me om dienst te nemen. Hij zei dat ik een waardeloze rokkenjager en zuipladder was die een lesje nodig had in zijn leven. De Navy SEALS waren het stoerste wat hij kon bedenken. Ik overleefde de training, maar niet de discipline. Ik maak geen heimelijke landingen meer op stranden, maar ik blijf me oefenen op mijn landgoed in Malibu en ga naar Cozumel of wip even naar het Great Barrier Reef als ik écht wil duiken.'

Hij praatte terwijl we hem naar binnen volgden. We werden geschaduwd door een gewapende man. Nunez nam niet de moeite hem aan ons voor te stellen, maar dat hoefde ook niet. Hij was duidelijk een lijfwacht. In zijn broekriem, op zijn rug, stak een Baretta 9mm halfautomatisch pistool.

Nunez was ongeveer dertig, slank maar gespierd. Hij ging ons voor naar een witte zitkamer – witte muren, witte banken, zandkleurig tapijt, en stelde me voor aan zijn vrouw Maribel, een donkerogige schoonheid. Een vijf- of zesjarige kleinere versie van de mooie Maribel kwam de kamer binnengehold die ze voorstelde als Elena.

'Elena was de naam van mijn moeder,' zei ik, 'en de naam van het kind van mijn vriendin.' Impulsief haalde ik een klein zwartfluwelen buideltje uit mijn zak. 'Dit is voor Elena,' zei ik tegen Maribel. Ik opende mijn hand en liet haar een kleine, ruwe, roze steen zien.

'O,' zei ze, 'wat is het?'

Ik haalde mijn loep te voorschijn. 'Als je me een beetje licht geeft en een stukje wit papier, zal ik het je laten zien.'

'Hij is heel mooi,' zei ze, terwijl ze hem bekeek met het vergrootglas. 'Is het een soort edelsteen?'

'Het is een roze diamant,' zei ik. 'Een ruwe.'

'Een ruwe diamant.' Ze lachte weer. 'Net als Roberto, maar die is niet roze.'

Ik vond haar aardig. Als Roberto er niet had uitgezien of hij me zou vermoorden als ik maar te dicht in de buurt van zijn vrouw adem haalde, zou ik seksueel opgewonden zijn geraakt. Verdomme, dat was ik tóch wel.

'Gekleurde diamanten zijn zeldzamer en waardevoller dan de meeste diamanten.' Ik had de diamant aan Marni willen geven voor haar Elena, maar bedacht spontaan dat ik op goede voet zou kunnen raken met Roberto als ik aardig was voor zijn dochtertje.

'Maar hij is zoveel kleiner dan deze.'

Ze liet me een diamant aan haar hand zien die meer dan vijfkaraats moest zijn. Ik hield niet van grote diamanten in ringen voor vrouwen. Een snelle blik overtuigde me ervan dat mijn veel kleinere roze diamant van één karaat veel meer waard was dan dat grote brok van haar. Maar ik moest oppassen, want het was ongetwijfeld een cadeau van Roberto.

'Dat is een ander soort diamant,' zei ik behoedzaam. 'Heel mooi, een witte diamant. Veel beter voor een verlovingsring dan deze roze.'

'Vertel me de waarheid,' zei Roberto. 'Wat is de vergelijkende waarde van die twee?'

'Laat ik hem wat aandachtiger bekijken.'

Maribel deed de ring af en ik bestudeerde hem met de loep. Je krijgt geen volledig beeld van een diamant in een zetting, maar ik kon zien dat de steen gebreken had. Ik kon me voorstellen hoe Roberto bij een juwelier binnenstapte en een hoop dollars op de toonbank smeet – biljetten van twintig dollar die een drugsspeurhond naar het plafond zouden doen springen – en veel meer betaalde dan de diamant waard was. Hij zou niet alleen de kleinhandelsprijs hebben betaald, maar twee of drie keer de waarde van de diamant. Jezus. Ik had me in een lastig parket gemanoeuvreerd. Ik zou me er niet uit kunnen werken zonder te liegen en ik wist zeker dat deze knaap een ingebouwde leugendetector had. Met mijn rug tegen de muur gokte ik en kwam met een voorzichtige versie van de waarheid.

'De diamant heeft een goede, witte kleur met iets van blauw erin, niet helemaal loepzuiver, maar hij is oké, hij heeft een paar kleine gebreken.'

'Vertel het me in dollars en centen,' zei Roberto.

'Die van u, in de detailhandel, minder dan tienduizend. Mijn roze, drie of vier keer zoveel.'

Nunez draaide zich met een ruk om naar zijn schaduw. 'Ga naar L.A. en vermoord de juwelier die me die diamant heeft verkocht.'

Hij moest lachen om mijn gezicht. 'Ik maak maar een grapje.'

Ik schreef de naam van mijn winkelmanager op mijn visitekaartje en gaf het aan Maribel. 'Bel Cameron wanneer u maar wilt. Ze zal een slijpsel en zetting voor de steen uitzoeken. Ik zou een ketting willen voorstellen, hopelijk één die Elena niet in een zandbak zal verliezen. Door een persoonlijk slijpsel te selecteren, zal Elena een diamant hebben die uniek zal zijn, zoals geen andere ter wereld. Net als zijzelf.'

Maribel bedankte me en verontschuldigde zich. Ik kon zien dat ze onder de indruk was van mijn cadeau. Ik ook – maar mijn leven stond op het spel. Bovendien betaalde ik geen kleinhandelsprijs.

'Wat wilt u drinken?' vroeg Roberto.

'Corona, geen glas, geen citroen,' zei ik.

Cross bestelde hetzelfde. We gingen op de bank zitten om over zaken te praten. Roberto legde zijn slangenleren cowboylaarzen op de lage tafel.

'Vertel me wat u van me wilt dat zo'n kostbare diamant waard is.'

'Die diamant is waardeloos voor me als ik niet blijf leven om ervan te genieten.' Ik gaf hem een beknopte versie van de situatie met João, hield me voornamelijk aan de waarheid. 'Ik weet zeker dat hij in de stad is, en hij wil me dood zien.'

'Verbluffend,' zei Roberto. 'Lissabon, Afrika en nu L.A. Ik dacht dat ík een avontuurlijk leven had.'

'Het is meer een nachtmerrie geweest dan een avontuur,' verzekerde ik hem.

'Dus, wat wilt u van mij? Wilt u die man laten vermoorden? Dan bent u aan het verkeerde adres. Ik vermoord niemand...' Hij grijnsde. 'Behalve als het om familie gaat of persoonlijk is.'

'Ik wil hem niet dood hebben. Ik heb begrepen dat u met allerlei soort mensen zakendoet, en ik wil een naam, iemand met wie ik in contact kan komen, om hem te laten weten dat ik vrienden heb die zich ergeren aan het feit dat hij van plan is me te vermoorden.'

'Ga naar de politie.'

'Doe me een lol.'

'Huur lijfwachten.'

'Heb ik gedaan. Maar ik wil João een boodschap sturen. Het soort dat hij begrijpt.'

Roberto haalde zijn schouders op. 'Ik zal eens rondvragen, kijken of er iemand is die dat heerschap zo'n schrik kan aanjagen dat zijn cojones eraf rollen.' Roberto nam een flinke slok bier en keek naar me over het flesje heen. 'Ik heb bedacht dat diamanten een goede investering kunnen zijn. Behouden ze hun waarde?'

'Ze stijgen mettertijd in waarde. Net als met olie het geval is, zijn er sterke krachten op de markt die vraag en aanbod beheersen om de prijzen te stabiliseren.'

'Misschien moeten u en ik eens samen praten. Ik heb wat los geld dat ik moet investeren. Ik denk dat diamanten misschien de oplossing zijn.'

'Los geld' werd vertaald met vuil geld dat witgewassen moest worden. Ik was niet van plan me in te laten met het witwassen van geld – dat soort geld kwam met gevangenisstrepen erop. Maar ik knikte slechts en luisterde.

We stapten af van serieuze onderwerpen en praatten over snelle auto's en onze duikervaringen. Na een paar Corona's en wat gepraat over koetjes en kalfjes liep Robert met ons mee naar mijn Bugatti en bekeek die. Als mannen die de lengte van hun penis vergelijken, zei ik tegen Roberto dat mijn auto sneller was dan de zijne. Er werd niets meer gezegd over de situatie met João. Ik stapte in de auto en plotseling zei Cross: 'Eén seconde.' Hij stapte uit en liep naar Roberto. Ze stonden te ver weg om te kunnen verstaan wat ze zeiden en ik zag alleen dat Cross iets opschreef.

'Ik heb zijn telefoonnummer,' zei Cross. 'Ik heb nog een paar diamanten over uit Angola. Misschien kan ik ze hem verkopen.'

Ja, en misschien ga ik volgend jaar roze olifanten verkopen. Ik wist absoluut zeker dat Cross geen Angolese diamanten meer had. Hij noemde ze zijn 'kapitaal' toen hij terugkwam in Amerika, en was bijna vanaf de dag waarop we geland waren begonnen ze aan mij te verkopen. Ik had de laatste een paar jaar geleden gekocht. Maar Cross had enig verstand van de diamanthandel en misschien zelfs een paar contacten buiten mij om. Mijn achterdochtige geest zei me dat Cross wanhopig hard geld nodig had en dacht in termen van spelen met het soort geld dat gevangenisstrepen heeft.

'Wat vind je van onze ontmoeting met Roberto?' vroeg Cross.

'Ik weet het niet; ik moet er nog over nadenken.' Ik wist niet goed wat ik moest denken. Ik had hem een diamant in de schoot geworpen die veel waard was en hoopte dat hij over de brug zou komen. Hij leek me een respectabel mens – zo respectabel als een internationale drugsdealer kon zijn.

Cross onderbrak mijn gedachtegang. 'Hé, bubba, als ik een paar diamanten nodig heb op krediet, geef je ze dan?'

'Zeker. Maar denk eraan, maat, dat de FBI geïnformeerd moet worden over grote transacties in contanten… Dus zorg ervoor dat je met een cheque betaalt als je je krediet aflost.'

'Hé, weet je, stomkop, ik doe wel zaken met een ander.'

77

❖

Het was donderdag. Marni's huishoudster, Josie, haalde Elena van school. Josie was vijftig en geboren in Mexico. Ze was dertig jaar geleden illegaal over de grens gekomen, met twintig anderen door 'coyotes' gebracht in de bak van een gesloten vrachtwagen, doodsbang in het pikzwarte verzegelde interieur van de truck, waar ze bijna stikte. Ze had er een levenslange angst opgelopen voor duisternis, waardoor ze sliep met het licht aan.

Haar oudste zus, die vóór Josie naar Amerika kwam, kreeg een baan tegen een uitbuitersloontje in een naaiatelier in L.A., waar goedkope kopieën gemaakt werden van grote merken sportkleding. De eigenaresse van het naaiatelier ontdekte Josies vriendelijke en zachtaardige karakter en liet haar voor haar kinderen zorgen. Ten slotte kreeg ze een green card en uiteindelijk het staatsburgerschap via een amnestie voor illegalen. Ze had nooit kinderen van zichzelf gehad en vond voldoening in de zorg voor andermans kinderen. Zoals de meeste mensen van haar cultuur werkte ze hard, en was eerlijk en trouw.

Ze kwam in dienst bij Marni nadat een vriendin van haar, die tijdens het eerste jaar voor Elena gezorgd had, terug moest naar Mexico om voor haar moeder te zorgen.

Toen ze het flatgebouw binnenkwam met Elena, glimlachte Josie en zei hallo tegen Tony, de manager, die naar haar toeliep. 'Ik heb de kabelmensen bij u binnengelaten,' zei Tony.

'Dank u,' zei Josie. Ze wist niet waarom kabelmensen in hun flat moesten zijn. Marni had niets gezegd, maar Josie had geen verstand van elektronica. Ze hoopte dat de tv het deed – het was tijd voor *Oprah*, haar favoriete uitzending. Josies Engels was nog steeds niet perfect. Zelfs na dertig jaar in het land miste ze nog de gave om woorden na te zeggen zoals sommige mensen dat kunnen, maar *Oprah* vond ze niet moeilijk te begrijpen, het communicatietalent van die vrouw overtrof de gesproken taal.

Twee mannen in uniform die zich identificeerden als employés van de kabeltelevisie zaten in de zitkamer te wachten toen ze binnenkwam. Ze waren niet bezig met de televisie maar zaten bier te drinken op de bank.

Josie keek hen fronsend aan. 'Waarom u hier? Wat mis met tv?'

'Niks,' zei een van hen.

Hij pakte iets van de bijzettafel. Het duurde even voordat Josie besefte dat hij een pistool op haar richtte.

78

❖

Ik was bezig de verkoopcijfers te bekijken van mijn Parijse winkel
toen ik opschudding hoorde in het andere kantoor terwijl mijn deur
openvloog. Marni kwam met een bleek en verbijsterd gezicht binnen.
Ik stond op van mijn stoel toen ze zei: 'Ze hebben haar.' Ze sprak de
woorden kalm, angstig uit. Mijn secretaresse kwam achter haar aan.
    'Het spijt me, Win, ze…'
    'Ga weg.'
    Marni stond midden in de kamer. Ik liep om het bureau heen naar
haar toe. Haar woorden hingen nog in de lucht. 'Wat bedoel je?'
vroeg ik, maar om de een of andere reden wist ik het antwoord, wilde het alleen niet onder ogen zien.
    'Ze hebben haar.'
    'Waar heb je het over?'
    'Ze hebben onze dochter, ze hebben Elena.'
    'Ik… wat?'
    'Verdomde schoft, ze hebben haar ontvoerd, ze willen de diamant.
Geef hem aan mij!' Ze deed een wilde uitval naar me, haar vuisten
sloegen in mijn gezicht en tegen mijn borst. Ik pakte haar polsen en
hield haar vast, trok haar tegen me aan. Mijn secretaresse kwam
binnengehold. 'Ik heb de beveiliging gebeld.'
    'Ga weg hier!'
    Marni lag snikkend tegen mijn borst. Mijn hart bonsde. Ik sprak
kalm en vastberaden. 'Vertel me wat er gebeurd is.'
    'Ik kwam thuis, Josie was vastgebonden, gekneveld. Ze zei dat
twee mannen Elena hadden meegenomen. Ze willen de vuurdiamant. Ze zouden jou bellen. Ze sturen haar in stukken gesneden
terug in een vuilniszak als je hun die diamant niet geeft.'
    Mijn mobiel ging. Ik verstarde even, antwoordde toen.
    'Luister goed en zeg geen woord,' zei João. 'Als ik iets in je stem
hoor wat me niet bevalt snijd ik een oor af – om te beginnen. En ik zal
blijven snijden.'

344

Ik zweeg.

'Wie is het?' vroeg Marni. 'Wat is er?'

Ze probeerde de telefoon van me af te nemen en ik duwde haar hand weg.

'Ik zal je exacte aanwijzingen geven,' zei João. 'Pacific Coast Highway; er is een onverharde weg omlaag naar het strand op 10-punt-10 kilometer vanaf het laatste benzinestation. Vanavond, precies om middernacht. Neem de diamant mee. Als je hulp wilt hebben, neem dan je oude vriend uit Afrika mee. Niemand anders. Waarschuw de politie – en je weet wat ik zal doen.'

Hij hing op.

'Vertel op!'

'Het is geregeld. Ik zal de ruil maken. Ik zal Elena terugkrijgen.'

'Schoft.'

'Hou nu op, hou gewoon op. Ik wist niet dat ze achter haar aan zouden gaan.' Maar nog terwijl ik het zei, besefte ik dat ik diep in mijn hart had geweten dat João een manier zou vinden om me kwaad te doen. Ik had even gedacht dat hij misschien zou proberen Marni iets aan te doen, maar dat idee had ik van me af gezet omdat ik erop rekende dat hij het niet zou riskeren. Maar ik had hem onderschat.

Ze weigerde een drankje en ik goot drie Jack Daniels naar binnen. Mijn handen beefden. Elena was mijn dochter. Ik had de woorden gehoord maar ik was te geschokt geweest om ze tot me door te laten dringen. Ik had het trouwens moeten weten. Ik had het te druk gehad en was te stom geweest om het in te zien.

'We moeten de politie bellen,' zei ze.

Ik schudde mijn hoofd. 'Nee, je kent João niet; hij is stervende en hij haat me. Het zou hem niet kunnen schelen als ik met de politie kwam; hij zou Elena voor mijn ogen vermoorden.'

'O, mijn god!'

Ze begon met haar vuist te zwaaien en ik trok haar naar me toe en drukte haar hoofd tegen mijn schouder terwijl ze huilde.

Het was vier uur. De ontmoeting was vastgesteld op twaalf uur die nacht. Ik moest iemand bellen. Misschien twee mensen. Een van hen was Roberto Nunez. Ik had advies nodig van een man voor wie geweld dagelijks werk was. Hij zou beter weten dan ik hoe ik João aan moest pakken. Ik moest weten wat ik moest doen. João mocht de diamant hebben, maar ik voelde instinctief dat hij daarmee niet tevreden zou zijn. Het enige wat hem tevreden zou stellen was als hij mij kon vermoorden. En misschien Elena, omdat zij er getuige van zou zijn.

Wat me ook zorgen baarde was dat João zei dat de enige die ik mee kon nemen Cross was. Dat plaatste me tussen twee vuren. Als ik Cross meenam, zou hij me kunnen bedriegen. En als hij op João's loonlijst stond, wachtte hij misschien samen met João op me.

Marni keek plotseling op. 'Ik heb ze gezien in Angola.'

'Hoe bedoel je?'

'De João's van deze wereld – mannen die in staat zijn kinderen te vermoorden of te verminken. Hij bluft niet.'

Dat wist ik, maar ik zei niets. Ik wist niet wat ik moest zeggen.

79

❖

João had voor de ruil een afgelegen plek gekozen langs de Pacific Coast Highway ten noorden van Malibu. Hij zou van verre de auto's kunnen zien die uit beide richtingen kwamen. Ik dacht na over zijn keus van de ontmoetingsplaats en bedacht plotseling iets. Dat verlaten stuk weg zou in João's voordeel zijn omdat hij het verkeer van beide kanten kon controleren – maar het zou ook een valstrik voor hem kunnen zijn omdat het zijn ontsnappingsroute zou beperken als er iets misging. João zou stom zijn om zich zo in de val te laten lokken – en hij was niet stom.

'Een boot,' zei ik tegen Cross, terwijl we over de donkere snelweg reden naar de ontmoetingsplaats.

'Boot?'

'Ik zat hardop te denken. De plaats die João heeft gekozen is niet logisch.'

'Het is een verlaten plek, toch?'

'Ja, maar er is maar één ontsnappingsroute als João die nodig heeft – over het water. Hoor eens, niet alleen Lissabon ligt aan zee, het hele land grenst eraan. Het was vroeger een grote zeemacht; zo hebben ze Brazilië veroverd en koloniën in de hele wereld. Portugees bloed bestaat voor de helft uit zeewater. João heeft die plek gekozen omdat hij ernaartoe kan rijden – maar zoals Bernie placht te zeggen: ik wed een dollar tegen donuts dat hij van plan is met een boot te vertrekken. Hij hoeft maar een boot op honderd meter voor de kust voor anker te laten liggen en een sloep te hebben om hem erheen te brengen.'

Ik had mijn hersens afgepijnigd of ik Cross mee zou nemen of niet, of hij vriend of vijand was, en ten slotte besloot ik dat ik hem maar beter mee kon laten gaan. Het feit dat João nadrukkelijk had gezegd dat ik samen met Cross kon komen had mijn paranoia kennelijk op hol laten slaan. Waarom had João dat gezegd? Om me aan te moedigen hem mee te nemen? Of omdat hij wist dat het me wantrouwend zou maken zodat Cross niet bij me zou zijn om me te helpen?

347

Ik was ongewapend. Ik zag niet in wat een pistool voor goeds kon uitrichten, want João zou niet alleen komen. Cross had een 9mm halfautomatisch pistool bij zich. Ik had hem niet aangemoedigd of afgeraden een wapen mee te nemen, maar ik dacht niet dat het veel zou helpen. Zoals ik al zei, João was niet stom.

Ik kon Marni er niet buiten houden. Ik had het geprobeerd, maar ze weigerde. Verrek, ze had meer moed getoond in Angola dan ik in mijn leven van races met auto's en boten. Ten slotte had ik erin toegestemd dat ze paraat zou staan in Malibu. Als ik haar om tien over twaalf niet had gebeld en haar had laten weten dat ik Elena had, zou ze de politie bellen, zodat tenminste de *deputy*'s van de sheriff zouden komen. Ik dacht dat tien minuten João voldoende tijd zouden geven om de transactie af te ronden – of mij af te maken.

Ik was bang, voor mijzelf, voor mijn dochter. Mijn dochtertje. De woorden hadden nog steeds een vreemde klank. Ik probeerde me Elena voor te stellen, mezelf te zien in haar gelaatstrekken, maar ik kon alleen maar Marni zien, omdat ik geen idee had hoe ik eruitzag. Ik was nooit echt van plan geweest om kinderen te krijgen. Te druk, zou ik hebben gezegd, maar misschien was ik er in werkelijkheid te bang voor. Ik had zo vroeg in mijn leven zoveel met de dood te maken gehad dat ik een kind daar niet aan wilde blootstellen.

'Christus, rij wat langzamer.'

Ik reed zonder nadenken op topsnelheid over de smalle snelweg langs de kust. Ik trapte op de rem. João had gezegd twaalf uur en hij zou niet willen dat ik één minuut te vroeg zou komen.

Toen we de ontmoetingsplaats naderden begon de filmcamera in mijn hoofd te draaien en trad mijn langetermijngeheugen in werking. Ik zag mijn moeder liggen, koud en dood, mijn vader aandachtig toekijkend terwijl ik een diamant markeerde waar hij gekloofd zou moeten worden. Na schooltijd in de Diamond Club een hamburger eten met oom Bernie terwijl oom Bernie geintjes maakte met zijn maten, opschepte tegen de anderen over de grote transacties die ze die dag hadden afgesloten, ik zag me vrijend met Marni in Kaapstad. Misschien zijn het niet alleen verdrinkende mensen die hun hele leven in een flits voorbij zien gaan – of misschien verdronk ik en wist ik het niet.

Er was niets op de snelweg, geen auto, geen licht. Ik zou de afslag nooit hebben opgemerkt, maar toen ik de plek naderde, gebaarde een man die aan de kant stond met een zaklantaarn naar de onverharde weg. Toen ik langzamer ging rijden om de bocht te nemen, verdween hij tussen de rotsen en het struikgewas.

We waren minder dan honderd meter van het water verwijderd. Het was volle maan en ik zag iets voor de kust liggen, een boot waarvan de lichten waren uitgeschakeld. João's ontsnappingsroute. Ik had tegen Marni moeten zeggen dat ze de kustwacht moest waarschuwen. Het was te laat om nu nog te bellen; ik zou gezien worden door João's mannen.

348

De smeerlap.

Drie meter na de hoofdweg stopte ik en zette de motor af.

'Waarom parkeer je hier?' vroeg Cross.

'Ze hebben me niet verteld waar ik moest parkeren, dus kan ik net zogoed hier blijven staan.' Ik parkeerde mijn auto zo dat hij gezien zou worden als er politiewagens in volle snelheid over de hoofdweg kwamen aanrijden.

'IJdelheid en hebzucht,' zei ik terwijl ik mijn portier opende.

'Wat?'

'Dat is waar het allemaal om gaat. Een dodelijke combinatie.' Ik betastte het Hart van de Wereld in het buideltje in mijn borstzak. 'Wat een verdomde troep. Ik had in schoenen moeten gaan handelen.'

Onopvallend liet ik mijn autosleutel onder de auto vallen toen ik uitstapte. Ik wilde het João niet te gemakkelijk maken om de auto te verplaatsen als ik niet zelf achter het stuur zat.

We liepen naar de kust, onze voetstappen knarsten op rotsen en zand, het enige geluid in de nacht kwam van de golven die op het strand spoelden. Het was een warme nacht, weinig wind, kalme zee, perfect voor een zeiltochtje bij maanlicht. Ik moest bijna lachen bij die gedachte.

We liepen om een heuvel van grote keien heen en zagen eerst João's limo. Toen we langzaam dichterbij kwamen, geen van beiden gehaast, kwam de man die ons het signaal had gegeven tussen de rotsen achter ons te voorschijn. Hij had nu een pistool in zijn hand.

'Blijf doorlopen,' zei hij in het Portugees. Hij was het evenbeeld van de gangsters die hadden geprobeerd me in Parijs om zeep te brengen. Misschien was hij wel een van hen; wist ik veel.

João zat in zijn rolstoel, een deken op zijn schoot. Een aluminium looprek stond naast de rolstoel. Een grote rubberboot lag op het strand. Ongetwijfeld was João van plan het looprek te pakken en zich zo snel mogelijk uit de voeten te maken naar de rubberboot. Het raampje van de chauffeur was omlaaggedraaid. Een van João's gangsters staarde me met een onbewogen gezicht aan achter het stuur. De getinte ruit aan de passagierskant was ook omlaaggedraaid en Simone keek me aan terwijl ik dichterbij kwam. Ze stapte uit toen ik op ongeveer drie meter van João bleef staan.

'Waar is Elena?' vroeg ik Simone.

'Buiten gevaar. Jonny brengt haar naar Marni. Ze zal er nu ongeveer wel zijn.'

'Jonny doet mee aan dit gesodemieter?'

'Ze weet van niks. Ze denkt dat ze jou en Marni een gunst bewijst.'

'Je bent een verdomde smeerlap,' zei João.

'Een amateur vergeleken bij een schoft als jij bent. Ik heb nooit gevochten met een kind.'

'Ik zou de kleine *puta* in stukken hebben gesneden en de stukken

349

voor jou in een zak hebben gestopt als mijn vrouw haar niet van me had gestolen.'

'Hij is *luoco* geworden,' zei Simone. Eén kant van haar gezicht zag donkerpaars. 'Je doet kinderen geen kwaad.'

'Geef me het Hart,' zei João.

Ik gooide hem het buideltje toe. Hij schudde de diamant eruit en hield hem in zijn hand. 'Sim, sim, mijn baby is terug.' Hij keek op, knikte naar de man achter ons. 'Dood hem.'

Een pistool explodeerde in mijn oor en bloed spatte in mijn gezicht. Ik wankelde. Cross viel op de grond. Ik staarde naar hem. De achterkant van zijn hoofd was eraf geschoten.

Ik draaide me om en richtte mijn starende blik op João. Hij glimlachte. 'Vergelding voor Angola. Ik heb jou voor het laatst bewaard, omdat ik je langzaam en pijnlijk ga vermoorden, de stukken één voor één van je af zal snijden.'

Er klonk een explosie voor de kust. De boot waarop João rekende voor zijn ontsnapping ontplofte in een felle uitbarsting en was één grote vuurzee. Nu was het João's beurt om met open mond te staren.

'Dood hem!' schreeuwde hij.

Toen de gangster die Cross had vermoord zich naar mij omdraaide, klonk er een salvo van de kustlijn en de gangster tuimelde achterover. João haalde een pistool te voorschijn dat hij onder de plaid op zijn schoot verborgen had en richtte het op mij toen Simone hem plotseling van achteren beetpakte en zijn keel doorsneed met een mes.

Ik bleef verdwaasd staan. Simone sprong achter in de limo en de auto reed in volle vaart weg, raakte me bijna.

Roberto Nunez kwam aangelopen van het strand. Hij droeg zijn SEALS-duikpak en had een automatisch wapen bij zich. Hij salueerde met het geweer.

'Niet slecht gedaan, hè, amigo? Net als in de film.'

Toen ik Roberto eerder op de dag had gebeld en hem had verteld dat João Elena had ontvoerd, zei hij dat hij zelf zou komen in plaats van me de naam van een contact te geven. Ik hoorde het geraas van auto's op de snelweg.

'Mijn compadres,' zei Roberto. 'We zullen je een lift geven.'

Mijn mobiel ging over. Het was Marni.

'Josie heeft gebeld. Ze zegt dat ze Elena heeft. Gaat het goed met je?' vroeg Marni.

'Vraag het me nog eens als mijn rillingen bedaard zijn.'

80

❖

Reizen met Marni en Elena beperkte me nogal. We namen een vlucht naar New York, na het huwelijk, en ik moest in het geniep naar de rondborstige stewardess kijken.

Toen we in de aankomsthal van JFK kwamen leek het een déjà-vu van de keer dat Marni en ik jaren geleden in Lissabon waren geland.

Ze stond er, zwaaiend met een zakdoek met mijn naam in lippen-stift erop geschreven.

'Ik kan mijn ogen niet geloven,' zei Marni. 'Ze moet toch door de politie van twee continenten worden gezocht.'

Marni wist niet dat ik tegen de politie had gezegd dat ik de vrouw die João's keel had doorgesneden niet kon identificeren.

'Ga niet te ver weg,' zei ik tegen Marni. Ik had Elena aan de hand en droeg haar over aan Marni.

'Dank je,' zei ik tegen Simone, toen Marni en Elena buiten ge-hoorsafstand waren.

'Als het je kan troosten, ik heb het niet voor jou gedaan. João was bezig gek te worden en ik weet zeker dat hij me uiteindelijk ver-moord zou hebben, en Jonny waarschijnlijk ook.' Ze haalde haar schouders op. 'Ik heb echt van hem gehouden, maar als een hond hondsdol wordt, moet je hem afmaken.'

Wauw, ik hoopte dat het schuim me nooit om de mond zou komen als ik in haar nabijheid was.

Ze overhandigde me een buideltje. 'Ik ben teruggekomen om je dit te geven.'

Ik kneep erin en voelde het Hart van de Wereld.

'Waarom?'

'Ik ben bekeerd. Ik ga in een klooster om non te worden.'

Ze lachte toen ze mijn gezicht zag.

'Je belazert de boel.' Ik geloofde het geen seconde.

'Natuurlijk. Ik heb geprobeerd dat verdomde ding te verkopen, maar niemand wilde me ervoor geven wat ook maar enigszins in de buurt van de waarde ervan kwam. Het beste bod wat ik kreeg was vijf miljoen en ik dacht dat jij me dat wel zou geven als vindersloon. Je leven redden is gratis.'

Ik schudde mijn hoofd. 'Je bent nog steeds een eersteklas serpent.' Maar mijn hart bonsde en het zweet stond in mijn handen toen ik de diamant vasthield. IJdelheid en hebzucht – en ik hield een dosis van wereldklasse daarvan in mijn hand.

'En jij bent een smiecht. Als je mooie nieuwe echtgenote niet keek, zou je me naar het dichtstbijzijnde toilet slepen en een nummertje met me maken. Je zult nooit in de hemel komen, Win. Wij geen van beiden trouwens. Ik weet niet eens zeker of de duivel ons wel zal willen hebben.'

Toen ik weer terug was bij Marni bracht ik haar in herinnering dat Simone Elena's leven had gered.

'Ja, ze heeft Elena gered, maar haar eerst van een klif gegooid. Heeft ze je de vuurdiamant gegeven?'

'Ze heeft me de vuurdiamant gegeven.'

'Waarom?'

'Ze is religieus geworden. Ze gaat in het klooster.'

'Onzin.' Ze stak haar hand uit. 'Geef hem aan mij.'

'Geef je wát?'

'Geef me de diamant. Hij hoort in een museum, een museum dat er genoeg voor zal betalen. Besef je wel hoeveel goeds we met dat geld kunnen doen in Angola? We kunnen een ziekenhuis bouwen of een school, of…'

Ik tilde Elena op in mijn armen en liep door. Marni moest hard lopen om me bij te houden. Toen ze om de diamant vroeg, had ik het gevoel dat iemand in mijn hart kneep.

'Wil je geen goed doen in deze wereld?' vroeg Marni.

'Ja, voor ons drieën.'

'Die diamant zou zoveel ellende kunnen voorkomen…'

'Welke diamant?'

'Je bent een egoïstische klootzak.'

'En jij gaat in het klooster.'

Ja, het leven is hard, maar het is de moeite waard als je iemand hebt die van je houdt en die op haar beurt van jou houdt. Ik wist precies wat ik met het Hart van de Wereld zou doen. Die ging naar mijn vrouw. Zij was een loepzuivere diamant en hoorde de waardevolste edelsteen ter wereld te dragen.